ジュリー、キャサリン、そしてクリスへ

目次

THE SHANGHAI FREE TAXI

主要登場人物

〔反復登場する場合でも初出の章のみに掲出〕

第1章

ヤン　フランクの取材助手を務める若者。上海フリータクシーの立案を助け、長旅のときには彼に同道する。

チェン　上海でパジャマのセールスマンをやっている。地下教会を組織し、娘を学校教育のストレスから解放してやるために家族をアメリカへ移住させる。

第2章　第3章

ロッキー　河北省の農村の息子だったが、上海で弁護士になる。フランクの車に乗って正月に帰省する。

チャールズ　正月の長距離ドライブに同乗した別の客。上海で船舶部品工場のセールスマンをしていたが、後日、ある欧州紙の取材助手になる。

クオ　ロッキーの母親。文化大革命のときの政治的迫害を生き延びた。

レイ　ロッキーの兄。アメリカ留学をし、上海で弁護士をしている。

第4章

ビアー　フランクに、フリータクシー用の中古車を売ろうとした抜け目のないセールスマン。

アマンダ　以前、金融機関で働いていたが、ネズミ講で家族の財産を失う。

フィフィ　かつて教員やカウンセラーなどを務めたが、フランス人と結婚してパリに住んでいる。

第5章

ジョハンナ　人権派弁護士。上海のタクシー運転手と民主主義に関する議論をする。

マックス　農村出身の床屋。恩返しのつもりで、引きこもりになった老人たちに無料の散髪を提供している。

第6章

クリスタル　中国系アメリカ人。ナショナル・パブリック・ラジオのリスナー。中国南西部の山岳地帯で行方不明となった彼女の妹を探すために、フランクとヤンの協力を求める。

ウィニー　クリスタルの妹。売春婦だったが、自己改革して独立独歩の女性実業家になろうと努力する。だが、失踪してしまう。

第7章

セイラ　田舎から出てきた若い女性。フランクは彼女の引っ越しを手伝う。上海の華やかな光のなかに自分の居場所を見出そうとしている。

アシュリー　投資銀行に勤める共産党幹部の娘。政治的自由を求めて、トランプ大統領が誕生する数カ月前にアメリカへ移住する。

第10章

コン　パジャマ・セールスマン、チェンの妻。ロサンゼルス郡で家庭を築く。

ジアリ　ゴンとチェンのティーンエイジャーの娘。中国生まれ。

インイン　二人の末娘。アメリカ生まれ。

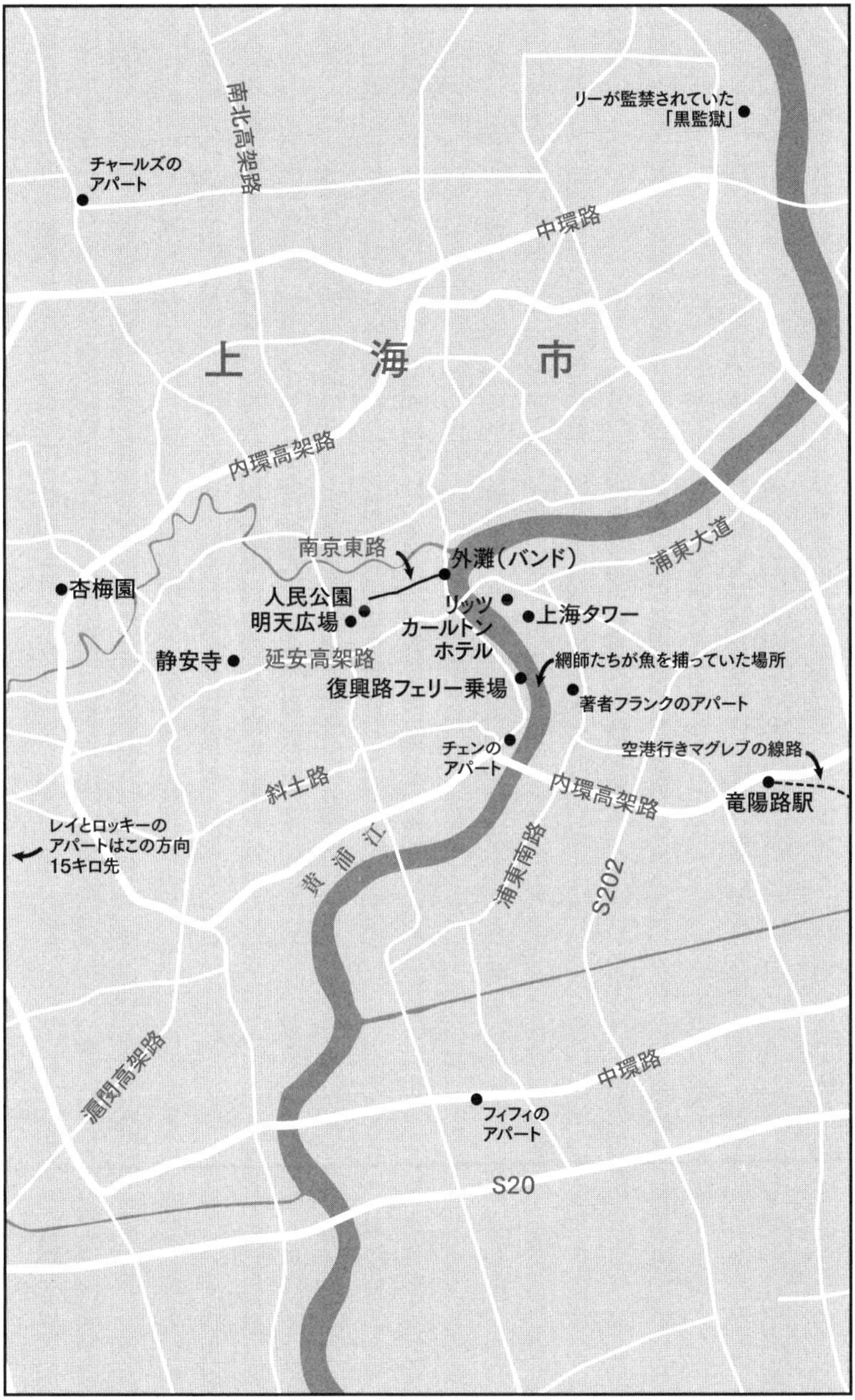

南北高架路
リーが監禁されていた
「黒監獄」
チャールズの
アパート
中環路
上海市
内環高架路
浦東大道
南京東路
外灘（バンド）
杏梅園
人民公園
明天広場
リッツ
カールトン
ホテル
上海タワー
静安寺
延安高架路
網師たちが魚を捕っていた場所
復興路フェリー乗場
著者フランクのアパート
チェンの
アパート
空港行きマグレブの線路
斜土路
内環高架路
竜陽路駅
レイとロッキーの
アパートはこの方向
15キロ先
黄浦江
浦東南路
S202
滬閔高架路
中環路
フィフィの
アパート
S20

ロシア
黒竜江省
クリスタルが看護師として
働いていた町［ハルビン］
モンゴル
北朝鮮
北京
ウィニーが情婦として
働いていた町［大連］
河北省
韓国
チャールズが
風力発電の仕事を
していた所
呂梁
山東省
陝西省
河南省
正月の湖北省行きの道
上海
四川省
チャールズが働いていた
ホリデイ・インのある町
［杭州］
マックスが
皿洗いをしていた町
［成都］
ロッキー、レイ、
チャールズの
故郷の村
チェンが育った町
［温州］
釣魚群島／
尖閣諸島
マックスが
見知らぬ男に
親切にされた町
［広州］
チャールズが
コーヒーマシンを
作っていた町［恵州］
マックスの
故郷の村
台湾
アシュリーは
ここに帰ってきた
［深圳］
香港
ヴェトナム
海南島
フィリピン
ラオス

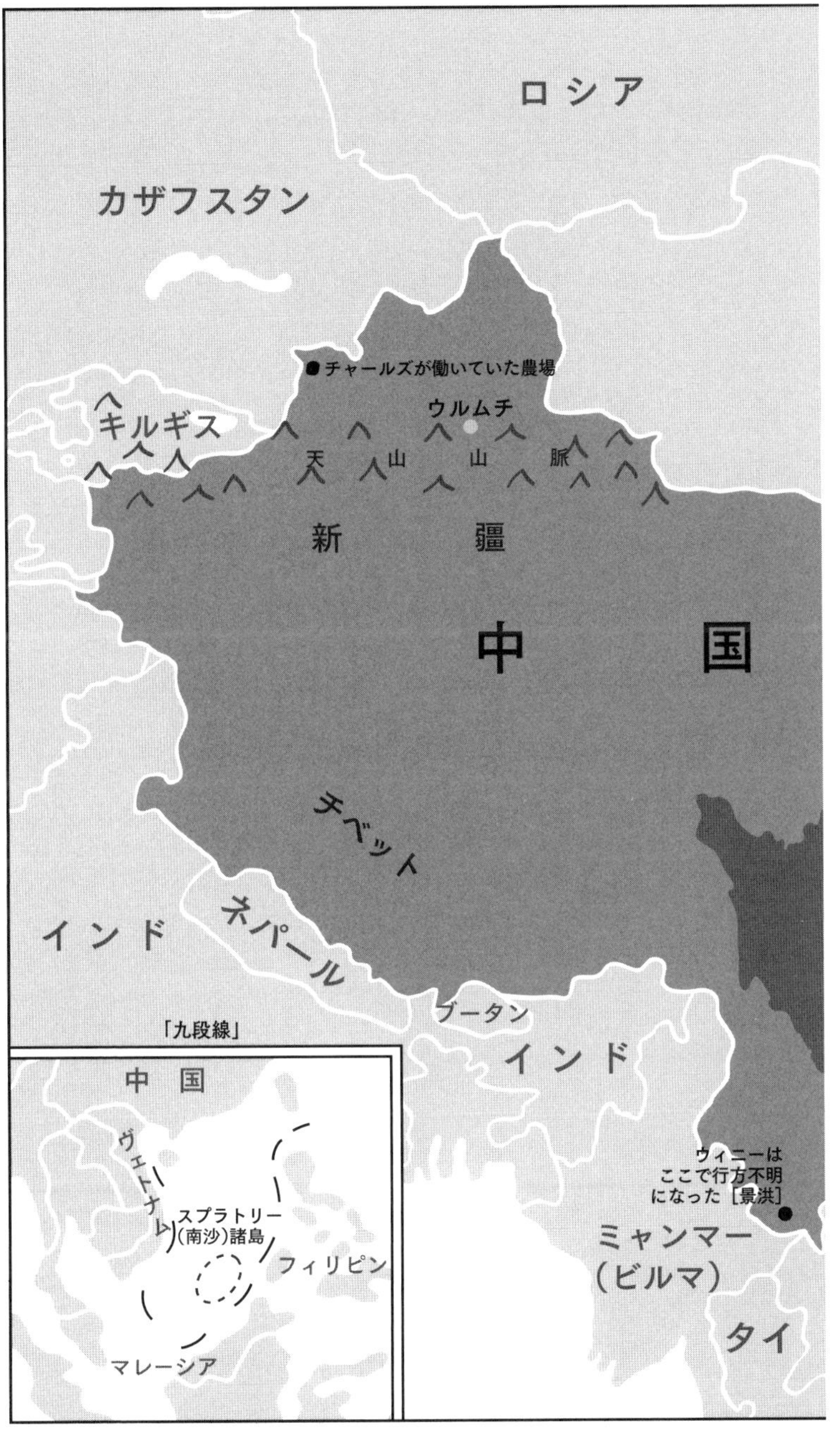
ロシア
カザフスタン
チャールズが働いていた農場
ウルムチ
キルギス
天山山脈
新疆
中国
チベット
ネパール
インド
ブータン
インド
ウィニーは
ここで行方不明
になった［景洪］
ミャンマー
（ビルマ）
タイ
「九段線」
中国
ヴェトナム
スプラトリー
（南沙）諸島
フィリピン
マレーシア

凡例

＊原著者による補足は［　］で記した

＊訳者による注は本文中の〔　〕内に割注で記した。

第1章 始まり

——チェン

一九八二年の夏、高校を卒業してから大学が始まるまでのあいだ、わたしはフィラデルフィア市内とその周辺でタクシーの運転を始めた。スタートしたのはナーバース・キャブという郊外の会社で、その配車事務所はイタリア料理屋の地下の穴ぐらにあった。わたしは新入りのなかでいちばん若い運転手だったから、どうかするとオペレーターから保有車中最悪の車を押しつけられた。七〇年代のダッジ・ダートだ。客のアパートに車を寄せると、テールパイプから黒い排気がもくもくと吹き出し、通行人らが慌てて逃げ惑う。われわれはこの現象を「農薬散布《クロップダスター》」と命名した。しかし、客がいったん乗車すれば、タクシーというのは手狭だけれど居心地のいいバーみたいになる。ほんの数マイルであれ長距離ドライブであれ、客は心に浮かぶよしなしごとや、気が揉んで仕方のないことを話し出す。仕事、子ども、結婚、そして自分の将来について。やる気満々の駆け出しジャーナリストだったわたしのような者にとって、うってつけの実地訓練だった。わたしのタクシーに乗った客は、どう思われるかなど気にせずに個人的な考えごとや気分を披瀝し、ときにわたしは隙だらけの彼らを見てしまうこともあった。数日おきにウォッカを一瓶買う老女を酒屋へ連れていくこともあったし、中年男性をバーから引きずり出して自宅へ送り届け、階段を上るのを手伝った午後もあった。ある夏の夜、配車オペレーターがわたしをメインライン〔フィラデルフィア中心から北西に広がる裕福な郊外〕にある一軒家へ向かわせた。スーツケースを二個持った若い女性が戸口に立って待っていたが、空港へ行こうとしていたわけではない。わたしは彼女を友人宅へ連れていくことになったわけだが、その道中彼女は、付き合い始めたばかりの頃はボーイフレンドがとてもやさしかったことをわたしに話した。

「ここでとらわれの身だったの」と、窓外を飛び去る手入れの行き届いた芝生と白い円柱を持つ石造りの家々を手のひらで追い払うようにして言った。二人の関係は険悪になり、彼女はそこから脱出する決意をしたのである。友だちの家の前に車を停めると、彼女は涙をぬぐい、身の上話を聞いてくれてありがとうと言った。

それからほぼ三〇年が経ち、わたしはナショナル・パブリック・ラジオの中国特派員という新しい仕事のために上海へ向かう準備をしていた。それはやりがいのある任務だった。独裁的な政治体制と用心深い文化的背景のせいで、中国人たちに腹蔵なく語ってもらうのは容易なことではなかった。わたしは二〇一一年の夏の日に上海へ飛び、同市の磁気浮上式鉄道《トランスラピッド》に乗った。世界一速いタイプの列車で、最高速度は時速四三〇キロになる。マグレブと呼ばれるその列車は、磁気を帯びたレールの上を滑走し、時速三〇〇キロ近いスピードで市内に向けて突進する。窓外のアパート群やクレーン、運河、農場などは滲《にじ》みにしか見えない。反対方向へ向かう列車とすれちがったとき、わたしの乗った車両は地震の直撃を受けたように揺れた。これこそが、共産党が訪問客にがつんと与えたい印象なのだ。中国はとてつもない速度で変化しつつあるので、まるで足の下のプレートが移動しているような感じさえする。マグレブは約三〇キロを八分以下で走破するけれど、八分もあれば、見事な外見に隠された弱点が見えてくる。一二億ドルをかけたマグレブは、すでに七年目に入り無用の長物になっている。座席はすり切れ、六ドル相当の切符は高すぎて大部分が空席だし、路線がまた不便なのだ。マグレブに乗った乗客は、市の中心部から一五キロ近く離れた場所で降りなければならない。中国は記録的な速度で世界第二位の経済大国になったけれども、真に裕福になったと言える人はほんの数パーセント。ひとっ走り列車の旅を経験してみると、現在の中国の赤裸々なスナップショットが手に入る。外面《そとづら》の真下にひび割れた化粧板。しばらく前まで西欧が理解していた中国のイメージはこれとは違う。大部分のアメリカ人はまだ中国が勝利の酒宴をやっていると思っている——「われわれの大君主」というのはジョン・ステュアートが「デイリーショー」〔米国の政治風刺番組〕で中国のリーダーを称して言った言葉だ。しかし、現実はずっとやっかいで複雑だ。中国の驚くべき経済成長率は減速してもまだ羨望に値する六パーセントを超えているが、にわか景気は終わったのだ。政府内では腐敗がはびこってきた。今や中国人は口ぐせのように過去の一〇年間を「失われた一〇年」と言う。大気汚染や中国のビジネスモデルといった大きな問題にほとんど取り組まずにいたからだ。後者について言えば、共産党幹部ですらその最盛期は過ぎたと認めている。

今回の赴任は二度目の中国勤務となる。一九九七年から二〇〇二年まで、わたしは北京で新聞社の特派員をやっていた。ふたたびこの国に戻ってきたわたしは、自分が不在だったあいだに希望が持てそうな変化がたくさん生じていることにも気がついた。金持ちとはまだ言えずとも、中国人の多くは以前より羽振りがよくなって洗練されてきたし、ネット上の言論活動も盛んになっていた。わたしは共産党が、頻繁に政府をターゲットにする激しい批判を、微博《ウェイボー》という中国版ツイッターとも言えるつぶやきサイトの巨大デジタルプラットフォームで飛び交うままにしていることに驚いた。上海で最初の数カ月を過ごしてみて、共産党が国民の信頼を失いつつあり、思い迷っていることを明らかに感じた。三〇年以上続いた経済改革、生活水準の向上、対外開放措置などのあと、地球上で最も人口の多いこの国は十字路に差しかかっており、今までのままというわけにはいかない。途方もない変化と国民の高まる期待に、党はどのように対応するのだろう？　自らを修正してさらに開放的になるのか、それとも独裁的本能に回帰するのか？　二〇一一年の時点では誰にもわからなかった。

中国のショーケース都市たる上海は、その回答を探るのに適した町であるように思われた。東と西が融合した世界最大級の都市の一つ。農民から億万長者まで二四〇〇万の人口を抱え、その面積はデラウェア州に等しい〔群馬県に匹敵〕。そしてまた、対照的なものが共存する見本のような場所でもある。都会と田舎、きらびやかと荒削り、金持ちと貧乏人、風変わりで大げさで外面的には自信満々に見えるけれど、内面的には自信がない。こののっぴきならぬ局面で普通の中国人たちが何を考えているのか、彼らにとって何が大事なのかを知りたかった。だが、そうしたことを探索するには新戦略が必要だ。インターネット上には比較的自由があったが、中国人の多くはまだ本音を語るのに慎重だし、今後ますますその傾向は強まるだろう。上海をとことん理解するために、わたしは何年も前に故郷のフィラデルフィアで大いに有効だった方法を使うことに決めた。タクシーである。ばかばかしいアイデアのようだけれど、理にかなっている。タクシーの車内ならほかに聞き耳を立てる人はいない。もともと新聞記者などの前では尻込みするような人を捕まえて、ざっくばらんに話をさせるのにこれ以上の膳立てはあるだろうか？　フィラデルフィアでの経験をもう一度繰り返してみようと、地元のタクシー会社へ出向き、仕事はないかと尋ねてみた。ボスたちは頭を振り声を上げて笑った。アメリカと違って、中国では外国人がタクシーを運転することはできないという。そんなわけで、みな絶えず新しい仕事に取りかかり新たな作戦を企てるこの町で、わたしも新型のビジネスモデルをひねり出した。おしゃべりと交換にタダで乗せますタクシー。

上海では私有車にルーフランプを載せるのは禁じられているので、わたしの新しい助手のヤンが白地のマグネットシートでサインカードを作ってくれた。ひと組みのサインは「免費愛♥車」というもので、これを訳すと「無料愛ラブ・タクシー」となるが、中国語のほうが英語よりも響きがいい。もうひと組みのサインは「交上海朋友　聊上海生活」と言い、「上海の友だちをつくろう、上海の暮らしについておしゃべりしよう」という意味だ。いちばん大きいのはボンネットの上に貼るやつで「我♥上海」、つまり「アイ・ラブ・シャンハイ」である。

　上海についてのわたしの意見は少々複雑だけれど、中国第二の都市とそこに住む人びとを愛するようになった理由はたくさんある。上海の外観は、ラスベガスと東京を想起させる近代建築と、ロンドンやフランスの昔を偲ばせるコロニアル風建築物の驚くべき混淆だ。エネルギーと進取の気性に満ち溢れ、マンハッタンなどは小粒に見えるスケールの大きさで運営されていた。わたしと家族が落ち着くことになる場所からほんの数ブロック先に、エンパイアステートビルより高い高層ビルが二棟あり、三棟目の上海タワーは完成すれば六〇〇メートル以上になる。わたしは、そこまでの野心と潜在力を秘めた、これ以上にダイナミックな都市に住んだことがない。タクシー実験を押し進めながらも、誰も乗ってくれないのではないかという不安もあったので、わたしは慎重にスタートすることにし、トヨタのカムリを借りることにした。わたしは、サインカードを丸めて入れたダッフルバッグを机の下に置き、何日かかけて出陣前の心を整えた。二〇一四年六月の雨降る日曜日の夜、わたしは町へ向けて出発したが、この車を見たらみんな笑うんじゃないかとまだ不安だった。しかし、その後に続く多くの出来事と同じく、このタクシーに対する人びとの反応には驚かされると同時に啓発されることも多かった。一五分後、わたしは市中心部の人民公園の向かい側にある映画館「ピースシネマ（和平影都）」の前で中国人男性を拾い、そしてさっそく道に迷った。客はこれまでの二〇年間を東京で暮らし、上海には観光で来ていたので、わたし以上に方角は不案内である。ホテルの住所をもらったはいいけれど、ＧＰＳでその場所を見つけるのに四苦八苦した。次から次に道を間違えながら、やっとのことで彼の滞在先まで歩いていける場所で彼を降ろした。自分の無能ぶりに恥じ入ったが、客はわたしのお粗末なサービスなど気にしない。彼は、外国人とおしゃべりをしながらただで宿泊先まで連れていってもらえて満足なのだった。無料で何かの提供を受けた場合、人は過剰な期待はしないということを学んだ。通行人はわたしのフリータクシーを見て笑ったり怪訝な顔をしたりはしなかった。ほほ笑んだり、心得顔でうなずいたり、サムズアップをしてくれた。見知らぬ人を助け、対価としては会話と学びのチャンスしか要求しないやつがいる、というアイデアを気に入ってくれたのだ。生まれついての特売品ハンターの上海人、おいしい話にはめざとい。わたしが外国人記者だということを承知し、わたしに目を光らせていた国家安全局のエージェントも、わたしのフリータクシーのことは把握していたけれど一切邪魔立てはしなかった。後日聞いたところによると、エージェントの一人はわたしのフリータクシーに関する話をラジオで聞いて気に入ったという。

　わたしのしていることをみなが即座に理解したわけではない。ある朝ガソリンを満タンにしたあと、年老いたカップルが雨に打たれているのを見つけ、乗りませんかと声をかけた。二人は車に乗り込んで後部座席でじっとしたまま言葉を発しない。通常、わたしの客というのは好奇心をむき出しにし、普通ジャーナリズムの世界で行われるインタビューとは見事に主客転倒したかたちでわたしを問い詰める。

「どこから来たの？」と彼らは訊く。「なんでこんなことをしてるの？　これがあなたの本職？」

　わたしはいつも記者だと答えた。

「おやまあ、じゃあ助手が必要だね？」と反応する人もいる。

　そしてほぼすべての客から訊かれる質問がこれ。「あなたの奥さん、中国人？」

　だがその老カップルはほとんど口を利かず、近くの病院への道順を示すのみ。薬を取りに行こうとしていたのだ。一〇分後、人だかりのする病院のゲート前で車を停めた。ご婦人は財布を探ったのち一〇元札——約一・六ドル——を引っ張り出してわたしにくれようとした。わたしはお金は受け取れませんと説明した。

「わたしは黒車《ヘイチョー》［違法］ではありません」と標準中国語で言う。「わたしは無料の愛情タクシーです」

そのカップルはどうやら車の上のサインを見なかったらしく、幸運が転がり込んだ驚きにほほ笑んで病院へ入っていった。

ある朝オフィスへ向かう途中、客を探そうと復興路《フーシンルー》のフェリー乗り場へ車を向けた。フェリーは上海でいちばんお得なものの一つだ。安い切符で絶景が手に入る。三〇セントほど払えば、未来派的なガラスと鉄の高層ビル群を一方に、その反対側には外灘《ワイタン》あるいはバンドと呼ばれる、二十世紀初頭にまでさかのぼるネオゴシック、ボザール風、アールデコ様式の建物が並ぶ英国租界時代のウォーターフロントを驚嘆の目で眺めながら黄浦江《ホアンプーチアン》を渡ることができるのだ。激しく船体を震わせて埠頭に着いたフェリーは無数の電動スクーターを吐き出し、それが鉄板のスロープをけたたましく鳴らして通りへ散っていく。近くの建設現場で働く出稼ぎ労働者がわたしの車のサインをよく見ようと近寄ってきた。

「上海には六年住んでるんだが」と彼は言う。黄色いヘルメットをかぶっている。「こんな車は見たことないな、一回もね」

青い制服を着たフェリーの従業員たちがまわりに寄ってきて、携帯電話で写真を撮り始めた。その後ろのほうに、ヴェスパ風の汚いスクーターのシートに座った男性がいた。坊主刈りで半ズボンと真っ白のTシャツを着ている。どこから来たと尋ねられたので、アメリカからだと答えた。

「オー」と彼が言う。「わたしの妻と二人の娘はロサンジェルスの郊外に住んでるんですよ」

車のサインを見やりながらチェンは別の質問をした。

「あなたはクリスチャン？」

わたしはそうだと言い、川向こうの国際礼拝堂に通っていると言った。

「わたしもクリスチャンです」とチェンは言う。

チェンは三十七歳、白髪交じりのこめかみと鋭い目、次のチャンスを追いかけて毎日走り回る無数の民とは一線を画す落ち着きがあった。家族にはもう何カ月も会っておらず、アメリカへ行って合流することを楽しみにしている。アメリカは中国語では美国《メイクオ》、「美しい国」となる。

「妻はちょうどグリーンカードを取ったばかりでしてね！」とチェンは言い、下の娘はアメリカで生まれたばかりだと説明した。家族をアメリカに送ったのは、中国の公立学校での勉強の厳しさに長女がつぶされかけたからだという。宿題のために毎晩一〇時か一一時まで勉強し、無理がたたって視力が落ちてしまった。教師たちは彼女を殴り、顔をはたかれたときはあまりに強烈でめまいを起こした。多くの出稼ぎ労働者がそうであるように、チェンも高給とよい暮らしを求めて近くの田舎から上海に出てきた。彼は服飾卸売市場でパジャマのセールスマンとして働いていたが、その市場ではわが妻ジュリーもときどきドレスを仕立てることがあった。チェンはここに自分のアパートを持っているけれど、ロサンジェルスで家を買うために上海を出ていこうとしている。何世紀ものあいだ、人びとは海外によりよいチャンスを求めて中国を去ったが、過去数十年に関してはこの国が世界一の経済成功物語の舞台となった。田舎から出てきたやり手とかハーヴァードのＭＢＡ取得者とか、上海は才能と野心を引き寄せる磁石だった。とはいえチェンは、社会システムが娘になしたことと共産党を嫌悪していた。彼はもっと文化的でもっと持続可能な何かを求めていた、だから出ていきたかった。

　裕福な中国人たちは、意のままに人びとを監禁し資産を差し押さえることができる独裁体制から自分たちの富を守りつつ、子どもたちにきれいな空気、そしてもっと魅力的な教育を授けるために、グリーンカードと外国のパスポートをせっせと調達している。もし中国が世界を制覇するとするなら――と、たいへん多くのアメリカ人が信じているようだが——なぜこんなに多くの中国人が二股をかける必要があるのだろう？　パジャマ・セールスマンですら出口戦略を立てている。わたしはチェンと知り合いになってから、現段階における中国の複雑さと、国民が直面している難問をある程度理解するとっかかりを得た。急成長が続いた数十年は何億もの人びとの暮らしを変えたが、犠牲を強いることもあり、ある人びとにとっては明日を迎えることがより困難になった。上海やその他先進都市では、不動産価格が二〇〇三年から一三年のあいだで毎年一三パーセントずつ上昇した。大気汚染をもたらすスモッグがあまりに濃くなるときがあり、わたしたちの家から同じアパートの隣人のバルコニーがぼんやりとしか見えなくなることがあった。そして今、たくさんの中国人がある程度の富をなんとか蓄えるようになると、彼らの欲求はさらに高まるのだが、それは物質的なことだけではなく、精神的なものや心理的なものだったりする。多くの人たちはより人間的な社会、天を衝く高層建築や高速列車などよりもっと大切な誇りを持てる社会を希求していた。チェンのような人たちにとって、それはアメリカへの移住を意味した。北京のリーダーたちが危険視するレベルの自由を与えてくれる国だ。

　わたしがフリータクシーを始めたのは、普通の人びとが何を欲しがっているのか、自分たちのこと、自分たちの国、そしてそれより広い外の世界をどのように見ているのかを突き止めるためだった。それから数年間、わたしは大勢の乗客、工場労働者から、農夫、退職者、銀行家、弁護士まで、さらには心理カウンセラーさえも乗せて走り回った。多くの人が自分たちの家と暮らしのなかへ招き入れてくれ、希望と不安を教えてくれるというかたちでお返しをしてくれた。上海の路上で始めたことが、わたしを中国の真っただ中の村へ、ラオス国境沿いの山中へ、そしてさらにはパリ、ロサンジェルス、シカゴ、カラマズーへと拉《らっ》する波乱の旅となったのである。その数年のあいだに、中国人のなかでも、夢を追い、母国をよい場所にしようと努めてきた、いっそう洗練された世代を知ることができた。貧しい農家の出身だけれども上海の弁護士になったロッキー、わたしは結婚式で帰郷する彼を乗せて彼の村へ向かい、祝宴のあいだじゅう彼の運転手を務めた。中国をもっとやさしい国にしたいと、寝たきり老人に無料散髪を提供していたマックスという名の床屋を乗せ、客が待つ場所へ行ったり来たりした。チェンはドナルド・トランプのアメリカ、ロサンジェルスで自分たち移民家族のために新生活を築こうと苦心惨憺していたが、わたしはそこへも飛んだ。わたしはこの試みのなかで、厳格な規則は作らないことにしていた。何人もの客を乗せて田舎を走る長距離ドライブのとき、わたしは上海フリータクシーを運転することはせず、もっと大きなバンとかSUVを借り、助手のヤンに同乗してもらった。彼はわたしが運転しているあいだ会話を録音してくれた。客と中国国外で会ったときには、彼らとおしゃべりをしながら欧米の町を歩き回った。中国政府に、これ以降の章に載せたわたしの客の発言をとらえて彼らを処罰したがられては困るので、わたしは彼らの身元を守るために彼らの英語名か中国語の名字だけを使い、そして一人だけアシュリーという仮名を使った。

　最初に知り合いになったとき彼らは、腐敗のぬかるみに陥り、長続きしそうにない独裁的システムで行き詰まっていた国に対し、希望を抱いていた。ところがその後数年間、中国と西側の政治的風景は誰も予想だにしなかった変化を遂げた。習近平は中国の国家主席《プレジデント》となり、中国の夢と称する理念を打ち上げた。だがその夢とは中国人一人ひとりの夢なのだろうか、それとも共産党の夢なのか？　その後、習（シーと発音する）は中国が新時代――すなわち現代中国史のなかで世界の大国であることを主張する時代に入ったと宣言。新時代は、およそ四〇年間続いた経済改革の終わりと徐々に増加する自由の始まりを画するものとされた。習近平が中国をもっと明確に独裁主義的な方向へ持っていこうとする一方、アメリカの有権者は、民主主義的な規範や報道の自由についてほとんど重きを置かぬリーダー選ぶことで、世界に衝撃を与えることになる。多くの中国人にとってアメリカはかつて自由のかがり火だった。

一九八九年、天安門広場で民主主義のためのデモをした何十万という人びともその一部だった。ドナルド・トランプの選出後、リベラルな中国人たちはどんなシステムを信じればいいのか途方に暮れた。

国の規模と複雑さと変化の速さのせいで、中国を把握しようとするのは恐ろしく難しい。次章以降に続くのは、世界に冠たるもう一つのスーパーパワーの未来に関する学術論文ではなく、上海フリータクシーを通じて出会った人びと——個人的挑戦に取り組み、また現代中国と西洋世界の歴史上の不確かな転換期を乗り切ろうとする人びとの、つくろわぬ物語なのである。

第2章 中国の正月旅行

——ロッキーとチャールズ

一九九八年の冬、『ボルティモア・サン』紙の特派員として勤務していたとき、世界最大の年次民族移動の時期——正月を祝うために何億もの労働者が都市から帰郷する時期——に、わたしはある中国人カップルと旅をした。チェンとリーというその夫婦とは洞窟のような北京西駅で落ち合った。二〇〇〇人あまりの乗客と一緒に、この建設作業員と家政婦とわたしは群衆を押しのけながら年季の入った列車に乗り、そのあと一二時間以上、安徽省の省都、合肥《ホーフェイ》をめざし、鉄路を揺られて南下した。つらい旅だった。頭上の棚のスペース確保で争い、荷物をぎゅうぎゅう詰め込むものだから、ときにスーツケースが乗客の額に落下して血だらけになることもある。夜が来る前に金属製のしゃがみ込み便器は糞詰まりとなり、車内の空気はタバコの煙でもうもうとしてくる。乗客はヒマワリの種、オレンジの皮、ビール瓶のキャップ、そして米飯まで、堆肥でも作るつもりか通路にぽいぽい捨てる。目は充血、衣服はしわくちゃという格好で列車を合肥で降り、そこからチェンの実家がある農村へ向かうためにバスを二台乗り継いだ。

五時間後に到着すると、チェンは実家のどろんこ庭を横切って、彼らの三歳になる娘、ホンホンのところへ歩み寄った。一一カ月も会っていなかった。幼女は慌てて逃げた。ホンホンは父親の顔を覚えていない。その旅のあいだ、中国の出稼ぎ労働者が耐え忍ばなければならない苦労をたくさん聞かされ、気温零下のなか暖房なしの農家で震えながら数泊したけれど、それ以上は耐えられなかった。わたしは主人に礼を言い、北京へ飛んで帰り、記事を整理したあと、正月休暇の田舎行きというあんな過酷な旅を二度とすることはないだろうと心中つぶやいた。

　予感は外れた。

　それから一七年後の二〇一五年、例年の帰省休暇苦難の旅がどう進化したかを見てみようと、わたしは出稼ぎ労働者とともに中国中央部の湖北省へ行くことにした。今、中国中心部への旅はどれくらい困難なのだろう？　人びとや状況はどんなふうになっているだろう？　そこまでの六カ月間、わたしは勤務先への行き帰りにフリータクシーで客を拾っていた。車で長旅をするにはもってこいの時期らしい。初めて田舎の正月に出かけたときに比べると、中国はずいぶん変わっていた。満員列車に詰め込まれる代わりに、わたしは七人乗りのビュイックのミニバンを借りてハイウェイを行くことにした——州間高速道路《インターステートハイウェイ》七〇号線の中国版で、ほんの数年前に完成したばかりだった。もし北京から湖北省へ向かう昔ながらの鉄路をたどったとすると、弾丸列車で五時間を切っていたろう。中国で近代化されたのはインフラだけでなく、人びともまた変化していた。今回の旅仲間は社会の周縁に住む貧しい農民ではなく、上昇志向の強い次世代中国人だった。弁護士と彼の婚約者、そして上海にある船舶部品工場のセールスマン。全員が大卒である。

　わたしの助手のヤンが、ナショナル・パブリック・ラジオの四万人のフォロワーを対象にした広募をウェイボーに掲載して、彼らを見つけた。フリータクシーの精神に則り、わたしたちは中国の正月帰省を無料で提供し、応募者のなかから二名の男性を選んだ。ロッキーとチャールズといい、互いに見知らぬ間柄だったけれど、偶然にも湖北省の同じ地方の出身だった。二人とも結婚準備のために帰郷しようとしていた。高学歴の中国人の若者に多く見受けられるように、彼らは英語の名前を使っていた。ロッキーはわたしの故郷フィラデルフィア出身、架空の「奇跡一発《ミリオン・トゥ・ワンショット》」ボクサーにあやかった名前だ。二人とも時間と金を節約できるフリータクシーに乗りたくてたまらない。わたしのオフィスでの面接のとき、ロッキーは自分を選ぶといいことがあると宣伝した。彼の兄、レイの物語は習近平の夢の縮図のようなもので、きっとすばらしいインタビューになるだろうと請け合うのだった（中国では一九七九年に一人っ子政策が導入されたが、レイはそれ以前に生まれており、かつまた二子が許容された田舎に住んでいた）。

二〇一二年、習近平は共産党のトップに就任したあと、天安門広場にある中国国家博物館の「復興の道」と題された展示場に出向いた。同展示はアヘン戦争（一八三九―一八四二）に敗北した暗黒の日々から共産党支配下の繁栄の時代まで、中国の歴程をたどったものである。ここで習主席は中国の夢を実現するための展望を説明し始めた。中国の夢とは、少なくともある程度個人的野心に訴えるところのあったアメリカン・ドリームのもじりだ。しかし習近平は、この中国の夢を共産党の永続的な政治的優位性と、国際舞台における中国の地位復活に密接に結びつけたのである。

「中国の夢の実現と中華民族の偉大なる復興のために奮闘を継続しなければならない」と、習近平は全国人民代表大会、すなわち中国の自動認可装置である議会で述べた。

わたしは正月を共産党の宣伝文句を聞かされうんざりした気分で過ごしたくはなかったが、どんな旅からも何かしら新しいことを学んできたので、ロッキーに乗車権を与えることにした。ある日の早朝、わたしが住むアパートの敷地を囲む壁の外で、ロッキーと彼の婚約者ピアオを乗せた。外見的にロッキーは、わたしが一九九〇年代の里帰りに同伴した出稼ぎ労働者たちとはほとんど違う人種に見えた。あの時代のファッション奇癖の一つに、中国人出稼ぎ男性――往々にして無精ひげ――がしわくちゃスーツの上着の袖に付いているブランドタグを外さずにいる、というのがあった。貧乏であか抜けない彼らは都会の社会経済的ハシゴの最下段に住み、ブランドタグを袖に付けたままでいることがささやかなステータス保証であると誤解していたのである。それとは対照的にロッキーは、縁なし眼鏡にスタイリッシュな襟なし黒ジャケット、グレーと白のセーター、しわ一つないジーンズを身に着けていた。彼ならばアメリカのどこの都市の通りにもすぐ溶け込める。都市生活者となった彼らが、これから田舎に帰省して顔を合わす実家の家族たちとどれほど違うものか興味津々だった。

　われわれは人民路《レンミンルー》トンネルに入り黄浦江の川底をくぐった。もう一人の乗客、チャールズとは静安寺《チンアンスー》の前で会った。昔からの商店街である南京西路《ナンチンシールー》に沿って立つ金色の尖塔を持つ、ビルマチークで建てられた仏教寺院である。下襟と肩章が付いたグレーのツイードジャケットを着たチャールズは、ロールバッグは自分でバンの後部に積むからと言った。わたしはそこから延安《イエンアン》高架路へ乗り、市内のガラスと鋼鉄の峡谷を抜けて西へ向かった。

　最初の頃は会話がぎこちなかった。前の席に座ったヤンがショットガンマイクを指さした。砲身の長いピストルのような形をしていて後部座席の乗客のほうを向いている。大概の人はマイクを警戒するものだが、中国人はとくにそういう傾向が強い。というのは、何か批判的なことを言ってしまい、それが何らかのかたちで当局の耳に入ることを恐れているのだ。当時――二〇一五年当初――そのような事態が実際に起きることはほぼ皆無だったが、その懸念はわからないでもなかった。空気をほぐすために、正月に田舎へ帰省するというのは昔はどんな具合だったのか、彼らに訊いてみた。正月は、中国のカレンダー上では最大の休暇だ。上海の工場で製造された船舶用の暖房装置部品を売っているチャールズは、昔の列車はあまりに混んでいたものだから乗客のなかには悪臭を放つ狭苦しいトイレにこもって旅する者もいたという。

「体裁なんてまったく気にせず生きてる感じでしたね」とチャールズが言う。「トイレに入って用を足したかったら、なかにいる人に出てきてもらうしかない。出てきてくださいって懇願するわけです。なかの人はだいたい寝てるので」

今では中国にはずっといい道路とレンタカー会社があるから、われわれがやってるようなこと、つまり少しずつ相乗りをするようになった、とチャールズは言う。わたしはこれから八〇〇キロ以上運転しなければならず、乗客と打ち解けて歓談すること以上に単純明快な目標があった。このバンで万が一でも事故を起こさぬこと。中国で車を運転していると何が起きるかわからず、田舎の運転手の多くは都会に比べると交通法規をあまり気にしない。そうやって西をめざすあいだ、追い越し車線のＢＭＷやメルセデスが時速一六〇キロでびゅんびゅん追い抜いてゆく。わたしは田舎における創造的運転というものに慣れていた。ある日の午後、中国中心部の武漢の高速道路を走っていたとき、車が逆方向からこちらにまっすぐ向かってくるのを見た。恐ろしさとおもしろさに震えつつ、わたしは慎重に車を路肩に寄せて彼を通してやった。おそらく彼は初心者で、出口で降りそこない、そのまま間違った方角へ走り続けるよりは、Ｕターンして逆向きの車をかわしていったほうが簡単だと思ったのだろう。

出発してからおよそ二時間が経った頃、わたしたちは料金所に着いた。料金係は若い女性で、椅子を正確に九〇度回すと、わたしから四ドル相当の料金を取るためにロボットのように手を伸ばしてきた。彼女のほほ笑みは仮面のようで不気味な印象を受けた。笑顔を返そうとしたけれど、気持ち悪さを隠すことはできなかった。「あれは業務上の要求ですよ」とチャールズが言った。公的サービス向上のために笑顔を作れと指示されているんだろうと言う。ここの公的サービスというのはお粗末だ。

「政府機関へ行って役人に会うと、彼らはしかめっ面で対応する」とチャールズが言う。「あの作り笑いのほうがずっとましですよ」

料金所を出ようと車を動かしたとき、料金係は仮面を捨てて自然な笑顔を作り、はにかんだ。「あの子は恥ずかしがり屋なんでしょう」とロッキーが言い、大都市から外れたこんな場所で外国人に会ってびっくりしたんじゃないかな、と指摘する。

さらに西へ進むわたしたちは中国の密集地帯、裕福な沿海部をあとにして、だだっ広い内陸部へ入っていった。どれも似たようなアパートの固まりが列をなす風景が、モロコシ畑と稲田に取って代わる。ブタが詰め込まれた巨大な檻を乗せたトラックを何台も追い抜き、荷台付きの三輪スクーターで高速道路をパタパタ走る農民たちをかわしていく。安徽省はわたしが一九九〇年代に正月を過ごした貧しい田舎だったが、そこに着く頃、だんだんと平地がせり上がり小ぶりな山々がつくる蛇腹のような風景になっていく。次々とトンネルを抜け、緑色の高速道路標識の上の漢字がなければペンシルヴェニア・ターンパイク〔州間高速道路七六号線〕の延長のように見える。ロッキーが、わたしが知っていそうな曲をアイフォンで探り出した。

楽園のようなウェストヴァージニア（Almost heaven, West Virginia）
ブルーリッジ山脈、シェナンドー川（Blue Ridge Mountains, Shenandoah River）

中国中心部の山々を、ジョン・デンバーの「故郷へ帰りたい（Take Me Home, Country Roads）」を聴きながらドライブし、チャールズとロッキーが休暇のために彼らの出身地である田舎へ向かうとき、その歌はいやに不思議にぴったりくる。田園世界へのあこがれを歌ったものだが、中国の場合にはその田園世界が大都市から取り残され、消滅し始めていた。ジョン・デンバーが中国人の意識に最初に刻まれたのは、一九七九年、彼がケネディ・センターで中国のリーダー鄧小平のために演奏したときだ。そのとき鄧小平は、アメリカとの外交関係を樹立するための土台作りとしてワシントンＤＣを訪問していた。中国が世界に向けて少しずつ国を開放していくなか、デンバーやそのほかにはワム！などの無害なポップスが演奏されたのだ。中国の若者のほとんどは英語の教科書に触れることがなかったので、彼らは「故郷へ帰りたい」とかカーペンターズの「イエスタデイ・ワンス・モア」、ジョージ・マイケルの「ケアレス・ウィスパー」などを聴いた。

わたしたちは旅程のうちすでに六五〇キロ近くをカバーしていた。車の数は減り始め、道路のコンディションもまだアメリカと同じくらいによい——わたしがこの国で最初に過ごした数年に比べたらすごい変化だ。高速道路を一三〇キロで飛ばしながら、わたしは道路状況の改善を褒めちぎった。これにチャールズが反応し、彼の故郷の村に最初の舗装道路ができたのは数年前のことだという。そのために住人が各自一六〇ドルから三〇〇ドルの範囲で寄付をした。しかし——中国ではよくあることだが——工事のプロセスが不透明であり、舗装道路のあちこちがすでに崩れ始めていた。チャールズは欠陥工事に付きものの原因を非難した。ピンはねだという。

「ぼくのおじは近くの村の村長でした」とチャールズが言う。「母によると、おじはあるエンジニア・プロジェクトから金を吸い上げていたといいます。それを聞いたときは不愉快だったな」

そののち、ほかの乗客がいない場所でチャールズは、自分自身も中国のシステムに根を張っている腐敗からメリットを得たことがあると言った。彼はなまけ者の学生で、高校へ入る準備をしたが入試でろくな点数を取れなかった。彼の家族が、親類の友人のなかにその田舎で最高の高校にコネを持っている男を見つけ、彼を入学させるために三〇〇〇ドル以上の賄賂を払った。当時はたいへんな額で、チャールズの家族がアパートを買ったときの三分の一以上の金額に相当した。

「家族にとってはたいへんな負担です」と、チャールズがあとで言った。「ものすごく責任を感じています」

　共産党は誰からも抗議を受けることなく、たとえば工場建設のためなら農家から土地を接収できる、というようなすばやい不意打ちのルール改定をすることができ、それが経済成長を後押しした。しかし党の権力――警察と裁判所を支配している――を外部から牽制するシステムがないので、ここでは汚職が当たり前で誰もが認める暮らしの一部になってしまっている。

　ここまでのところ、ロッキーはわたしたちのとりとめのない会話を聞きながらのんびりしていたが、チャールズのおじの話に触発された。ロッキーもチャールズと同じく、大多数の人が汚職も生活手段の一部と受け止める貧しい農村で育った。何十年にもわたる貧困と孤立をしのいできたあとは、政府が放り投げてくれるものなら何にでも飛びついた。

「中国の農民というのはとても要求の少ない世界一単純な農民なんですよ」とロッキーは言う。彼には似つかわしくないさげすみの響きが言葉の裏に感じられる。「彼らのために政府がほんの少し何かをしてやると、それはもうとんでもない恩恵を受けたと感じる。政府と共産党に対して感謝感激。実際、ばかげた話ですけどね」

　こうした社会体系に巣喰う問題に話が集中すると、中国人の多くは両手を放り上げて没辨法《メイパンファー》――「どうしようもないよ」――と言うか、チェック・アンド・バランスが必要だという話になったり、ある種の代議制政体がいるんじゃないかという話にもなるが、そういうことは自分たちにとって直接の脅威になると共産党は知っている。会話が政治的になりすぎたと感じて、チャールズは口を挟む。

「このインタビューはちょっと危なくなってきたな。話題を変えましょう」と彼は言う。「中国ではよくやるんですよ」とチャールズは続け、そこだけ英語に変えた。「セルフ・センサーシップ（自主規制）」

中断させられた会話はほんの数分、この旅で一緒に過ごす数日間のなかの一刹那でしかなかったけれど、その中断は意味深長で、この先起きることの予告でもあった。人びとが政治について語ることができなければ、体制を変える工夫に着手することなどできない、と共産党は知っている。端折《はしょ》られた会話、言いよどみ、そうした一つひとつが、独裁主義と政治的現状にとって小さな勝利になってゆく。そのとき小型バンのなかにいたわれわれが誰一人として知らなかったのは、それからの数年、共産党がどれほど自主規制を強制し、恐怖を煽っていくようになるかということだった。

山の端に日が沈む頃、わたしたちは彼らの故郷に近づき、都会暮らしの出稼ぎ者のおらが村自慢がむくむくと頭をもたげてきた。チャールズは、彼の田舎は教授の輩出数で有名だという。ロッキーは自分のところはジャーナリストで有名だという。チャールズは、そういえばあるジャーナリストの名前を聞いたことがあると言った。中国政府の新華社通信の記者だった楊継縄《ヤンチーション》だ。楊は毛沢東の大躍進政策のなかで起きた破局的で人為的な飢饉について『墓碑――中国六十年代大飢荒紀実』〔抄訳『毛沢東 大躍進秘録』伊藤正・田口佐紀子ほか訳、文藝春秋、二〇一二年〕を書いた。中国経済を変えようとして、党は労働力を食糧生産現場から零細高炉へ移動させる一方、実際に収穫減を導くことになった欠陥だらけの農業政策を推し進めた。地方の役人がお偉いさんを喜ばすために収穫量を水増し報告する、すると政府は農民からさらにもっと穀物を収奪し、人びとの餓死など気にかけなかった。地元の公文書を徹底的に調査した楊は、当時の中国で、三六〇〇万人以上の人びとが飢饉と飢饉に由来する病気で死んだと推定した。もちろん共産党はこの本を発禁にした。楊は党の考え方をエッセイにして『ニューヨーク・タイムズ』紙に掲載、これも政府によってブロックされたが、そこにはもっと深い理由がある。

「大飢饉の全貌解明は、毛沢東の政治的遺産にしがみついている支配政党の正統性を危うくする可能性がある」と楊は書いた。「その政治的遺産、すなわち独裁体制が飢饉の根本原因だったのだが」

中国において毛沢東は複雑な存在だ。日本による占領と内戦を含む混沌とした時代のあと国をまとめたということで人びとは彼を尊敬するが、彼は権力の座にあまりに長く居続けた。もっと早く引退していたら大躍進政策、さらにそのあとの文化大革命によって国を破壊することにはならなかったろう。毛沢東が損害を与えたのはもっぱら欠陥のある政策によってだが、彼とヒトラーとスターリンは二十世紀に生じた死亡者数の大半に責任を持つ三大政治家である。大躍進政策が引き起こした人為的な飢饉について中国人の一部は知っているけれど、チャールズによれば多くの人びとは関心がないようだ。ロッキーに飢饉と死亡者数について語るとき、チャールズは言葉を標準語に変えた。

「その本は読んでない」とロッキーは言い、質問はしなかった。

午後七時頃、わたしはチャールズを彼の家族が住むアパートの前で降ろした。一三時間近く運転していたことになる。目はちくちくし肩の筋肉が凝っていた。ロッキーは、暗闇のなかを彼の村までもう一時間とせかす。彼の母親が夕飯の支度をしていて、わたしたちをもてなすと言って聞かない。普通なら応じるところだが、外灯もガードレールもない田舎道を夜中に運転するのは不安だった。それに、待ち構えているらしい歓待に応えるエネルギーがなかった。中国人は外国人を迎えるとなるとすさまじい。ときには料理を次から次へと食べ続け、タバコを吸い、白酒《パイチウ》なるモロコシか小麦、あるいは大麦で作った蒸留酒を飲めと強要されることになる。ロッキーの母親、クオがわたしを連れてくるよう彼に懇願している声が携帯電話から漏れ聞こえたので、わたしはロッキーに疲労困憊だからと謝った。ロッキーは母親にこの凶報を伝えた。

「あのね、アメリカ人ってのは他人の家に泊まりたがらないんだよ」とロッキーは、わたしが理解できぬことを期待して超早口の標準語で言った。

待望の夜の眠りをむさぼったあと、翌朝わたしはロッキーとピアオを乗せて県庁内の役所へ婚姻結婚証を取りに行った。ふかふかしたベージュのコートを着たピアがロッキーの後ろに並び、順々に申請書を事務員に渡す。ほかの未来の花嫁たちは赤いジャケットに赤いハンドバッグ。中国では結婚や正月に際し、赤は縁起のいい色とされている。

「この婚姻証はたったの九元」——約一・五ドル——「すごく安いね」とロッキーはうれしそうに言う。

「どうしてそんなに安いの？」と尋ねた。

その値段は政府からの善意のしるしであると同時に、標準語ではよくやる語呂合わせだ。標準語で「九」はチウと発音するが、その音は別の「永久」を意味する文字〔「久」のこと〕の音と同じなのだ。事務員が二人に婚姻証を手渡し、わたしたちは日なたに出た。この瞬間を見届ける家族がいなかったので、わたしはカメラを取り出し、レンズキャップを外し、人生の節目をとらえる結婚式カメラマンになった。写真を撮り始める前に、わたしは婚姻登記所の入り口前に、坊主刈りで緑と白のチェックの上着を着た二歳の男児を連れた女性が立っているのに気がついた。わたしが幸せなカップルに焦点を合わせようとしていると、その母親は息子の青いコーデュロイのズボンを引き下げ、彼が登記所に続く階段に放尿しまくるあいだ、ずっとわが子のペニスをつまんでいた。特別なその日、そこに集まったカップルたちがこの情景にひるんだかというと、そんなことはない。気を取られていたのはどうやらわたしだけだった。中国の田舎には公衆トイレが少ないので、両親はわが子に股割れパンツをはかせ、必要にかられた場合、公の場所で自分で用が足せるようにしておく。だがその瞬間は、中国の田舎と上海のようにどんどん国際的になっていく都市とのあいだに残っている亀裂の実証とも言えた。わたしが最初に中国へ戻ってきた二〇一一年、明るい照明と豊かさを見て、この国も当然のごとくもっと自由で洗練されていくのだろうと考えた。だが、政府の婚姻登記所の外で立ち小便をする子どもは、この国が前進しなければならぬ距離はまだまだある、ということの小さな戒めだった。

わたしたちは、砂利山で埋められた川の縁に沿った道路を走ってロッキーの村へ向かった。延々と続く新道路の延長や集合住宅用ビルの増築需要に応えるために重機が川を掘り、そこを砂利採取場に変えてしまっていた。ロッキーと先祖代々の実家へ帰る、それは郷愁を誘うドライブになるだろうと思っていたのだが、すぐに憂鬱なものになってきた。中国では、世界のほかの場所以上に、ふるさとへ帰ることが不可能になっていた。

「その昔、川がつくる生態系《エコシステム》は本当にすばらしかった」ロッキーがしょんぼりした顔で言う。「揚子江からスナメリがこの川をさかのぼってきたんですよ。でも、今じゃゼロ。一部分はダムになったから、魚が揚子江へ泳ぎ出ていくなんてことはもうありえない。生態系全部が、川床から水生植物も含めてなくなってしまった」

彼の村に近づく頃、中国のど真ん中で農家の子どもだった彼が、どうして何百キロも離れた上海みたいな巨大都市で弁護士をやっているのか、とわたしはロッキーに訊いた。ロッキーのような人たちが社会経済的なはしごを一足飛びに駆け上がってきた姿は、中国ブームのなかでもいちばんわくわくさせられ、勇気づけられる側面だった。ロッキーの成功について、ピアオが彼女なりの解釈を聞かせてくれた。

「村中の人が、彼の家はいい土地に建っていると思っています」と彼女が言う。「風水的にいい、というわけです。だから息子は二人とも大学に行って、いい仕事にも就けたと」

風水とは標準語で文字どおり「風と水」を意味し、多くの中国人は自然の力と無形の力から幸運が生まれると信じていて、それら諸力と調和がとれるよう、建物とその内部の位置取りを決めるときに使う指針である。婚姻証の値段を九元にする、というたぐいの考え方に何となく通じるものがある。だが、現代の多くの中国人と同様、ロッキーはそんなことは信じない。

「誰であれ、その運命や経歴や仕事はその人の努力の結果です」と彼はきっぱりと言った。「それが天から降ってくるわけじゃありません。風水とは無関係。もしぼくが司法試験を受けずに家でだらだらしていたら、いい風水が何の役に立つでしょう？ 仕事が天から降ってきますか？」

村に着いた。二階ないしは三階建ての農家が連なり、乾ききった畑に囲まれていた。そのうちの何軒かは灰色で塗装されぬままだったが、ほかの家屋の外壁には菱形格子柄《アーガイル》の陰影が施されていた。バンから降りると、雄鶏が時をつくり、ロッキーの父親が崖を横切って、わたしたちの到着を歓迎するために数珠つなぎになった爆竹と打ち上げ花火に着火する。わたしを父親に紹介したあと、ロッキーはわたしを実家の二階建ての屋上に連れていった。そこは淡い黄色に塗られ、バルコニーからはいくつもの赤い提灯がぶら下がっている。彼は庭のクスノキを指さした。

「ぼくが小さいとき、お祖母さんがあそこに小さな苗木を植えたんです」とロッキーが説明する。「ぼくが大きくなるとあれも大きくなった。幹のところが二つに分かれているから、あの木はぼくら二人の兄弟を象徴してるんです」

わたしたちは茶色い丘の斜面を眺めた。場所によっては樹木のはげたところがある。

「ここではたくさん木が切り倒されてきたけれど」とロッキーは言う。「この木だけはずっと大切にしないと。今から一〇〇年後もここにあってほしい。ぼくらがもうここに住まないことになっても」

ロッキーの村は上海とはまるで違う。クラクションは聞こえず、人混みもＬＥＤの点滅もなく、ただ風の音、ニワトリのコッコッという声がこの国の稀少商品の真っただ中で聞こえるだけ——新鮮な空気という貴重品に囲まれて。その村は中国経済が爆発する前の時代、過ぎ去った時代へ逆戻りしたような場所だ。ロッキーは田舎が好きだけれど、彼と彼の村は永久に変わってしまい、もう引き返すことはできない。

「両親はぼくら二人にいい教育を与えて、この貧困化した土地から出ていけるよう、長期計画を練っていました」とロッキーは言う。「田舎の静けさは好きです——ひよこ、アヒル、魚、そして鳥——でも、今帰ってこいと言われたら、何日かいただけで居づらくなると思います」

ロッキーのママ、クオからは前夜執拗に訪問を迫られたので、彼女が近づいてきたとき、わたしは問答無用の歓待圧力に備えて身構えた。しかしそんなことはなく、彼女は温かくさばさばと気取りのない、髪を赤茶に染めた、そして——のちに知ることになるが——不屈の精神を持った女性だった。

「わたしと夫の墓はもうできてるの」と、彼女は話のきっかけづくりに明るく言った。「見たい？」

初対面の誰かと墓を見に行くという考えはなかなか思い浮かぶものではないけれど、五十九歳のクオは彼女の永眠の地についてあまりに熱心なので、わたしは抵抗できなかった。彼女は未舗装の小道を歩いて小さな空き地に連れていってくれた。三つの墓石が谷を見下ろす丘の斜面にはめ込んである。そのうち、彼女と夫の両親の遺体が眠っている二つの墓の正面には、魚のイメージ——魚《ユィ》は中国語で豊穣を意味する文字〔「余（ユィ）」のこと〕と同音異義語——と鶴のイメージ——長命を象徴する——が入念に彫り込んである。クオと夫の墓はまだ仕上がっていない。まだ灰色のれんがを積み重ねた粗っぽい壁でしかない。伝統に従えば、ロッキーとレイが埋葬室を造っておくべきだった。

「歳をとってきたのにこれが準備できていないと、あんたの息子は親孝行の心に欠けると噂されるの」とクオは言う。しかし、他人の視線など気にせずうまく人生を送ってきたクオは、息子たちは上海の弁護士稼業で忙しいから、墓を建てるために自分で作業員を雇ったのだと説明した。

「そんなことのために帰ってくる時間なんてあるかしら？」と言うクオは、成功を手にした多くの中国人に共通する特質のいくつかを備えている。柔軟性と実際的な考え方だ。

クオと夫は自給自足農で、コメ、ニンジン、キャベツ、カブを池の端の小さな菜園で栽培している。

鄧小平が計画経済に背を向け、一九八〇年代に中国を市場経済で前進させようとしてから、クオは息子たちの教育費を捻出するため、次々と事業に手を染めた。近くの町に果物売りの屋台を出し、中国の伝統である死者に着せる特別仕立ての装束を売る店を開いた。クオは親類から借金し、自身の貯金と合わせて息子たちを大学まで通わせた。

「言っておくけどね、この村にうちの息子みたいなのはほとんどいないんだから」と彼女は自慢した。

息子のレイが娘を授かったとき、中国の多くの祖父母がするようにクオは上海に移って孫の面倒を見た。最初、彼女はほかの人と交流できず、孤独でみじめだった。子どもの頃クオは、中国全体をつなぐ国語、標準語を一度も習わなかった。小学二年を終えたあと、彼女は退校を余儀なくされたのだ。正式な教育をほとんど受けなかった彼女は、村の方言ならばしゃべることができるが、湖北省から出たら通じない。

「初めて上海に着いたとき、泣いてばかりいた」とクオは言う。「あの頃は孫もまだ小さかった。だから誰とも話さないの。毎日、ドアが閉まったあとは、牢屋に座っているみたいだったよ」

だが、クオの世代の中国人は「吃苦《チークー》」に慣れている。「苦いものを食べる」、ないしはつらい思いをするという意味だ。さらには人生に降りかかってきた難題がなんであれ順応する。レイの妻と彼女の母親がクオに、読み書きを含む標準語を教えてくれ、最終的には大都市での暮らしにも慣れた。わたしが立ったまま家族の墓所を眺めていると、クオの電話が鳴った。彼女は村の方言に多少標準語を交ぜて答え、すぐに切った。わたしが理解できたのは「ジャーナリストがいて、インタビューされてるの」という部分だけ。

「みんなあなたに会いに来るよ!」とクオが告げた。わたしはこの村に足を踏み入れた最初の外国人だという。わたしが落ち葉の積もる小道を重い足取りで家へ向かう間に、ロッキーのいろいろなおばさんたちが冬用のコートとハイヒールブーツを着用して崖を登ってきた。わたしは彼女たち一人ひとりと握手したが、白髪交じりの白人からのしかかられるような体勢に、彼女らは空いたほうの手で口元を押さえ、引きつったように笑った。わたしは二〇一五年という段階で、まだ中国のどこかの村では、いやおそらくはたくさんの村で、ほとんどの住民が外国人に会ったことがないと知って驚いた。上海から八〇〇キロしか離れていないところに住むこの村人たちは、外観、経験、考え方などにおいて、この国の沿海部の都会人に比べると一〇年かそれ以上遅れているのだ。おばさんたちは、数日後に迫ったロッキーの結婚式で披露する予定の踊りの舞台稽古をわたしたちに見せようと、大型ラジカセのテープを早送りする。その踊りの振り付けを、彼女たちは何カ月も練習してきたのだ。クオは紫色のベルベット地の上着とラズベリー色でヒョウ柄のブラウスに着替えた——中国の田舎で人気のある、ごた混ぜファッションだ。音楽が始まる前に、ラジカセからまったく脈絡のない英会話の断片が聞こえてきた。

「チキンにしますか魚にしますか？　魚にはライスが付いてきます」と、英国風アクセント。

「どちらがおいしいと思いますか？」

「わたしは夕べチキンを食べました」

　誰かが英会話のカセットを使い回し、ダンスミュージックを録音したらしい。すぐにスピーカーから強烈なビートが轟き、庭で整列していたおばさんたちは気をつけの姿勢をとった。クオと彼女の親類はつま先立って身体を回し、両腕を左右に振り始め、両手を頭上に上げてはつま先旋回《ピルエット》を演じるような動きをした。素人の西洋男性の目には、カントリー・ラインダンスそっくりに見えた。実はそれは、引退した女性たちが、わたしが住む上海のアパートの外側など全国の公的スペースで精を出す大衆的な体操の一種なのだった。クオが言うには、おばさんの暇つぶしの代表格である麻雀に比べたら、ずっといい。麻雀は賭け事になってしまうし、口論で終わることが多い。

舞台稽古のあと、ロッキーはわたしたちを連れて丘の斜面を下り、彼が子どもの頃、作物に水をやったり落花生を育てた畑へ案内してくれた。彼が昔遊んだ棚田は休耕中だった。汚らしい水牛が木につながれている。

「今じゃここの面倒を見る人がいないんです」とロッキーは言った。「歳をとったらこの村に戻ってくることを考えたけど、そうはならないと思う。その頃にはぼくの家族も子どもたちも都会住まいをしてるだろうし、ぼくらと人生を共にしてきた人たちも、家族のなかの年長者たちもみんな死んでしまっているだろうから。懐かしく思う対象がどんどん減っていく」

ロッキーの故郷のような中国の村は、人びとが仕事を求めて都会へ出ていったせいで立て続けに消滅している。打ち捨てられた家には雑草が生え、屋根が陥没している。二〇〇〇年代の初期から中国の農村部では推定九二万の村が消えてしまった。クオは、一年のうちの大半を、夫一人を家に残して上海で過ごしている。

バン！ バン！ バン！ ロッキーの父親が、次々にやってくる客の到着を告げるために、次々花火に火をつける。丘を駆け下りると、ちょうど到着したばかり黒のＢＭＷに出くわした。

「フランク、これが兄のレイです」とロッキーが、ほぼ二日間使っていなかった英語で言う。ロッキーは、法学修士号取得のために二年間アメリカで過ごした兄に感心してもらおうと努めているらしい。自信に満ちてハンサムなレイは、都会の弁護士らしくぱりっとした身だしなみで、アイロンをかけたワイシャツは上海からの八〇〇キロの走行にもかかわらずなぜかしわになっていない。

「はじめまして」とレイの娘ドーラがわたしに英語で話しかける。六歳にしては驚くほど落ち着いている。彼女の英語名は、中国人が衛星テレビやオンラインで見ている漫画「ドーラと一緒に大冒険」から拝借したものだ。初めて旧正月の田舎を旅した一九九八年のことを思い返した。あのときチェンの三歳になる娘、ホンホンは父親の顔を認識できなかった。彼が北京の建築現場で働くため一年近く不在にしていたからだった。弁護士の給料があるからこそ、レイは彼の母親とともにドーラを上海に留め置くことができる。

一家はレイの磨き抜かれたＢＭＷのまわりに集まっていた。クオは、それが大切な家畜でもあるかのように、車のルーフをなでた。それから彼女は車のトランクを開け、レイが正月の贈り物として上海から持ってきた新しい衣服を引っ張り出した。クオはそれをひょいと腕に抱え、結婚式の準備を続けるために、舗装されていない小道を家のほうへ戻っていった。

第3章

二つの田舎の結婚式

——チャールズ、ロッキー、クオ、レイ

それから数日後、わたしたちはロッキーの村での結婚式へ向かうために町に集まった。わたしは青いバンを行列のしんがりにつけたけれど、その位置を保つのは至難の業だった。というのは、われわれ一行の車すべてにピンクのリボンがかかっているのに、町ではこれが結婚式の一行だということに誰も気にかけない。実際、町の誰一人としてわたしたちを気にかける者はいない。だが、中国ではよく体験することだ。タクシーが一台割り込んでくる。そのあとにプジョーが一台、そして埃まみれのバスに前をふさがれる。やっと結婚式の一行に追いつけるかと思ったとき、わたしのバンの真ん前に一人の女性が木製の荷車を押して入ってくる。ようやく行列の末尾を走る車の後ろに位置取りすることができた。中国のＢＹＤという会社が製造した白いＳＵＶで、その社名はＢｕｉｌｄ　Ｙｏｕｒ　Ｄｒｅａｍｓの頭文字である。

　わたしの車がいちばん大きかったので、行く先々で車を停めては一家の友人や親類を拾っていった。乗り込んできた客はみな、ハンドルを握っているのが白人だと気づき、びっくりしてわたしを二度見するが、外人というわたしの存在は彼らを仰天させただけでなく、花婿の顔を立てるのにも——あるいは箔をつけるのにも——役立った。上海から来たロッキーの友だちだと自己紹介すると——拍子抜けする

くらいに――みんなあっさりと納得した。今日の中国に生きるということは、思いがけぬ事態を受け入れることを意味する。村に近づく頃、レイは自分のＢＭＷを先頭につけてわれら一群を先導する。ロッキーは三つ揃いのスーツと赤いネクタイに身を固め、ピアオと一緒にサンルーフから上体を出す。朝鮮族の彼女はすばらしい韓服《ハンボク》を着ている。伝統的な朝鮮半島のドレスだ。カップルがほほ笑み、手を振り、ＢＭＷは舗装道路のカーブをなぞって走り、段々畑を横切り、両端に枝編み細工の籠《かご》をぶら下げた竹竿を肩に乗せ、バランスをとりながら歩く老婆のそばを通り過ぎる。

　カップルを待ち構えていたのは凱旋勇士を迎える大歓迎会である。赤い肩章が付いた緑色の人民解放軍の制服を着た六人バンドが、トロンボーン、トランペット、大太鼓、チューバでメロディーを吹き鳴らす。冬は村から色彩を奪い、行列はどんよりと曇った空の下、裸の木々と灰色のコンクリート製の家々の脇を過ぎ、未舗装の小道を進んでいった。レイの娘、ドーラがピンクのバラの花束を手に行列を先導する。鮮烈な赤いスカート、花柄をあしらった緑色の袖からなる韓服をまとったピアオは色彩の乱舞だ。数箱分の花火と数珠つなぎの爆竹が破裂する音、その灰色の煙のせいで大気中にもうもうとした雲が立ち込める。紫、赤、ピンク、そして緑色の紙吹雪が空から降ってくると、ドーラはピアオと一緒にかがみ込み、腕をかざして紙吹雪から目を守る。結婚の祝福というよりはまるで弾幕砲火だ。中国人の大多数にとって、花火が多すぎるということはない。爆発が収まり、嫁入り行列は、幸運と夫婦円満を象徴する龍と不死鳥で飾られた赤に金の空気膨張式入場門をくぐる。そのあと、アメリカのカーディーラーの駐車場でひらひらしているようなピンク、青、黄色、緑の三角旗が頭上にひらめくなか、壁に囲まれた中庭に敷いた赤い絨毯の上に歩を進める。

　たった一日の作業で、クオは簡素な自宅を一変させた。天井から赤い提灯が下がり、双喜《ダブルハピネス》を意味する文字〔囍〕が各段に記された階段を上って二階へ行けば、そこは新婚夫婦のスイートルームだ。赤い布団がうずたかく積み上げられたベッドの上には、新郎新婦の身代わりのテディベアが二匹。家族と友人らが食堂のテーブルのまわりに集まった。テーブルには線香と果物皿とナッツの入った皿、ヒマワリの種が入った皿が載っている。離れたところの壁一面を、風にはためく花柄の緑色のローブを着た毛沢東の額入りポスターが占有している。毛沢東は一九七六年に死んだが、中国全土の田舎で農家に入ったら彼の写真を拝むことになる。チャコールのスーツに赤いスカーフ姿のレイはマイクを手に、標準語であいさつする。村の方言ではないから、わたしにも理解できた。彼は、六歳下の弟が村の坊主から都会の弁護士へと変身していく様子を見守ってきたことを、誇らしげに語った。地元の共産党幹部が短いスピーチをする。わたしがいたせいで彼は多少神経質になっていた、とあとになって聞いた――わたしが記者だからということではなく、外国人に好印象を与えなければ、というプレッシャーを感じていたらしい。ロッキーは片膝をついてピアオの指に指輪をはめ、ピアオも同じようにし――一五分もかからぬ式のあと――二人は夫婦になった。

村のダンス隊の各メンバーは、ほとんどがロッキーのおばさんだったが、彼女たちの衣装に着替えた。その内訳は赤いミニドレス、それにマッチした赤いズボン、刺繍を施した緑色の上着、そして紫色のポンポンなど。音楽が始まって彼女たちは何種類かのダンスを踊り、そこにピアオや酔客も交じわるが、後者は笑い転げる細君も引っ張り込んだ。祝宴の終わりのほうで、ここ数カ月インターネットで評判のヒットソングが流れてきた。「習大大愛着彭麻麻」（習パパは彭ママが大好き）というタイトルで、中国のファーストレディー、かつての人民解放軍の歌手、彭麗媛《ポンリーユアン》に寄せる習近平の愛を歌ったものである。ざっと訳すとこんなふうに始まる。

中国は習おじさんを生んだ

彼は勇猛果敢に虎と戦った
「虎」とは習近平が牢屋送りにした強力な役人たちのことを指している。
彼は天も地も恐れない
夢のなかで彼に会えたなら！

この歌はもはや定番すぎる定番だったので、結婚式参列者で気に留める人は誰もいない。しかしながら、それ以降の数年間で、プロパガンダ組織が習近平のためにこしらえる個人崇拝に欠くべからざる要素として、こうした歌が有効であることが証明されてゆく。食べ物は底を突き、白酒は空になり、友だちや家族はいつのま間にか中庭を出て丘を下りていく。しばらくすると、家はほとんど空っぽになった。こんな大事な日にクオの邪魔をしたくはなかったけれど、わたしは彼女の過去をもっと知りたかったので、崖に並んだプラスチック製の椅子に彼女を招いた。小雨が降り始めた。

「息子にとって今日は大変な日だった」とクオが言う。ワイン色のセーターに真珠のネックレス、そして翡翠《ひすい》のブレスレットをしている。「こんなにすごいの、全然期待してなかったからね。こんなことを願うなんて滅相もない。わたしらは違う時代に生まれたのよ」

クオが育ったのは中国の別の場所だったというだけでは足りず、別の星で生まれ育ったと言ってもいいくらいだ。彼女の実家は数町の農地を有する、そこそこ裕福な農家だった。農作業のために親類を雇っていたが、それだけで共産党からすればクオの一家に「富裕農家」のレッテルを貼るには十分だった。一九六六年、毛沢東は文化大革命を始めた。それは革命が脅威にさらされていると感じた彼が、革命救出の目的で政敵とブルジョアジーに仕掛けた猛攻撃だった。一五〇〇万人もの人びとが殺されたり自害し、習主席と彼の父親を含む三六〇〇万人が政治的迫害を受けた。当時小学二年生だったクオもまた標的にされた。彼女は「悪い階級」の出身だったから、学校へ行くことを禁じられた。

「子どもたちが学校へ駆けていく、そのあとをわたしもついていくでしょう」と、クオが思い出を語る。「するとその子らが言うの。『なんでここにいるんだ? おまえはおれたちと違うんだよ。おまえの家族は地主階級だ』」

通う学校がないので、クオは日中は農作物の手入れをし、夜は布製の靴を、だいたい週に一足作った。「わたしと遊んでくれない子はたくさんいた」と振り返る。「みんなでわたしをいじめるの。小さいときにはすごくみじめなものよ」

教育を受けずじまいだったから、クオは読み書きができず結婚の可能性もなかった。「わたしなんかと結婚しようと思う度胸のある人がいる?」と、自分の不幸についてあっけらかんと言うクオには、自己憐憫の気配もない。クオの母親はふさわしい相手探しに奔走し、クオが会ったこともない男で手を打った。相手の男の家族も政治的な問題を抱えていたために、彼はたまたま空いていたのだ。彼のおじは国民党の軍隊の士官で、国共内戦で国民党が毛沢東の軍隊に敗れたとき台湾へ逃亡した。クオの結婚は政治的利便性《ポリティカルコンビニエンス》の一つだったと言える。といっても、その言葉がふつう想起させる意味とは違うけれども。

毛沢東の死後、鄧小平は農村部の経済改革に取り組み、農家に彼らの農作物の一部を販売することを許した。持ち前の気性がなせるわざ、クオはその好機に飛びついた。彼女は近くの鉱山の仮集落で、自分が栽培した野菜を労働者に売った。そこで得たわずかな収益で手袋や靴下を買い、それを自分の村の住民に売った。

「そうやって商売のやり方を初めて覚えたの」とクオは言った。

母が一世代あとに生まれていたら、今頃は大きな会社を経営していただろうとレイは何度も言う。わたしもそう思う。クオのような人たちが貧困から抜け出したことを、共産党が自分たちが救ってやったように言うのは無礼な話だ。クオや彼女のような何億という人びとを尻込みさせ、計り知れない人間の潜在力を無駄にしたのは共産党の悲情な政策のせいだ。鄧小平のもとで共産党は賢明で革新的、そして冒険的な一連の政治的選択をし、そのおかげで中国は驚異的成長の軌道に乗った。でもたぶん、政府がなしたいちばん有益な決断は、中国国民の邪魔をしなかったことだ。そうしたことすべてをくぐり抜けてきたクオは、毛沢東に恨みを抱いてはいない。

「彼のことは嫌いじゃないよ」とクオが言う。「みんな彼のことをすばらしい人だと言うけど、わたしもそう思う。この国全体を解放してくれた。わたしに起きたことはこの家のなかだけの話。毛主席がやったことは国全体にとっていいことだった」

クオの息子たちが成長していく頃、村から大学へ進学する者はほとんどいなかった。彼女の夫は息子が大学へ行くことに反対した。レイとロッキーには村から出ていって働き、給料から何百ドルか送ってもらえればというのが彼の願いだった。

「みんなわたしの考えには反対だった」と彼女は言う。

だが、彼女は一歩も引かず、貯めた金を息子たちの授業料に注ぎ込んだ。上海で、そして中国で客を拾っていくと、クオのような女性にやたらに出会う。彼女らはこの国の屋台骨だ。往々にしてその真価を認められていないけれど、いまだに家父長制のシステムと戦う彼女たちは断固たる意見を表明し、権力に反抗し、引き下がったりしない。

大学卒業後、レイは司法試験のために一日一〇時間、三カ月勉強した。

「わたしが司法試験に合格した年、合格率は八パーセントくらいでした」と、彼はわたしに言った。

ロッキーがあなたのことを中国の夢の典型だと言っていたが、と言うと、レイは考え深げにほほ笑んだ。一家の屋外便所のそばのぬかるんだ崖に立ったまま、重大な局面に立たされた祖国についての客観的な分析を、一人語りに語った。

「今では、多くの人が中国のことを力強い裕福な国だと見ていますが、先進国と比べるとまだまだ大きなギャップがあります」とレイは、習主席がお手本にしたほうがよさそうな慎み深い口調で言う。「個人的には、教育水準、マネジメント能力、法制の水準、法律の執行、そしてソフトパワーにおいて、アメリカからはるかに遅れていると思います」

中国が金持ちになっていけば、人びとはもっとよい医療、よい教育、よりよい品質の製品を期待するようになり——そのためには、もっと効率的で誠実な政府が必要になる。人びとは「より高くさらに高い要求を、とくに政府に対してぶつけます。今の中国でいちばん変化が必要なのは政府だと思います。彼らのマネジメント能力と官僚たちのスーチーが大いに高まらないといけません」

スーチー（素質）〔日本語の「素質」とは意味が違う〕はわたしの大好きな中国語の単語だ。英語では正確に翻訳できないが、ある人の内面の質、性格、素養を意味する。今日多くの人たちが、先を争って贅沢品を買うのは、それ以上に意味を追求する価値のあるものがないからだとレイは見る。政府には、公的サービスにもっと財源を投入し、もっと多くの人びとに社会貢献の機会を与え、政府では手が届かぬ場所に彼らが関与できるようにしてもらいたい、それが彼の望みだ。レイは市民社会を——それに対し政府は今後数年のうちに実際に締めつけを強化していくであろうが——一党支配に対する潜在的脅威であると説明した。中国の将来は、過去二〇年間、国の輪郭を定めてきた目もくらむばかりの建築ブームよりも、人びとがどのように扱われるか次第であり、それがより重要になってくるとレイは考える。

「多すぎるほどの高層ビルを建てる必要など、別にないんです。しかし、個々人の尊厳は守られるべきです」とレイは言った。「個々人の創造性が解放されるべきです。人びとは基本的生活が保証されていれば、やりたいことを始めるものです。もし一四億人の創造性が動員されたら、みんなやりたいことをやり、尊厳のある暮らしを送ることでしょう。それが実現したらこの国にとって天恵です。世界全体にとってもすばらしい出来事となるでしょう」

わたしは上海に思いをはせた。野心と活力に満ちたダイナミックな都市。地元のリーダーたちは、いつの日か世界の金融の二大中心地、ロンドンとニューヨークの好敵手となることを夢見ている。彼らは黄浦江沿いに、ロンドンのテームズ川沿いのサウスバンクを模して、複数の美術館を集めたエリアを設けたりもしている。だが、上海はまだ独裁体制の手の内で機能していて、同体制は表現の自由や思想の自由を脅威と見なし、体制を批判するかぼそい声ですらつぶしにかかる。どのようにして上海は、偉大な国際都市になるために必要な創造的環境を提供してくれるのだろう――レイが夢見るようなタイプのコミュニティを？　習主席の夢とは、世界を舞台にした中国の過去の栄華を再興するために、何億という国民に働いてもらう、というものだ。それと違ってレイは、普通の中国人が尊厳を保ち尊重される暮らしを送り、自分のゴールを自由に追求し、彼ら独自のやり方で中国をよりよい国にする、という進み方がいいと思っている。それは習近平の中国の夢よりも、アメリカン・ドリームに似ている。そこで問題は、すでに中国が進みつつある方向からして、どうすればその両方の夢を抱けるのか、思い描けないところにある。

明け方からずっと雲に覆われていた空が次第に暗くなってきた。ここまで二日間、村での会話を録音してくれていたヤンとわたしは帰途に就かなければならない。クオ、レイ、ロッキー、そして家族のみんなが小道を下りてバンのところまで送ってくれた。クオはわたしに卵を一〇〇個くれると言って聞かず――「オーガニックだからね！」と彼女は強調する――向こう数週間、わが家の朝食はこればかりだった。

上海へ帰る途中、ヤンとわたしは、行きがけに遭遇したあの変な料金所で停車した。今回の料金係は男性だったが、前回の係と同じロボット的な無駄のない動きを見せた。最初、これは中国の田舎の日常に見受けられる奇怪な一風景で、上海に戻ってからビールを片手に話して聞かせるのにぴったりの逸話のような気がした。だが瞬時一考後、未来に控えている何やらもっと不気味なものの兆《きざ》しのような気がしてきた。

「どうしてそんな動き方をするの？」と、心底当惑して尋ねた。「変に見えるよ」

料金係はわたしを凝視した。

「われわれのリーダーはこれが格好いいと思っているんです」。彼は歯を食いしばるようにして返事をし、苦笑した。

「本当かい？」と、信じられぬ思いでわたしは言った。

ヤンが別の質問を続ける。

「監視カメラがどこかにあるとか？」

男はゆっくりとうなずき、目を天井のほうへ向けた。見えない視線によって彼の一挙一動が型にはめられているのだった。

湖北省を去る前に、わたしはチャールズのところに寄った。彼は自分の結婚式の晩餐を計画中で忙しくしていた。ある朝、わたしたちは無秩序に広がった青空市場へ出かけ、大晩餐会用の五〇キロの魚と豚肉を仕入れるために、不意に飛び出してくるニワトリやふらふら走るスクーターを避けつつ歩き回らなければならなかった。この買い物は、チャールズの将来の義父が要求する結納の一部なのだ。彼はまた、警備員として働いているチャールズの父親に、およそ一三〇〇ドル相当する――のタバコを買っておくよう念押しをした。結婚式で配るためだ。

「ものすごい負担ですよ」とチャールズが言う。彼がもっと若くて人びとがずっと貧しかった頃は、結納として布地を贈り、みんながそれで服を作れるように配慮したものだ、と説明した。

「毛沢東の時代に人びとは『贈り物はいらない、毛沢東語録だけでいい』と言ってましたからね」とチャールズは思い出す。「それが今じゃ一〇〇元札をくれるようになって」――だいたい一五ドルくらい――「毛沢東の肖像画が入っているやつ。毛沢東は中国でいちばん愛されている人物ですから。みんな毛沢東が好きなんですよ」。チャールズは冗談を言う。「だってお札の顔でしょう」

　肉を降ろしてから、わたしはチャールズを田舎の奥地へと連れていった。彼は、自分がどういうところの出身で、どういうものに価値を認めるのか、わたしによりよく理解してもらおうと、生まれ育った村を見せたかったのだ。わたしたちは舗装一車線――道路工事にからんでチャールズのおじがピンはねをしたというまさにその道路――を通って町へ入っていった。道路はわたしのバンがかろうじて通れるくらいの幅しかなく、タイヤが滑って下の田んぼに落ちないよう、わたしは慎重にハンドルを切った。道路のずっと向こうの丘の上、チャールズは彼が通ったという学校の小さな校舎を指さした。

「今はもう廃校です」とチャールズは言う。「中国の田舎ではよくあること。どんどん子どもが減っているから」。ロッキーの村と同じく、チャールズの田舎も中国経済の急発展と急速な都市化の犠牲になっていた。

　わたしたちはチャールズの親類の家の車道に乗り入れた。正月に備えて、一族はここでブタの解体を準備していた。中国の農家の本当の生活がどんなものか、わたしに深く理解させるため、その過程を見せたかったのだ。親類と村人たちが集まるなか、解体役たちが紫色の仕事着を着て、膝まであるゴム長靴を履き、長いロープと大きな金属フックを手に、つぶれかけたブタ小屋に近づいていく。それはブタとイノシシの交配種で茶色の剛毛に覆われていた。ブタは解体役の一人にかみつこうとして跳び上がったが、彼はきらりと光るフックをその口に突き刺す。人間の叫びかと聞き紛う悲鳴が上がる。男たちがブタを押したり引いたりするあいだ、ブタは膝を伸ばしきってひづめで踏ん張るが、車道を覆うコンクリートを引っかくだけだ。ブタを巨大なまな板の上に載せ、のたうち回り蹴りまくるのを押さえ込むのに七人の男を要した。ブタの喉から血がしたたり落ち、悲鳴だったものがスチームが漏れるような音に変わった。解体係が長いナイフを抜いてブタの喉を切り裂くと、深紅の血がほとばしってプラスチックのバケツに流れ落ち、それはブタの血ケーキを作るために取っておかれる。目前に死を迎え、ブタの肺に血が浸透すると、耳をつんざくようだった悲鳴がゴボゴボという音に変わる。

「我慢できますか？」とチャールズが訊いてきた。

「わたしは大丈夫。でもブタは我慢できないみたいだね」と、身の毛もよだつ状況で軽口を叩いてみた。

　とても見ていられなかった、というのが正直なところだが、チャールズに甘やかされた都会人と見られたくなかった。死骸から血が抜けていくにしたがって悲鳴は間遠になり、そしてやんだ。ブタの頭はがくりと落ち、胴体は伸びきった。

「自分にはこれを楽しんでるところもあって」とチャールズが言う。残虐行為のことではなく、農村文化における食肉解体の位置づけのことを言っているのだった。「解体行事があるたびに来て、写真を撮るんですよ」

　チャールズは、彼が出てきたような村は空っぽになって人はどんどん上海のような都会へ移り、ずっと昔はほぼ全国が農村だったという国のルーツとのつながりを維持している人はますます少なくなっている、と言った。「多くの人は」と彼は言う。「自分たちの食べ物がどこから来るのかなんて気にしない」

「都会の人たち、そこに住む大勢の子どもたちは、ジャガイモとかリンゴがどう育つのか知らない」とチャールズは言った。「機械から出てくると思っているんですよ。だけどぼくなんかは、どうやって食卓に肉が届くかを知ってる」

一九九〇年代以降、億単位の人びとが農家から都市へ移動してきた国で、ルーツはいかなる意味を持つのだろう？　ロッキーとレイには自分たちの両親の墓を建てる時間すらなかったし、たまの訪問を別として彼らの村へ帰ることは決してないだろう。

わたしたちは家に入り、暗がりのなかで木製テーブルを囲む。そのそばでニワトリがやかましく鳴き立てつつ部屋から出たり入ったりしている。自分が育った場所をところどころ見せてくれたあと、チャールズは彼がたどった湖北から上海までの行路を説明してくれた。それは、ロッキーとレイが歩んだかなりまっすぐな進路とは違っていた。そうではなく、田舎の家族を支えるために仕事を求めて中国を歩き回る、しばしば苦痛を伴う孤独な旅だった。チャールズは国際貿易の仕事に就いて英語を磨きたかった。そうすればもっと金を稼ぐことができる。しかし、大学入試でいい点が取れなかったので、彼は勉強したい学科を選べなかった。その代わりに畜産学を割り当てられたけれども、中国一汚染のひどい町の工学技術学校でそんな科目を学ぶ気はなかった。同じ学部の学生で畜産を学びたかった者は一人もいなかった、とチャールズは言う。というのは、その延長上にある仕事といったら、大型動物の獣医か飼料のセールスマンしかなく、まさに学生たちが逃げ出そうとしていた田舎に縛りつけられることになるからだ。

「その学部は存続維持のために一定数の学生を必要としていただけで、本気でそこに行きたい学生なんていませんでした」とチャールズは言った。

彼は二〇〇八年に卒業する。それは北京オリンピックの年でもあれば、アメリカで始まった世界金融危機が本格化した年でもあった。彼は学友と一緒に就職相談会へ出かけたが、ふさわしい学位を持っていなかったのと不景気のせいで各社が採用数を抑えていたため、仕事を見つけることはできなかった。

「平均的知性を備えた大卒でやる気満々、なのに誰もチャンスをくれなかった」と彼は言う。

チャールズはその後数年間、職を転々としながら国内を一万六〇〇〇キロ以上移動した。いとこの一人が、中国南部の恵州《ホイチョウ》にある工場の仕事を見つけてくれた。ミスターコーヒー社のコーヒーメーカーの取っ手製造のために一二時間シフトで働き、月収二四〇ドル。

「工場は絶望的でした」とチャールズ。そこで彼は北の杭州《ハンチョウ》へ移動し、ホリデイ・インでウェイターとして働いた。さらによりよい仕事、競争が激しくない仕事を求めて遠く北西の新疆《シンチアン》まで旅をした。そこでは彼の父親が床屋として働いていた。チャールズはカブールで中国の建設会社のために通訳として働くことも考えた。が、そのあと彼は輸出セールス要員の募集広告に応募した。こちらなら海外出張の機会がありそうだ。彼はバスに乗って、カザフスタンとの国境まであと数十キロという辺鄙なところにある農場に到着する。遠くには山頂に雪をかぶった天山、すなわち天国のような山が見えた。すぐにチャールズは、その農場には輸出すべき果物がまだなく、彼の仕事はまず果物栽培の手助けであることを理解した。その夜、彼はバンガローで寝ることになり、二人の女性労働者と部屋を共有した。農場には牛馬も機械もなく、翌朝チャールズは、肩にロープを巻きつけて鉄鋤を引けとボスから命じられた。そのあとをついて二人の女性がスイカの種をまいていく。セールスマンとして海外を飛び回るのではなく、チャールズは雄牛として働くべく雇われたのである。なんて馬鹿なこと、恥ずかしいことをやってるんだという思いにとらわれた。

「この近代世界で、自分は石器時代から来た原始人みたいに働いている」とチャールズは思い出す。
「田舎の村ですらそんなことはしませんよ」

その農場での環境はひどかった。同じように騙されてきた女性の一人は、もう一〇日間シャワーを浴びていないと言った。チャールズが勇気を振り起こしてもう帰ると言うと、ボスはいきり立ち、痛めつけてやると脅した。

「合意の上だ、おまえはここで働くんだ！」とボスは言った。「ここまでの運賃だって払ってあるんだぞ」

「ぼくはあきれ果て、怖くなり、実際泣いてしまいました」と、チャールズはわたしに言った。

最終的に農場から出ていくことで話はまとまった。彼は、本がいっぱい詰まった一五キロ近くあるスーツケースを手に、主要道路を探して歩き続けた。こうしてチャールズは仕事をしながら中国中を旅した。沿海部で風力発電を設置する仕事をしたが、何時間も灼熱の太陽の下で働く作業だった。ときにはたった一人で生活し、スナックのそばだけで食いつないだこともある。やっとのことで中国東部の機械工場に仕事を見つけ、そこで彼はセールスのためにパキスタン出張を繰り返し、英語を磨くことができた。そして今、彼は上海の工場で熱交換器を販売し、月に一二〇〇ドルを稼いでいるが、これは七年前にミスターコーヒーの工場で働いていたときのほぼ五倍の額である。わたしはチャールズに、これから五年後とか一〇年後、やりがいのある仕事を選ぶとしたらどんな仕事だろうと尋ねてみた。彼はぽかんとしてわたしを見つめた。

「そんなこと考えたこともありません」と彼は言った。「これまでの経験からして、そういう望みを持っても何も変わりませんでしたからね。ぼくがすべきなのは自分を高めることだけです」

「夢を抱いてもしょうがないということかな、実現しそうにないから？」

「そうですね」と彼は言う。「夢を抱いたとしても、これまでのところ、それに近づくチャンスすらないんですから」

職場を転々とし、部屋から部屋へと移り住むうちに、彼は鬱病になった。そこで泣き崩れた彼は、「すみません」と言って立ち上がり、そして歩み去った。数分後に戻ってきた彼は話を続けようとしたが、また泣き出してしまった。チャールズのような出稼ぎ労働者が中国の経済ブームの屋台骨だった。彼らは、農家に残っていたら稼げないほどの収入を得たが、孤独や疎外、ときには虐待という代償も払っていた。

宵闇が近づいていた。チャールズを乗せて村から出、一車線の道路を走っていると、反対方向からやってきた地元の小さな赤いタクシーと鉢合わせになった。路幅は二台の車には狭すぎる。わたしの車のほうが大きいのに、タクシーの運転手は下がろうとしない。彼は腕を振り回してわたしにバックしろと言う。道路にガードレールはなく、片方は丘の斜面で反対側は三メートルの崖になっている。わたしはギアをバックに入れて後退し始めた。タイヤは崖すれすれで、わたしのところからは崖自体が見えない。すると、がくんと車体が揺れ、バンが片方に傾いた。サイドブレーキを引いて車から飛び出すと、左後輪が田んぼの上に宙づりになっていた。胸がつかえて息苦しくなり、頭の中をいろいろな考えが渦巻いた。こんな山奥にはレッカー車などないだろう。もうすぐ真っ暗になるし、車が突っ込んでくるだろうから、バンをこのままにしておくわけにはいかない。バンがあと少しでもスリップしたら、田んぼのなかに落ちてしまう。ワシントンの編集者に何と言ったらいいだろう。わたしはヤンとチャールズに車の後部にいてもらい、サインを送ったら持ち上げて押すように頼んだ。わたしは運転席に飛び乗ってギアを入れ、サイドブレーキを外し、アクセルを踏んだ。ほっとしたことに、車には崖から這い上がるのに十分なパワーがあった。

そのあいだ中、タクシーの運転手は自分の車の脇に立ったまま助けてくれようとせず、声をかけることもなかった。わたしが窓から首を出して後退するように言うと、彼はまたもや拒否した。わたしのバンが落下しかけたことも、彼の小さなセダンに比べてわたしのバンのほうがずっと操るのが難しいのも意に介さない。礼儀も話し合いも糞くらえである。わたしは車から降りて、腕を振り回し英語で毒づいてやった。わたしの怒りに彼はびっくりしたようだ。結局、彼は車に戻ってバックさせ、わたしを通してくれた。

車がもとのように走り始めると、チャールズが率直に言った。

「ああいうやり方は……」

「無礼だった？」

「ことさら無礼とは思いませんが、あそこまでする必要はなかった、というのがぼくの考え」

「きつすぎたと言うの？」と、わたしは意外な感に打たれて尋ねた。「無理やりバックさせられたこちらはずっと大きい車だから危険きわまりなく、もう少しで道から落ちるところだった、なのにがんとして動かない。文化の違いがどうあれ正しい態度ではないよ」

「わかります」とチャールズが言う。「でも、怒声を上げても問題が解決しないときもあるし」

突然わたしは不安になった。自分が二十代半ばだった頃、ケンタッキー州の南東にある炭田のハザードという小さな町で記者をやっていた頃のことを思い出したのだ。人口はたった五〇〇〇人で、誰もが誰もを知っていた。

「あの人はひょっとして君の親戚？」と、タクシーの運転手のことを尋ねた。

「違います。でも運転手のなかにはぼくの親戚の親戚というのもいます。ぼくが思ったのは、そんなにひどい状況じゃなかったから、あそこまで……」

「怒り方？」

「そう」

「たぶんわたしは都会暮らしが長すぎたんだ」

「アメリカではそうするんですか？　信じられないけど」

「人を怒鳴りつけるかって？」

「ええ。知らない人に対してですよ」

「するよ。道を譲らなかったりして——そのせいでこっちが道路から落ちかかったりすればね」

「でも、そのあと話し合うべきでしょう。どこかまでバックしてくれとか」

「だって彼にはそう頼んだんだよ、なのに彼は……」

「頼んだのは一回か二回だけでしたよ。あと何回か頼んでみるべきだった」

「え？　じゃあ何回頼むべきだったと？」

「彼がてこでも動かない決意をしている、とあなたが感じるまで」

これが伝統的な中国人と多くのアメリカ人のアプローチの違いだ。中国ではもっと時間をかけ、我慢強く、遠回しにして、感情は表に出さずにおく。会話では、まず主題に触れておいてから関係のないほかのことをいろいろとおしゃべりし、そしてぐるりと回って主題に戻ってくる。アメリカ人の多くはもっと直接的で、怒りを隠そうと配慮したりすることはあまりない。チャールズは、あの運転手に対し屈辱を与えるのではなく、面子《メンツ》を取り戻す時間を与えるべきだったというのだ。

「あの運転手があなた方と同じレベルの品がないとか礼儀をわきまえていないということで、あなたは気分を害した」とチャールズが言う。「彼はそんなに教育を受けていません。この社会だとああいうときは、はしごを差し伸べてやるんです、下りてこられるようにね。そこで怒るのは無意味です。どうしてかわかります？　あなたはどちらが正しくてどちらが間違っているかをはっきりさせようとしています。で、実際のところ、ぼくもそれには完全に同意します。いくら馬鹿でも基本的ルールは知らなければいけない。でもぼくが言いたいのは、その問題をどうやって解決するか、その方法なんです。そのような馬鹿者にどうやって対処するか。教育しようとしても無理。肩を並べて生きるしかない。それなら彼らのルールに合わせたほうがいい」

　チャールズに一理あることはわかっていた。わたしは中国には何年も住んでいながら、まだこういう出来事にはいらいらする。そしてチャールズは、中国が抱える最大の課題の一つに触れているのだった。チャールズ、ロッキー、レイのような――質素な出自だったけれど思慮深い市民になった――国民がどんどん増えている反面、あの運転手のように広い世界を知らず、公共心に欠け、他人の権利などあまり気にしない国民もまだ何億といる。そういう人たちのことを、より洗練された中国人は「素質《スーチー》」が低いという言い方をする。実際に多くの中国人は、頑強なリーダーシップが必要で、これ以上の自由はもういらず、低い「素質」の連中は統制すべきだと主張している。中国の生活が無作法な理由はさまざまあり、すさまじい貧困の歴史、市民教育の不足、政治の激動などがその理由の一部だ。文化大革命は社会的行動を律してきた儒教を徹底攻撃し、社会の絆を引き裂き、子どもたちには告げ口を勧め、教師を拷問にかけ、挙げ句の果てには殺してしまえと学生たちをけしかけた。ハンドルを握って距離を稼げば稼ぐほど、この国がわたしのようなアメリカ人にとって至極当然な、より文明化された自由な社会に到達するまでには長い時間がかかる、という思いがますます強まるのだった。

　チャールズは出稼ぎ労働者第二世代である。彼の父親はもっぱら床屋として働き、自宅から遠いところに住むこと二〇年あまりだったので、少年時代の彼は父親と離れた暮らしをしていた。結婚式の前日、チャールズは父子の距離を縮めよう、そして父親の株を上げてやろうと思って彼に散髪を頼んだ。チャールズは、実家の囲いのあるバルコニーに置かれた洗濯機の隣の椅子に座った。そこから、壊れたれんがが散乱するぬかるんだ中庭が見下ろせる。警備員用の灰色の制服を着た彼の父シェンホアは、黄色いシートを息子の首のまわりに巻いてから、はさみを動かし始めた。何分かが過ぎたあと、彼の手からはさみが滑り落ち、タイル床の上でけたたましい音を立てた。

「手がだめになっちまったから、髪はもう切れないんだ」と言うシェンホアは、少し呂律《ろれつ》が回らない。

シェンホアはその理由を説明した。数年前、彼は中国北西部の奥地、新疆で仕事をしていた。ある日の夜、彼は友人宅で石炭ストーブを使って中華煮込みを作った。調理後も彼らは石炭を消さず、ストーブを室内に置いたまま眠りこけてしまった。「たぶん酒を飲んでたんだろう、父さん」とチャールズが言う。

「そうなんだ」と、恥ずかしげに頭を振ってシェンホアが言う。

「目が覚めなかった」とシェンホアが続ける。ゆっくりと、言葉と言葉のあいだに間《ま》を置いて。「ほかの連中が助けてくれた。見つけてくれたとき、わたしは二〇時間以上意識不明だった。一緒にいた男は死んじまった」

シェンホアはうつ伏せで右手――彼がはさみを握る手――を身体の下にして寝ていた。その結果、血流が止まってしまったためにひどいダメージを受けた。右手は腫れ上がって黒ずみ、医者は切断しなければだめだと判断した。シェンホアはなんとか手を動かせるようにはなったが、あまり握力が利かず、もはやプロとして髪を切ることはできなくなった。チャールズは言葉を英語に替え、彼が父親に散髪を頼んだのは父親の自信回復のためと、手のリハビリを促す意味があったのだとわたしに言った。その事故の前までは、かつて兵士だったシェンホアの散髪はすばやく、頭の回転の速さとユーモアで知られていた。

「でも今はね」とチャールズが言う。「あの事故で脳が少しやられてしまったから」

シェンホアはシートを外し、息子のうなじに残っていた髪の切れ端をふっと吹き落とす。

「すばらしい、すばらしい」と、シェンホアが褒め言葉を理解できるようにわたしは標準語で話しかけた。「それにタダだし」

「タダ」とチャールズが言う。「金じゃ買えない」

翌日、わたしはチャールズを乗せて新婦の農家へ行った。彼女は赤いレースのベールをかぶり、友だちや家族の一団を引き連れて田舎の細道から現れた。二人の付添人が彼女の白いドレスの裾を持ち、そこからワイン色のストッキングと同色のハイキングブーツがのぞく。レストランで、ハート型の紙吹雪が降るなか、二人は指輪を交換した。グレーのスーツに青いチェックのシャツのボタンをいちばん上まではめたシェンホアが、あいさつのためにステージに上がったが、二言三言の祝辞のあと黙り込み、客で埋まったテーブルを茫然と見つめ、そのあと床に視線を落とす。目は充血し、うるんでいた。チャールズの母親がすばやくステージに上がり、マイクを取って夫を救出した。非常に多くの中国人男性がそうだったようにシェンホアも、家族の暮らし向きをよくしようと、田舎を去って経済ブームにわく都会へ向かった。だがその過程で、彼はわが子の子ども時代をよりよい賃金を稼ぐための犠牲にした。家族と自宅から遠く離れ、長い不在を右腕と知恵を振るって稼いだ金で埋め合わせたけれど、息子の結婚の日に彼をたたえるスピーチができない身体になってしまっていた。しかしチャールズはいつものように、それを冷静に受け止めた。これが中国で前進するために支払う対価であり、直面せざるを得ない事実なのだった。決して結婚できないのではないかと不安を感じたこともあるチャールズだったけれど、今日、同じ方言を話し、田舎の流儀を尊重しつつ子どもを育ててくれるであろう女性と身を固めることができて本当にうれしかった。これからは、実家に帰る前には髪を長く伸ばしたままにしておきます、と彼はわたしに言った。父に切ってもらえるように。

第4章 「道徳は相対的なもの」

——ビアー、アマンダ、フィフィ

最初にフリータクシーを始めたとき、この冒険が失敗したときのことを考えてレンタカーを使っていた。タダ乗りなら乗ってみるかという人が結構いることを確認してから、節約のために自分の車を買うことに決めた。中国で新車を買うとなるとべらぼうに高いので、自宅アパートから三〇分ほどのところにある中古車ディーラーへ向かった。一月某日、わたしは暖房のないショールームへ入っていき、会社のロゴを眺めた。アメリカの中古車の巨人、カーマックス（CarMax）のロゴにそっくりだ。会社が支給した青いブレザーの肩にフケを積もらせた若いセールスマンが、わたしを迎えてくれた。カーマックスと彼の雇い主は何か関係があるのだろうか？ わたしは期待を込めて尋ねた。

「カーマックスとは何の関係もありませんが、彼らのモデルをコピーしているんです」と、セールスマンはまれに見る率直さで説明した。

わたしはロゴがとても似ていると感想を述べた。

「ちょっと、どうしたらいいか」とセールスマンが言う。どうやら彼はわたしが商標侵害の調査にやってきたと心配したようだ。車が欲しいだけだと説明すると、彼の肩から力が抜けた。

「わたしはビアー〔ビール〕といいます」と彼は自己紹介した。「英語の名前がビアーなんです」

ロッキー、レイ、そしてチャールズと同じく、西洋人と容易にコミュニケーションができるよう、ビアーもまた英語名を選んだのだ。大衆がまだ老百姓《ラオパイシン》、すなわち「庶民」あるいは——文字どおりの意味としては——「古い百個の名字」としてしか扱われない国で、これは目立つ方法だし個性の自己表現でもある。しかし一部の若者は西欧人に相談せずに名前を選ぶものだから、わたしの友人のなかには、モーフィーン（モルヒネ）とかポパイとかシンデレラ、イリアッド、ビルボード、そしてトゥインクルなどという名前の若き中国人と働くはめになる者が出てくる。最初ビアーはもっとありきたりな名前、ビルを選んだのだが、あとになって自分が大好きなラガーにちなんで名前を変えた。

「ビールの一気飲みが好きなんで」と、一見無邪気にビアーは説明する。「友だちと飲むとなると狂ったように飲むんですよ。七本とか八本ずつ」

ビアーは、今度飲みに行って楽しくやりませんか、と提案した。まだ車も見ていないのに。

大半のセールスマンは、自分のことを大酒飲みだという自己紹介はしないだろうが、ビアーは典型的なセールスマンではなかった。彼は農家の息子で、安徽省の大学を卒業したばかり。大学では電気工学を学び、陸上競技をやっていた。チャールズ、ロッキー、レイ、そしてチェンと同じように、ビアーも田舎から上海に出てきて出世し成功しようと考えた数百万人のうちの一人だ。外部者の怒濤の流入によって上海市の文化が変化し、許容できる振る舞いの単一基準というものがなくなった。こうした人びとの流入は、コスモポリタンなスタイルを自慢にし、しばしばほかの中国人よりもすぐれていると自負する多くの上海人——ニューヨーカーのような——をいら立たせた。ビアーは何が社会的にふさわしいのかはっきり理解していなかったけれど、実際そんなことは気にしていないようでもある。トヨタのカムリが欲しいとわたしが言うと、彼はわたしの肘にそっと手を当てがい、シボレー・マリブのところへ案内した——まるでわたしには違いがわかるまいという感じだ。文句を言うと、今度はＲＡＶ４のところへ連れていった。トヨタはトヨタだけれども。やっとのことで、彼は二〇一二年の中古カムリを見せてくれた。三万一〇〇〇ドル以上の値段が付いている。

どういう運びになるか嫌な感じがしたので、わたしはショールームを横切ってアシトスタンのヤンと内々で相談することにした。彼は、そのときの買い物行脚ではありがたい援護をしてくれた。ビアーがついてきて、われわれからだいたい三、四メートル離れたところで止まったが、一目瞭然わたしたちの会話を盗み聞きしようとしていることは隠そうともしない。わたしはビアーをにらみつけた。彼はわたしを安心させようとした。

「全部は理解できませんから」と言い、引き続き盗み聞きをしている。

ビアーはわたしをコーヒーテーブルに座らせて、彼の会社の一般的取引条件を提示した。三〇〇〇元――およそ五〇〇ドル――の手付金と交換に、わたしの条件を満たす車を探すというものだ。中国のビジネス文化はいい加減なことで悪名が高い。昔からのジョークに、契約書にサインしてから交渉が始まる、というのがある。そんな話はまっぴらごめん、わたしは契約の文言についてビアーと議論を始めた。ビアーは彼が見つけた車をわたしが受諾するかどうかは三日以内に決めろと主張する。さもないと手付金は没収すると。わたしは、海外に出るような場合があるから三日から五日は必要だと頼んだ。ビアーは契約書に「5」と書いたけれども、それは「3」に見えなくもない。

「その5ははっきりさせておこう」と、ペンを奪いビアーの疑わしい数字を直そうとした。

「名前をサインして」とビアーはいら立った声を出す。

「ああ、わかってる。今書こうと――」

「ここにサインだよ」とビアーは言い続ける。次の客が待っていると言う。

「わかってるったら!」黒々とした5を、自分のイニシャルを木の幹に刻みつけるようにして書きながら言った。

ビアーはわたしの膝に手を乗せ、まるで結婚してくれと言い出しそうな目でわたしを見つめた。

「いや、お願い、そういらいらしないで」とビアーは言ったけれど、ますます気持ちが悪くなった。アメリカ人と違って中国人は身体に触れ合う人たちではない。抱き締めようとすると相手は木の板みたいになる。ビアーはわたしをなだめようと、親しい関係を築こうと試みているらしいのだが、わたしはいっそう落ち着きを失った。もう出ていきたかったけれど、これ以上払って新車を買うつもりはなかった。気乗りせぬまま契約書にサインをし、手付金をしぶしぶ払い、五〇〇ドルをドブに捨てたことにならなければいいがと念じた。


中古車のセールスマンというのは世界中どこでもうさんくさいものだが、ビアーはとくに信用ならなかった。その次に会ったとき、彼のごまかしの試みは芸術の域に達していたと言っていい。しかしビアーのような男は上海や中国で特別でも何でもない。ペテンは日常茶飯事で、稀少資源の一つが信頼だ。社会が、少数の攻撃的なペテン師とそれ以外、おおむね正直だけれども町に蔓延する猛毒レベルの不信のせいで疑心暗鬼になっている人びとに、はっきり二分されている。

わたしは二〇一一年、この町に来た初日に詐欺に引っかかった。南京西路をぶらぶらし、かつて町の競馬場を見下ろしていたコロニアル風の時計台の下を通り過ぎたときのことだ。わたしは、中国女性がよくするように腕を組んだ十代後半の、英語を話す二人の娘に出くわした。二人とも――ジーンズをはいてTシャツを着た彼女たちは大学生だと言った――かわいらしく友好的で上手に英語を話し、英会話の実践をしてみたいと言う。

「わたしたちとお茶を飲みませんか？」と一人が尋ねた。「近くにすてきな喫茶店があるんです」

中国人は外国人にとても友好的でありうるけれど、普通ここまで親しげにはしない。事実、そこでわたしが受けていたのはもてなしではなく、悪名高き喫茶店詐欺で、ペテン師が観光客に文化交流の一環として「中国茶道」を見せるというやつだった。そしてカモはけた外れの請求書を呈示されて脅かされ、払わないと言うと暴漢が出てきて威嚇する。その数年前に、何人かのフランス人観光客が、ほんの一時間の試飲のあとで九二〇ドルの請求書を突きつけられるという事件があった。わたしは有望ペテン師に丁寧に礼を言い、南京東路《ナンチントンルー》へ散歩を続けた。そこは歩行者専用ショッピング街で、ネオンサインがきらめき、客引きがうようよいる。ＬＥＤで輝くストラップを付けた男たちがローラースケートで人混みのなかを縫い、点滅する靴を売りつけようとしている。一区画過ぎると、ピンクのポロシャツとデニムジャケットを着たポニーテールの女性が近づいてきて、腕時計や鞄を買わないかと路地に連れ込もうとする。

「いらないよ、わたしはここに住んでるんだ」と標準語で言う。

「あら地元の人？ どう、マッサージは？ きれいよ女の子」

夜の南京路、これが男たちに向けられる呪文《マントラ》である。「時計、鞄、女」

わたしは通りを歩き続け、一九三〇年代のステップ付きコンバーチブルの複製のそばを通り過ぎた。観光客がステップに乗り、カメラに向かってポーズを取っている。そのとき、白いウインドブレーカーを着て青いポンポンの付いたソックスと白いスニーカーを履いた若い女性が近づいてきて、マッサージの売り込みを始めたが、また丁寧に断った。

「結構って!?」と言う彼女は、信じられないという顔をした。その抑揚には、「マッサージに興味がないならこんな夜ふけにこんなところで何やってるの？」という意味がこもっていそうだった。

二〇メートルほど行くと、青い長いドレスの女性が近づいてきて電話番号を教えてくれた。二〇分間でわたしは二区画を歩き、そのあいだに十数回袖を引かれた。青いスカートをはいた三十代後半の女性がいちばんしつこくて、一区画分くらいわたしに付きまとった。

「いい子を紹介するから」と言う彼女はノルマがあるのだと説明した。彼女はわたしの中国語を褒めそやし、どこに滞在しているのかと四回訊いた。彼女の携帯電話の画像からきれいな子を選べばいい、彼女は普通のマッサージもするけど、特殊服務按摩《トーシューフーウーアンモー》（特別マッサージ）は一五〇ドルでしてあげるからと。わたしは彼女に八回ノーと言って歩き続けた。

「明日の昼ご飯はどう？」彼女は通りの暗がりに消えかけるとき、大声を上げた。「友だちになろうよ」

こうした出会いはまじめに取り合う価値のないほど馬鹿げているが、男が愚かにもこれに乗ったりすると、思いもよらぬ金額を払わされるはめになる。数週間に一度は、ここの領事館にアメリカ人観光客から電話がかかってきて、南京路外れの奥まった部屋に連れ込まれた挙げ句、暴漢に襲われ、クレジットカードリーダーと偽の会社名を使ってカードから数百ドルから数千ドルを引き出されたという通報がある。さらに暴漢たちは被害者のパスポートと運転免許の写真を撮り、このことを通報したらどこまでも追いかけてやるぞと脅すのだった。

「アメリカのどこに住んでいようと暴漢が押しかけてくるのではないかと恐れるわけさ」と、領事館に務める友人が説明してくれた。「やつらは町のチンピラでしかないんだが、アメリカにギャングのネットワークを持っているかのようなふりをする」

友人はそういう旅行者たちに、クレジットカード会社に電話をして引き落としをキャンセルしてもらい、不安を感じるのであればホテルを変えるようアドバイスしている。

「そして遠回しに『セックスワーカーを探すのはおやめなさい』と諭すんだ」

上海では毎日が競り合いだ。二四〇〇万人が住む都市では、みんなに行き渡るだけの、これだけの大人数の野心を満たすに十分な余裕はない。車の運転はセンチ争いの微妙なゲームだ。アクセルとブレーキを交互に踏み、ほかの車にぶつけないように気をつけながら、ちびちびと前進して競争に勝つ。ラッシュアワー時に地下鉄に乗るというのは、前に立っている誰かを、押し入れに布団を詰め込むように車内に押し込むということだ。ここの住人の一部は、人生というのは飛び抜けてずる賢く、とびきりのコネを持ち、道徳などまったく気にしない者が有利を得、空間と物を分捕るダーウィン的生存競争であると見ている。これと対照的なのが、今はもう食と住と安全の最低ラインについて心配する必要はなくなったのだから、これからの社会は他者の幸福と、より大きな善を考えていくべきと思う人たちだ。毎日が、世界最大の国の魂をめぐる問題、すなわち愛他と利己をめぐっての無数の小競り合いなのである。

上海生活のこの二つの世界観が、わたしのアパートから数区画先以上に生々しく展開されている場所はあるまい。そこでは、河岸の遊歩道に沿った場所で月に数日、数限りない仏教徒が河岸を埋めて魚介類を放流している。線香の煙に包まれて、サフラン色の袈裟を着た僧たちが、金融街にそびえる青と銀の高層建築の真下で信者の誦経《ずきょう》をリードする。水産問屋が魚介類をプラスチックの箱に入れて配達し、それを仏教徒たちが黄浦江に流す。ときには信者が泥まみれの二枚貝を、滑り台代わりのプラスチック製の樋まで運ぶ。誰かがそこで貝を川へ滑り落としているとき、一人の子どもが手すり越しに貝を投げたが、手すりにぶつけてしまった。

「気をつけて」とその子の母親が言った。「貝が頭痛い痛いってなっちゃうから」

中国の仏教徒にとって、動物を解放してやるというのは古くからの伝統になっている。彼らにしてみれば、殺される運命にある動物を救うのは憐れみの行為なのだ（私の妻ジュリーは獣医だが、この考え方は破壊的だという。まず黄浦江の汚染水で海洋生物が死ななかったとしても、彼女は、その生き物たちが侵略種になり、すでに悪臭を放っている生態系をさらに悪化させまいかと懸念する）。

　ある日の午後、わたしはフリータクシーで仏教徒たちが魚介を放流している場所までやってきて、一人の信者と話をした。シェンという名前の引退した料理人は、すべての生き物が間違いなく解き放たれるように気を遣い、そのため彼は手すりを越えてから河岸に下り、川面を見下ろすかたちでうずくまり、残っていた巻き貝類が一匹残らず水中に落ちるよう丁寧に払い落とした。

「わたしたちは捕らわれた動物を自然に返しているのです」とシェンは説明した。「どうして解放するかって？　わたしたちと同じですよ。みんな生き物ですから」

　中国の増加しつつある富と力の象徴である上海の巨大な高層建築を背景に、このような無私の行為を見るのはすがすがしい。だが、そうした心温まる気分も、人混みのあいだをぶらつきながら硬貨をせびる乞食が金属コップをスプーンでカンカン叩く音のせいで失せてしまった。

「あれは好きでやっているんですよ」と信者の一人が言う。「彼は貧しいわけではなくてね。ああいうのが中国には大勢いる」

　乞食だけが仏教徒たちの篤信につけ入るわけではない。ある日、わたしは何人かの黄色いヘルメットをかぶった出稼ぎ労働者たちがバイクに乗り、カメがたくさん入ったバケツを持って歩道に寄せているのを見た。仏教徒の一人がカメ一匹あたり一二ドルを払って救ってやろうとしていた。労働者はもっと払えと要求し、カメの尻尾をぶら下げたままバイクでぐるぐる回り、信者をあざけるのだった。

　その次の男はもっとひどい。放流の最中に、二十数人もの男たちが五メートルほどの先端に網を張ったアルミ棹を持って下流に陣取る。仏教徒たちが誦経し魚を川のなかへ放流したあとしばらくして、網を持った男たちは濁流のなかからその魚をすくい上げるのだ。最も恥知らずな振る舞いを見たのは、ある平日の夜だった。干潮時、信者たちが歩道から魚を放流すると、腿まで水に浸かった雨合羽姿の男が、仏教徒たちが命を救おうとした生き物を網ですくい上げようと懐中電灯片手に待ち構えている。

ある日の午後、リーという名前の網師が水中に網を浸して魚を一匹すくい上げ、さらに二度、三度、さらなる獲物をめざして網を沈める姿を、わたしは目で追っていた。リーは土手の藪のなかに魚を揚げる。網師たちがあちこち駆けずり回るので、茂みのなかには踏み固められた道が何本もできていた。

「魚捕りってすごく難しい?」とリーに尋ねると、彼は売るのではなくて家で食べるんだ、と力を込めて言った。

「捕るのは簡単」リーが言う。青いズボンに紫色のシャツを着た彼は四十代半ばだ。「見てごらん、こんなに立派な魚。なんで川に逃がしたりするのかね?」

通り過ぎていく貨物船が汽笛を鳴らした。リーは獲物を持って手すりから戻ってきた。放流された魚を全部すくってしまうのは正しいと思うか、とわたしはリーに尋ねた。

「正しいって何だ? 正しくないって何だ?」と答えるリーは、質問の青くささをはねつけた。「魚を放す人がいれば捕まえる人もいる。今の社会で正しいことなんてないんだよ。より賢いペテン師が頭の弱いやつらを騙すだけのことさ」

リーのアクセントと話し方から、彼が出稼ぎ労働者であまり教育を受けていないことはわかったけれど、多くの中国人が考えていることを簡潔にとらえていた。つまり、騙すか騙されるか。信仰によって仏教徒たちは、ここの日常生活の倫理的に混乱した状況をかいくぐる手引きを得た。だが、宗教を恐れる政府は、宗教が持つ前向きな影響が、たとえばリーのような——そして共産党のように——多くの事柄をゼロセム的にとらえる人びとのところまで自由に広がってしまうことを妨げている。もし人びとが信教の自由を得たら、中国はずいぶん違った社会になるだろう。

さて、河岸沿いの道に戻ってみよう。魚の放流を助けていたワンという引退会計士がリーを追いかけて捕まえ、叱責していた。彼女は、今日何匹か魚を捕れたとしてもいずれ罰が当たると言った。「魚はわたしたちの両親と同じです」とワンが言う。「どうしてわたしたちはこんなに多くの不幸にさいなまれるのでしょう？ わたしたちの貪欲のせいです。彼らが魚を捕ってそれで幸せになれるなら、わたしもよかったなと思います。でも、彼の家族に何か悪いことが起きたら、彼はどうしてこんなことが、と思うでしょう。それは彼が何か悪いことをしたからなんです」

「あの人たちを憎んでるわけではありません」と、網師たちを指してワンが言う。「かわいそうだと思うんです」

魚の騙し捕りの取り分は、上海やほかの中国各地で一部の人たちが稼いでいる詐欺の規模に比べたらわずかなもの。わたしが上海に滞在していたあいだ、金融機関は投資家から何十億ドルという金を騙し取った。人的犠牲というものを初めて意識し始めたのは、コーヒーで目を覚まそうと、南京西路へ向かっていた気だるい午後のことだった。半区画ばかり歩いたところで、メガホンを片手にした警官に追い払われている、上海テレビ正門前で抗議行動中の群衆に遭遇した。上海の中心部でこのようなデモが起きることはめったにないし、組織的抗議活動が急激に拡大し、より険悪な様相を帯びることを当然のごとく恐れる政府も神経質にならざるをえない。警官が解散警告をしているさなか、わたしはその場から逃げ出した抗議者、豊かな髪の中年女性に近づき、何事が起きたのか訊いてみた。

「並んで歩かないで」と、前をまっすぐ見つめたまま彼女が言った。「警察に捕まるから」

わたしは彼女に先行して歩き、曲がり角ですっと逃れて壁の裏に身を隠した。そこを彼女が通り過ぎたとき、なぜ彼女がおびえていたかをすぐに理解した。黒い野球帽をかぶり、黒いマスクをかけた私服警官が彼女を尾行していたのだ。この警察による怒れる市民の追跡は、ニューヨークの五番街に相当する上海の大通りで平日の白昼堂々演じられたわけだが、活気に満ちた商活動と政治的抑圧を見事に重ね撮りしたような情景だった。西側の民主主義的な観点とは相容れない情景だが、中国の「市場レーニン主義」モデル——基本的には自由市場だが、ますます弾圧的になってくる規則に従う——という文脈のなかでは完璧に理にかなっている。警官が携帯電話を見るために立ち止まった。わたしは飛び出して高架高速道路の下を横切り、明天《ミンティエン》広場《クアンチャン》のマセラティのショールーム前であの女性に追いつくまで早足で歩いた。明天広場とは三六階建ての高層ビルのことで、オフィスへ戻る道を探すときに目印にすることがある。彼女にわたしの名刺を渡してから今来た道を引き返したとき、わたしはあの私服警官がこちらに来るのを見た。彼はわたしのそばを通り過ぎ、抗議者たちの跡を追っていった。わたしは自分が中国の公安を巻いたことに気がついた。そのまま歩き続けていると、一人の女性が歩道上のわたしに声をかけてきた。

「なぜあの女に名刺を渡したの？」周囲を歩行者が行き交うなか、彼女はこう詰問してきた。

その女は三十代後半のかわいらしい人で、肩までの髪を当時はやりのカッパーブラウンに染めていた。そして茶色のサングラス、茶色のレザージャケット、灰色のトレーナー。

「あなたはどういう人？」彼女は標準語で問い詰めてくる。

わたしは身構え、口を開ける前に熟考した。なぜこんな質問をしてくるのだろう？彼女は、わたしがどういうわけか気づかずにいた私服警官なのか？わたしが記者だと名乗ったら、名刺を渡したあの女性はトラブルに巻き込まれるかもしれない。ということで、わたしはこんなとき中国人の大半がするであろうことをした。話題を変えた。

「何があったんですか、あそこで？」と、上海テレビの正門を指さして尋ねた。

彼女は答えようとしない。

「あなたを尾行してきた」と女は言う。

彼女の口ぶりが威嚇的になってきた。

「あなたは普通の老百姓《ラオパイシン》なの？」と彼女は続ける。標準語で庶民という意味の単語を使った。

わたしはうなずく。正直ではなかったけれど、好奇心溢れた無知な外国人——当たらずとも遠からずの場合が多かったし——を演じたほうが都合がいい。彼女には虚を突かれた。彼女が何者なのかわかるまで、わたしは自分の正体を明かせない。

もし彼女が本当に公安機関の職員なら、それはそれですばらしい！　とわたしは思った。

すると、彼女の表情がゆるんだ。

「誰も信用できないから」と彼女は口走った。

これで、彼女が公安職員ではないことが判明した。

わたしはナショナル・パブリック・ラジオの事務所が入っている建物に彼女を誘ったが、彼女は拒否し、そしてわっと泣き出した。まわりには大勢人がいたが、誰も気に留める様子はない。人混みが絶えることのないこの町で、少しでもプライバシーが保てる場を求め、灌木の深い茂みと「紅旗」販売代理店のショーウィンドウのあいだの静かな空間へ彼女をいざなった。「紅旗」とは、軍事パレードの際に共産党総書記を天安門広場へ乗せていくリムジンを造っている会社だ。その女性は英語名をアマンダといい、一六万ドル——彼女の家族と友人が貯めた金——を中晋《チョンチン》キャピタルマネジメントという、上海のコロニアル式建築群が並ぶウォーターフロントであるバンドの一等地にオフィスを構える資産管理会社に投資した。その月の初旬、警察が同社に踏み込んで同社役員二〇人以上を逮捕した。同社の社員でもあったアマンダは、国営メディアによると、中晋に六〇億ドル近くを注ぎ込んでいた二万五〇〇〇人を超す投資家の一人だったのだ。彼女は自分の物語を話しながら、身震いしては泣き、恐ろしさを思い出しては両手で口を押さえた。話をするのにもっときちんとした場所を探さねばと、わたしは彼女を茂みの背後から連れ出して、通りをふたたび二〇〇メートルばかり歩いたが、そこで彼女は歩みを止めて肩越しに視線を投じ、警官に尾行されているとおびえた。

「誰も信用できない」と言う彼女の頬を涙がつたう。「これが中国なんだ」

政府は答を与えてくれない。失望のあまり、その日アマンダとほかの投資家たちは上海テレビへ押しかけた。中晋は破綻する前、上海テレビの人気ショー番組のスポンサーだった。上海テレビは国営である。そのショー番組では同社のロゴが画面にどんと出るので、投資家たちはそれを政府のお墨付きと読み誤まり、安全投資だと思ったのである。その日の午後に行われた抗議行動の際、警官は抗議者の一人の首根っこを押さえて逮捕し、ほかの人たちに暴力を振るった。抗議者たちがＣＮＮへ行くぞと脅すと、警官は彼らの愛国心を問うた。

「あんたらは愛国者じゃない」と警官が口走ったことを、アマンダは思い出す。

中国共産党は支配のために恐怖だけでなく罪悪感も利用する。彼らは、人びとが共産党と国は不可分だと認識するよう何十年も時間をかけ、一方の批判は他方の批判であるとした。このために共産党は次のような軍歌まで作ったのだ。

共産党がなければ、新しい中国はない
共産党は人民のために骨を折って働く
共産党は一心になって中国を救う
党は人民解放の道筋を指し示した

さて、南京路に戻ろう。アマンダは取り乱していたのでそのまま通りに置いてはおけず、わたしたちは近くのスターバックスへしけ込んだ。わたしは紙ナプキンをまとめてつかみ、涙を拭くようにアマンダに渡した。そして、バリスタからペンを借りて、残ったナプキンにアマンダの話を書き留めた。アマンダは自分の金がまだ会社内に残っていることを期待し、どうにかして取り戻そうとしていた。抗議者たちは、ツイッターに似た微博《ウェイボー》というインターネット・プラットフォームの上に苦情を寄せたが、検閲官によって削除された。アマンダは彼女の携帯画面で会社の書類を見せてくれたが、それを中国製の主力ソーシャルメディア・アプリケーションであるウィーチャット〔微信（ウェイシン）といって、ＬＩＮＥに相当する〕経由でわたしに送信することは拒否した。電子的足跡《デジタルトレイル》を残したくなかったのだ。わたしは自分の携帯で、できる限り窓からの日差しを避けながら、彼女の携帯画面に写る書類の写真を撮った。アマンダは電話番号も教えてくれず、ウィーチャットでつながることも拒否した。わたしたちは、数日後同じ場所で落ち合うことにした。わたしはメモを書きつけたナプキンを、万一警官が表で待ち伏せしている場合に備えて靴下のなかに隠した。アマンダは手洗いに立ち、そのまま裏のドアからこっそり外へ出ていった。

政府は公の場で、今日の中国の自国民が相互に信頼を失っていることを嘆いているが、多くの点でその懸念は本物だ。同時に、共産党の監視、情報、検閲システムは意図的に不信感を生み出しており、党はこの猜疑心を社会統制の道具として使っている。一九四九年に政権政党となったあと、共産党は各都市に居民委員会を設置した。委員会メンバーには、「纏足《てんそく》のＫＧＢ」として知られる年輩女性が多く、彼女たちは政治教育をしたり「階級の敵を根絶やしにする」手助けをしながら住民に目を光らせた。一九八九年の天安門広場での抗議参加者弾圧のあと、こうした口やかましい「おばさん」たちは民主化活動家を探したり、「反革命活動」への参加で政府から非難されている住民を警察に突き出したりした。

共産党は西側諸国の人びとに関する不信の種をまくという試みもした。二〇一六年に政府当局は、地下鉄の壁に漫画のポスターを貼るという風変わりな国家安全保障の宣伝戦を行った。その漫画（「危険的愛情」という）は、ハンサムな外国人と恋に落ちた不幸な国家公務員の悲劇の物語だった。二人の関係は、男性がお茶の席で赤いバラの花束を彼女に手渡すという、絵に描いたようなシーンで始まる。彼女の凋落は、外国人の友だちに政府の秘密情報が記録されたディスクを渡したあとから始まる。最後のコマでは、手錠をはめられた彼女が警官の訊問を受けながら泣いている。

「彼がスパイだなんて知らなかった」と彼女は言う。「彼に利用されたんです！」

中国人の友人たちは、こんなもの誰も気に留めていないと言ったけれど、時が経つうちに庶民には蓄積効果が現れてくる。西欧人に警戒せよというメッセージに加え、党は外国メディアの信用を貶《おとし》めることに集中した。二〇一六年には中国立法府のメンバーと国営放送局、中央人民ラジオの局長が、西側ニュースの六割は中国を中傷する内容であると断言した。新華社通信の前会長、李従軍《リーツォンチュン》は、外国人記者による反中陰謀に対して国を挙げて戦うよう訴えた。

「敵意に満ちた西側諸国とメディアは、社会主義の中国が繁栄するのを見たがらない」と、李前会長は共産党機関誌『人民日報』に書いた。

このメッセージは反響を呼んだ。三億ドルをかけてできたばかりの橋が部分的に崩落した事故を報じるため、中国北東の外れ、ハルビン市に出かけたとき、町のみんながこの手の事故のときに疑われるおきまりの原因を指さした。低品質の材料と政府の腐敗である。わたしはその崩落について話を聞こうと、ハルビンで家具デザインをやっている若者に会った。彼の母親はインタビューの場であるＫＦＣまで付き添ってくると言って聞かず、しょっちゅう話を遮ったり、しかめっ面をしたり、わたしの質問に答えようとする息子の口を閉ざそうとするのだった。彼女は、死んでしまった犠牲者やこの惨事の原因としてほぼ確実な構造的腐敗についてはまったく気にしない。彼女の目からすると愛国者とは思えないわが子が外国人に話しかけないよう、躍起になっているのだ。この外国人の目的はたった一つ、母国の評判を貶めることであると彼女は信じ込んでいた。

「この人らが必要なのはあんたみたいな日和見主義者なんだ」と、彼女はレストランから腹を立てて出ていく前、息子に言った。

党は自分たちの失敗を隠蔽するために中国国民を操作しようとし、その戦略は効果ありと出ていた。

アマンダがあの路上でわたしの前に立ちはだかってから数日後、わたしたちはふたたびスターバックスで会った。それ以降彼女は、何度かのミーティングを通じて彼女の物語をすっかり話してくれた。彼女は三十九歳、電子商取引との競争に負けて事業をたたむまで、事務用品の販売店を経営していた。オンラインで中晋の求職広告を見た彼女は——金融業界での経験はなかったが——顧客獲得担当のポストを得た。会社は投資家に対し何と一五パーセントの利回りを約束していた。その秘密は何だろう？　アマンダの上司が、会社は資金を上海の株式市場に投資しているのだと説明した。当時、同市場の株価は急上昇していた。きっとインサイダーからの情報を得て取引しているのだろうと彼女は憶測した。それが普通だったし、そのおかげで市場が活気づいているという面もある。アマンダは探りを入れてみようと、貯金の一部を中晋に預けてみた。自分のアカウントを毎日チェックすることができたし、引き出しも許された。それから六カ月にわたって彼女の投資価値はたちまち上昇した。ぼろ儲けには抗いがたい魅力があるが、アマンダには特別な用途があった。四年前、彼女の胎児の右手に障害があると告げられた。医者たちは中絶を勧めたが彼女は拒絶した。もう三十代半ばだったし、二度と妊娠できないかもしれないと心配だったのだ。出産後、医者たちは子どもの手を矯正することができなかった。中晋で儲けた金は、治療のため息子をアメリカへ連れていく資金に使おうと思っていた。そして旅行に備えて英会話のレッスンも始めていた。

　中晋は表向き正当性があるように見えた——少なくともアマンダやほかの多くの零細投資家はそう了解していた。上海テレビでの広告やバンドという立地のほか、中晋は川の反対側の金茂《チンマオ》タワーにもオフィスを持っていた。そのタワーはわたしのアパートの数ブロック先にあり、クライスラービルとパゴダを足して二で割ったような形をしたランドマーク的な高層ビルである。アマンダが働いていたのはそちらのオフィスで、そこで彼女は親族や友人を募り、顧客獲得のノルマを埋めた。アマンダによると、二〇一六年の初旬に会社は投資利回りを九パーセントに下げた。彼女もほかの社員もこれを肯定的にとらえた。中晋は利回りについて現実的で空約束はしないしるしだと見たのである。

「しっかりした会社だ」とアマンダは思ったそうだ。

四月、彼女は真実を知る。警察が中晋に踏み込み、コンピュータと書類を差し押さえて、外国へ飛ぼうとしていたＣＥＯを上海空港で捕まえた。新華社通信は中晋をネズミ講であるとツイートした。警察は投資家に対し、預託金の一〇パーセントしか残っていないと告げた。アマンダがこのニュースを聞いたとき、彼女はビルから身投げしようと思った。彼女は両親、自分の姉、義理の両親を口説いて投資させていたのだ。おばが翌月に控えた娘の結婚式の持参金として貯めていた金も損失を被った。警察が中晋にあったアマンダの就業関係書類を差し押さえてしまっていたから、彼女は再就職を試みることもできず、ほぼ一文無しだった。会話の最中、アマンダはコーヒーテーブルの上に一六ドル相当の金をばらまき、所持金はこれだけだと言った。

「食べ物を口にするたびにすごく罪悪感を覚える」と言う。

中国で金融詐欺はますます増加している。過去一二カ月のあいだに倒産した会社のうち中晋は三番目だった。政府は二カ月前、Ｐ２Ｐ《ピアトゥピア》の融資会社、e租宝《エズバオ》は国内全土で九〇万人の投資家を騙した七六億ドル規模のネズミ講であると暴いた。投資家に対して同情する人びともいるが、大勢は彼らを欲深で世間知らずだったと考えている。中晋のような資産管理会社は、民間企業により多くの融資をし、政府系銀行の低利に失望していた中国人投資家によりよい利回りを提供しようという目的で二〇〇〇年中頃に続々と現れた。しかし中国経済が弱まってきても、融資ブームのほうは続いた。中国には無数の資産管理会社があり、その子会社はさらに多かったが、それらは規制されているにしてもかたちだけだった。顧客が中晋に投資したのは、それよりよい選択肢がなかったからだという。不動産は一般的にバブルであると見なされていた。海外投資のために合法的に送金できる金額は、政府の資本規制によって厳しく制限されていた。そして二〇一五年、上海証券取引所が大暴落する。そのとき中晋幹部は社員に対し、これで投資家たちは株式から撤退し、金を自分たちのところへ預けに来ることになると説明したという。

　話をするために南京路にやってくることがアマンダにとって金銭的に負担になってきたので、わたしはフリータクシーで南北《ナンペイ》高架路という高速道路を一〇分ばかり走り、彼女のアパートの近くにあるスターバックスまで出かけた。わたしが到着すると、彼女は丈の長い黒のレインコートを着て待っていた。脚を組み、腕を前にそろえて肩をすぼめた姿は、何かから身を守っているように見える。ただでさえ痩せているうえに、やつれた感じがあった。化粧はなく、目の下に隈《くま》ができていた。彼女は会社に関する質問で警察から攻めたてられていた。だが、彼女はそれに協力するのが怖かった。というのは訊問のあと、その裏を取るためにほかの従業員を最大一週間拘留していたからだ。その日の前日、当局は彼女の夫に電話をかけてきて、妻にもっと圧力をかけるよう告げた。彼は彼女に、抗議行動をやめ、警察と話をするように命じた。

「もうだめ」と、夫との関係について彼女は言う。彼女は一家の貯蓄をすべて失ったことの償いとして、彼に離婚を申し出た。「家庭の問題、お金の問題、どうやって生き延びたらいいのか」と続けるうちに、アマンダは泣き始めた。

わたしはバックパックを探ってティッシュを取り出し、それを彼女に渡した。

政府に対し回答と何らかの救済を求めるかたわら、投資家たちはいたるところで詐欺と策略に巻き込まれた。アマンダと仲間の投資家は上海市政府の前で抗議行動を行う計画を立てたが、その三〇分前に警官が現れた。それは、ウィーチャットに集う投資家グループのなかに彼らが侵入していることを意味した。投資家たちは仲間の誰が警察のイヌになったのか議論した。

「こいつはスパイ」と、アマンダはウィーチャットのプライベートアカウントで読んだ人びとを推測して教えてくれた。「あいつもスパイ」

グループチャットのなかに警察が入り込んでいないとしても、今度は詐欺師が現れ、中晋内部に侵入する方法があるのだが有料で投資金を取り戻してやろうか、というメッセージを投稿してくる。

わたしがアマンダともう一度彼女のアパート近くで会ったとき、彼女の心理状態はさらに悪化していた。あなたと会話をしているというそれだけの理由で警察は自分を逮捕するだろう、そう彼女は危惧していた。

「さよならを言いに来たんです」。緑茶をすすりながら彼女は言った。「ここであなたと会っていれば、警察は簡単にわたしを見つけて逮捕する。わたしの跡をつけることも、ビデオカメラを使うこともできます」

アマンダは過剰反応を起こしている、とわたしは思った——だがしかし、わたしには一族郎党の生涯の蓄えを失ったような経験はない。これもまた、政府が掌握範囲を拡張するために、人びとに妄想を吹き込み、彼らが自発的な内部取り締まりをするよう奨励し、不確実な空気を醸成する一例なのだ。帰る時間になったので、わたしはアマンダをガレージまで連れていき、車のボンネットやドアに貼ってあるサインに面食らわぬよう、彼女にフリータクシーの発想を説明した。彼女はサインを読みながら車のまわりを一周した。

「クール」と彼女は英語で言った。

わたしは彼女を乗せて家まで送り、人目につかなそうな場所に車を停めた。アマンダはそばに建つ共産党校の前に設置されたＣＣＴＶを指さした。わたしは車を走らせ、今度は木立の下で止まった。アマンダは携帯の画面で投資家の抗議ビデオを見せてくれた。彼女は渋ったが、わたしは次の面会を設定した。そして彼女は車から降り、アパート団地のなかへ消えた。

一週間後、約束の時間にあのスターバックスへ向かったとき、わたしはフリータクシーの常連客の一人、フィフィという名の心理カウンセラーを乗せていた。過去数カ月、わたしはフィフィを患者のところへ連れていっていたので、アマンダが直面しているプレッシャーを考慮し、専門家と話すことで何か得ることがあるかもしれないと思ったのだ。三〇分待ったがアマンダはとうとう現れなかった。フィフィ自身は、当局と揉め事を起こしたことはないが——ほとんどの中国人にそんな体験はない——アマンダの恐怖は理解できると言った。興味深い話になりそうだという気がしたわたしはノートを取り出し、言葉を書き留め始めた。それからテープレコーダーも出して、ひそかに膝の上に置いた。フィフィはひるんだ。

「ノートに取られると、わたしの恐怖がちょっと増す」とフィフィが言う。彼女は四十一歳の人なつっこい丸顔で、明るい色の服が好み、たとえばスイカのような——そういうのは上海の通りではめったにお目にかかれない。「あなたが録音機を取り出したときにはもっと恐ろしくなった。口にしてしまったことはあとで否定できなくなりますからね。わたしの声だってことは明らかだから。わたしに不利なかたちで利用されるかもしれないし、恐ろしいというのは何が起きるかわからないことの恐怖なの」

何が起きるかわからぬ恐怖、それを中国ではひしひしと感じる。街頭では、毎日のことだが、誰を信じていいのかわからず誰が自分に危害を加えるかわからない。今食べているものが安全かどうかにはまったく確信が持てず、呼吸をするたびに自分の肺が――あるいは自分たちの子どもの肺が――どれだけ傷むのか到底わからない。新紀元を開く繁栄の真っただ中にいてさえ、中国人であるということは不確実性とともに生きるということなのだ。

「自分の発言が原因で何かひどい目に遭った、ということはある？」とフィフィに訊いてみた。

「まあ、ないわね」

「ということは、あなたの発言のせいで当局に罰せられた経験は一切ないわけだね？」

フィフィは首を横に振った。

「自分を取り巻いている環境から習ったんだと思うの」とフィフィは言う。「発言には注意すべきだ。言いたいことを口にするわけにはいかない。そんなことをしたら危ない。おまえの発言だとすぐわかる」

「でも、どうやってわかるというの？」皮肉めいたり小生意気に響かぬように気をつけながら、彼女に尋ねた。「中国には一四億近い人がいるんだよ」

自分が示した反応は、過去の経験に照らし、かつ国の大きさを考慮すると、「道理にかなった」――と彼女は表現した――ものではなかったとフィフィは認めた。彼女の夫が経済学教授として働いているフランスで彼とともに幾度か夏を過ごしたが、フランスでの自分の言動はさっきの反応と根本的に違った。

「フランスにいたときは、何でもかんでも話したものよ」とフィフィは言う。「シャンゼリゼでも、モンパルナスでも、ビアリッツでも」。ビアリッツには夫の家族が家を持っていた。「でも上海ではともかく事情が違う。白状すると、フランスのほうがずっと安心できるの、この国の外にいるときのほうがずっと安心感があるの」

「すごくよくわかる。わたしも中国で自主検閲をしているから」とわたしは打ち明けた。

共産党が国民に対して外国人記者は中国を貶めてばかりいると長いあいだ告げてきていたので、わたしはウィーチャットへの投稿内容のほとんどを無害なものにし、物語捏造が得意な政府にエサを与えることにならぬよう、また、さまざまな階層に属し、教養レベルもそれぞれ違う中国人の友人たちを驚かすことのないよう、慎重を期していた。中国人のほとんどがアクセスできないフェイスブックには、中国の人権問題とか南シナ海のほぼ全域を領有するという政府の主張に対する懐疑的記事など、政治的なテーマを含むニュースを投稿した。ウィーチャットのほうはと言うと、ほとんどが家族ぐるみのアジア旅行の写真の投稿である。

「フェイスブックに投稿している内容をウィーチャットに投稿したら、ウィーチャット上の友だちの三割から四割を失うだろうね」とわたしはフィフィに言った。

わたしが投稿するニュースの中身に反対だからわたしから距離を置く、ということではないと思う。そうではなくて、中国人の尺度からすると、その内容があまりに政治的に微妙なので近づかないでおこうということと、外国人ジャーナリストとの友だち関係は得になるわけでもなさそうだというのが理由だろう。政府の方策によって、みんなが少しずつ慎重になり、少しずつ疑い深くなり、少しずつ脇を固めざるをえなくなるような雰囲気が醸し出された。人と人のあいだに距離が生じ、アマンダの例ではわたしと会話を続ければ危険が増すという計算が働いた。その日、彼女が現れなかったのはそのせいであり、彼女に会うことは二度となかった。

　都会暮らしにはある程度の疎外感が付きものだけれど、中国では疎外そのものが都会生活であると定義される瞬間がある。数年前のある雨の日、フィフィは上海の浦東新区《プートンシンチュイ》にある彼女の自宅近くの通りを渡っていたとき、五カ月前に骨折した膝が崩れて道路に倒れてしまった。彼女は横断歩道の上、歩道まであと一メートル半という位置に座り込んでいたが、車の往来は絶えない。安全な場所まで這っていったら、もっと脚を痛めてしまうかもしれなかった。生まれながらの問題解決屋であるフィフィは冷たく濡れた道路に座ったまま救急車を呼ぶために電話し、次に父親に電話した。それからさらに二五分そこに座ったまま、フィフィは毎分およそ一五台の車が、合計すれば数百台の車が走り去ったことになると計算した。一台も止まらなかった。何台かはあと一メートル近ければ彼女を轢《ひ》いてしまうところだった。フィフィがそこに座っているあいだ、五〇人から一〇〇人の歩行者が通り過ぎた。どうしたのかと尋ねる人も何人かいて、彼女は状況を説明した。

「誰一人として『助けてあげましょう』とか『何か力になれることは？』とはっきり言う人はいなかった」とフィフィは回想する。「ほとんどの人がそばを通り過ぎ、わたしを見下ろしては顔をそむけるの」

　だが、フィフィのほうでも助けを求めなかった。なぜならば彼女はほかの歩行者が自分を丁寧に扱ってくれるかどうか、信頼できなかったからだ。「とても親切で本当にわたしを助けてくれようとしている人でも、ちょっとした手違いで余計悪くすることがある。だって十分経験のある人なんていないから。通りで誰かが誰かを助けているシーンなんて普段見たことがない。わたしに手を差し伸べようとする人なんていなかった。たぶん、ややこしいことに引きずり込まれるかもしれない、とためらったんでしょう」

　フィフィは二〇〇六年に中国東部の都市、南京で起きた恥ずべき出来事をほのめかしているのだった。六十代の女性がバス停で倒れたときの出来事だ。ずいぶん昔のことだけれども、多くの中国人に深い印象を残した。ある若者が彼女を病院へ連れていった。するとその女性は、彼に突き倒されたと言って彼を訴えた。南京の裁判官は彼女の医療費の四〇パーセント相当、七〇〇〇ドル以上を払えと男性に命じる判決を下した。裁判官の判断は、男性が彼女を突き倒したに違いない、誰が見ず知らずの女性を助けたりするだろうか？　というものだった。この判決には多くの中国人が激怒し、困っている人を助けたいという意志のある人びとも二の足を踏むようになった（実はその二年後の報道によれば、この若者は実際に彼女を突き倒したことを告白して賠償金を払い、裁判官の疑義が正しかったことが証明された）。その後何年かのあいだに、轢き逃げされて路上に横たわる犠牲者を、まるで動物の死体のように無視する人びとのビデオがいくつか公表された。最も耐えがたい事例は二〇一一年、中国南部の都市、仏山《フォーシャン》市で起きた。監視カメラが、よちよち歩きの幼児がトラックに轢かれ、さらに別のトラックにまた轢かれるというシーンをとらえていた。瀕死の幼児に救いの手が差し伸べられるまでの七分間、現場を通りかかった人は少なくとも八人いた。なぜ人びとはそんな態度でいられるのか？　それに答えるには一筋縄ではいかないが、そうした態度は今に始まったことではない。近代中国で最も鋭い社会批評家、魯迅はこの現象についてははるか昔の一九三三年に書き残していた。

「中国では、とりわけ都市部では、誰かが路上で気を失ったり車にはね飛ばされたりすると、やじ馬や他人の不幸を生きがいにした連中が集まってくるが、積極的に助けようとする人はめったに現れない」と書いている。

今日の中国では誰もが、ペテンにかけられはしまいかと常に警戒している。賠償金目当てのペテン師はしょっちゅう偽の交通事故を起こす。車に装備されたドライブレコーダーが、上半身裸の労働者が自分から飛び込んできて停車中のバスの下に倒れ込む、というような大げさな演出のゆすりをいくつもとらえている。なかでもいちばん印象深いのは、女性が車のボンネットに飛び乗って自分の頭をフロントガラスに何度も打ちつけ、その激しさでガラスに二度ひびを入れたあとボンネットから滑り落ちる、というやつだ。この手のペテンは中国において長い歴史を持ち、特別な言葉があるくらいだ——碰瓷《ポンツー》——直訳すると「磁器にぶつかる」〔日本語だと「当たり屋」が妥当〕。この悪習は少なくとも清朝（一六四四〔諸説あり〕—一九一二）までさかのぼるという説がある。かつての貴族が安物の磁器を抱えて公道をそぞろ歩き、わざと誰かにぶつかって磁器を落とし、賠償を求めたというのだ。中国人はこのあっと驚く自作自演の自動車事故を、現代にはびこる欲望と低い「素質」、つまり劣った性格と内面的質のせいだとする。けがをしたふりだけがゆすりではない。本当に道路に倒れてけがをしたような場合でもすぐに、責任転嫁できそうな人を探すのだ。こうしたケースは中国の医療システムの問題のせいだ、とフィフィは指摘する。病院が患者から前払いを要求するからだ。

ＵＣＬＡの社会人類学の教授、閻云翔《イエンユンシアン》は、中国人が人助けに献身的な善意の人びとから金をゆすり取ろうとした例を三〇件近く調査した。ほとんどのケースにおいて、善意の人は専門的職業に就く若い人たちで、恐喝者は六十代から七十代の年金生活者であることがわかった。恐喝者たちは、国が医療費を払ってくれていた社会主義の時代に育ち、医療費が高額で保険などかける人の少ない資本主義的な時代に老いていった。恐喝者たちはのちにメディアのインタビューを受けたとき、医療費を誰かに払ってもらうために善意の人から脅し取ろうとしたと説明した。だが閻は、高額な医療費という理由以外に、もっといろいろな要因が働いていると考える。彼は、こうした現象は、中国における収入格差と世代格差のとてつもない大きさ、そして古い田舎に残る道徳体系に、上海など中国全域と世界中から人が集まってきた近代巨大都市の現実が衝突して生み出されたものだと考える。

「外国人とどう向き合うか、外国人に親切にするにはどうしたらいいか、というのが現代中国社会の大きな課題の一つです」と、閻はわたしに話した。「伝統的な中国の主たる道徳体系は緊密に結びついたコミュニティのつながり、血族関係のつながりを基盤にしています。知人と他人のあいだには明確な一線が引かれます。道徳律の多くが、他人とのかかわり合いには適用されない可能性があります。言い方を変えると、他人を利用したり場合によっては傷つけることがあっても、道徳的に間違っているとは見なされないかもしれません。他人は自分たちのグループに属していないからです。道徳は相対的なのです。また社会的距離の遠近にも連動します」

チャールズの村で、あのタクシーの運転手はわたしをそうした目で見ていたのだ。彼はわたしを知らなかった。よそ者の私に対して、どのようなかたちであれ親切心や敬意を示す義務はなかったのだ。彼のせいでわたしのバンが田んぼに落ちたとしても、気にかけない。彼にとってわたしは何者でもないのだから。多くの人びとがこれと同じ理屈を、通りで出くわす他人と感情的に何のつながりもない、雑踏する都市に適用する。伝統的なコミュニティを基盤にした道徳と巨大都市という組み合わせが、一貫性を欠いた奇妙に見える行動の温床となる。

「この社会集団のなかで人びとに対してとても感じのいい対応を見せる人も、ふと振り返って見知らぬ人と直面した場合、はなはだしい警戒心や敵意を抱きがちで、隙さえあればその他人を利用することもあります」と閻は言った。

あるいはその人はその他人を、まるでそこにいないかのように完全に無視するかもしれない。

ある日の午後、フィフィを患者のところへ連れていく途中、横断歩道を渡ろうとして歩道の上で待っている母と子がいた。上海の通りでは大きさが物を言う。中国で暮らした全期間を通して、歩行者のために車が停まるというシーンを見たことはほとんどないが、アメリカ人たるわたしは一人を渡らせようと横断歩道の前で停車した。母子はそこに立ちすくんだまま唖然としてわたしを凝視し、渡ろうとしない。フィフィとわたしは見つめ返した。

「あの人たちのために停まったとは思ってないんだわ」とフィフィが言った。

ほんの数秒の出来事だったけれど、わたしたちの無言の交流には意味がいっぱいこもっていた。異なる発達段階に属する二つの異なる文化、相手が何者か——あるいは何者でないか——を互いに評定する二つの異なる尺度。最終的には、恐る恐る母親と息子は横断歩道に踏み出して、わたしからずっと目を離さずに、通りの反対側へ無事渡っていった。

なれなれしく身体に触れてくるあの中古車セールスマン、ビアーは、ようやくわたしの条件に合う二〇一二年製カムリを見つけてきた。わたしたちは代理店へタクシーで向かったが、敷地に入るなりビアーはわたしに触り出した。わたしの肩に手を乗せ、その手をわたしが着ていたフライトジャケットの背中になで下ろす。ビアーはサンルーフと座席を強調しながら、二万九〇〇〇ドルのカムリを見せてくれた。

「ほとんど新品」と彼は言った。

「だけど革装じゃないな」と、その値段に不満を込めてわたしは言った。

「だけど布製でもないよ」とビアーは言い返す。

当然のことながら、わたしは試乗をしたかった。それなら一〇パーセントの手付金を払えとビアーが言う。冷やかし客を追い払う目的でもあれば、車を完璧な状態に保つためでもあると彼は言う。

「誰かが試し乗りした車なんか欲しくないでしょ？」と、車を処女の花嫁に喩えるような口調でビアーは問う。

「アメリカじゃ試乗するのが当たり前だよ」とわたしは言った。いずれにせよ、その車には少なくともオーナーが一人はいたわけだし。

「車をきれいに保っておきたいんですよ。わかるでしょ、ランボルギーニとかポルシェとかだったら……」

「だけどこれはランボルギーニでもポルシェでもない」とわたしは文句を言った。

「わかってますよ」とビアー。「でもね、守ってやらないと」

車の走りは申し分なかったが値段はのめなかったので、車のセールスマンがいちばん嫌がることを言ってやった。ちょっと考えてみよう。ビアーは強引な売り込み攻勢をかけてきた。わたしの肩に手を置いてこう言った。

「ねえ、大将。がっかりさせないでくれよ。ねえ兄貴、ねえ親友――率直に言ってさ、これくらいの金、出せないはずはないと思うんだけどね」

迷路のような代理店の車置き場で、わたしは閉所恐怖症になりそうだった。新鮮な空気を求めて――上海で可能な範囲で、ということだが――わたしは表に出た。ビアーがついてくる。買い物の付き添いに来ていたヤンがタクシーを呼び止めると、ナショナル・パブリック・ラジオの事務所へ戻ろうとしていたわたしたちに、ビアーが一緒に乗せていってくれと言う。愚かにも、わたしは了承した。会話の接ぎ穂にと思って、わたしは深く考えずに売れ行きはどうかなどと尋ねてしまった。

「今月はそんなによくないんだ」とビアーが言う。「たった二台。少しずつ学んでいるところだけど、それでも成績がよくないと、首を切られて郷里に帰るしかなくなる」

昼飯時はとうに過ぎていて、誰も食事をしていなかった。ビアーは朝食をとっていないと言い、誰か食べ物を持っていないかと尋ねた。ヤンがビアーにリンゴを渡すと、彼はそれをすばやく手で二つに割って食べた。

「夕べおやじに電話をして、切羽詰まってどうにもならないって言ったんです」とビアーは続ける。涙ながらの泣き落とし作戦である。「家賃と食費を払ったら何も残らない。あんたがちょっと考えてみた頃には、わたしはもう首になってるだろうね。次に会ったとき、わたしは通りで寝起きするホームレスになってるだろうなぁ」

やっと事務所に到着し、わたしたちはそこで別れた。ビアーの恥ずかしげのないパフォーマンスは、ほれぼれとするほどだった。そのあと、タクシーを待っていたときにわたしが気がつかなかったことをヤンが教えてくれた。

「驚いたことに彼は泣いていたんですよ」とヤンが言った。「本当に落胆したんでしょうね、あれは気の毒だったな」

ビアーと同じようにヤンもまた上海に住む事務系出稼ぎ労働者だ。彼は、競争の激しいこの大都会でやっていくことがいかに難しいかよくわかっている。ビアーは悪いやつには見えない、とヤンは言う。気配りがないだけだ。気配りがあろうとなかろうと、わたしはビアーから車を買うつもりはなかった。わたしが疲労困憊していることを感じたヤンは、トヨタの代理店何軒かに電話をし、サンルーフと本革シートのカムリを見つけてくれた。保険料込みでちょうど二万七〇〇〇ドル。わたしはビアーが勤めている代理店へ行って、車探しの前渡し金五〇〇ドルを取り返した。立ち去る前、ビアーは前月何台くらい売ったのかと、そこのマネジャーに尋ねてみた。六台か七台だね、と彼の上司が言った——ビアーが言っていた二台という数字とは違う。セールスマンとしてビアーのランクはどの辺ですか？　マネジャーは、トップでもビリでもなく真ん中くらいだろうと言った。そして、ビアーが仕事を失うことはないよ、と請け合った。

第5章

「善循環もどこから始めなければ」

——ジョハンナ、マックス、フィフィ

ビアーとその執拗な売り込みを思い出し、無数の車が走り去るすぐそばで濡れた横断歩道に座り込むフィフィや、川から十数匹の魚をすくい上げる網師の姿を思い浮かべるとき、上海——に限らずもっと広げて中国——のそうしたイメージは暗黒郷《ディストピア》そのものではないかと思いたくなる。経済の二桁成長が生み出したものが自分のことしか考えない社会だとしたら、何のための経済成長だったのか？　そして誰が中国を手本にしようと思うだろうか？　しかし、経済成長とビジネスチャンスが人びとに好影響を与えたことも事実だ。以前よりずっと多くの中国人が旅をすることで、彼らは自分たちのとは違う政治システムや価値体系に接し、そのせいでときには祖国を異なった観点から見るようになった。このような新たな観点がより伝統的な考え方とぶつかると、それまでの状況ならばタブーだった話題、たとえば民主主義についての意義深い会話などに火をつけることになる。

ある年のクリスマスの翌日、タクシーの助手席に座っていたとき——わたしのフリータクシーではなく、客として上海の普通のタクシーに乗っていたとき——まさにそうした議論にはまり込んだことがある。後ろの席にはリーというわたしの知人で、つい最近一年間の懲役を終えて刑務所から出てきたばかりの女性が座っていた。政府から受けた処遇に抗議した際、警官と乱闘になった廉《かど》で懲役を受けたのだ

った。わたしは、彼女に下された有罪判決を覆すための審理の傍聴に彼女から招かれていて、われわれは昼食に向かうところだった。タクシーに乗って数ブロックと経たぬうち、リーは、民主主義と法の支配の必要性を説きながら、政府を激しく攻撃し始めた。わたしの経験からすると、そうしたリーの言い分に、上海のタクシー運転手の多くが賛同するはずだったが、その日ハンドルを握っていた運転手はその例から外れ、すぐさま共産党の弁護に回った。

「中国はもう立派なもんだよ」と運転手が言う。上海の労働者階級に属す四十代の男で、「ザ・ハニームーナーズ」〔一九五〇年代の米国テレビコメディー〕のラルフ・クラムデン〔同番組の主役で、巨漢のバス運転手〕が中国語で話しているような感じだ。「経済改革を始め、世界に向けて国を開放して三〇年だからね。西洋は繁栄するのに何年かかった？　うまくいくまでに五〇年とか六〇年はかかったんだ」

運転手はわたしのほうを向き、同意を求めようとした。

「彼女には少し偏見がある」と、彼は突き放すような言い方をした。「一方的すぎる」

この運転手は自由というものを、共産党が調節したレンズを通して見ていた。食べ物に十分にありつける自由、住居に不自由しない自由、好きなように働ける自由。そして、こうした穏当な尺度に照らしてみれば、党はたいへんよくやっている。

「わたしがいい例だ」と運転手は話し続ける。「自分で自分のタクシーを運転している。月に一二〇〇ドル稼ぎたいと思ったら、もっと働けばいい。九〇〇ドルでいいと思えば、働く時間を減らせる。簡単な話さ」

生活水準が今ではずっとよくなっていることにリーは感謝していないのではないかといぶかる彼は、昔はカラーテレビを買うために何年も働かなければならなかったけれど、今やひと月の月給で何台も買える時代だ、と指摘する。

「すごくいいことさ！」と彼は言う。「社会は前進しているんだ」

この運転手の実利的楽観主義に共感する人は多い。共産党もまた、毛沢東が大躍進政策と文化大革命でこの国を破壊しかけた一九五〇年代から六〇年代にかけて党が設定した低い期待値に助けられている面がある。わたしが最初に中国に来た一九九七年以降、党はあらゆる経済的期待値を凌駕した。だが、リーはそれでも異議を唱えることをやめず、リーの弁護士ジョハンナもその点では同じ。一緒に後部座席に座っている彼女は、それに先立つ数時間前、裁判所で見事な弁論を振るっていた。

「物質的な財産はずっと豊富になったわね」とジョハンナは反応する。三十歳の彼女は木彫りのボタンが付いたオリーブグリーンのジャケットをおしゃれに着こなし、首から下げた銀の十字架は、人権派弁護士たちと分かち合うキリスト教信仰を表している。「だけどあなたの心が感じる不安はどう？　自分の人生を本当に自分で決められる？　それとも、政府に従って彼らの方針が変わるまで待つの？」

おかっぱ頭で頬骨の高いジョハンナは若き女性弁護士で、彼女のような人びとを投獄してきた政府が支配する国で、人権案件を引き受けて戦ってきたという並々ならぬ女性だが、肝っ玉の据わり方も並みではない。彼女はまた、自分の価値観と信念を優先し恵まれない弱者を助けるという、今徐々に数を増しつつある人種の一人だった。十二月のその日、レストランへ向かって走っていたわたしたちは、裸の木々の下を通り過ぎ、運河を越えた。そのとき川向こうの金融街、陸家嘴《ルーチアツイ》地区にそそり立つ高層ビル群がちらりと見えた。運転手はまだ反論を続け、二、三〇年前に比べたら中国はずっと自由になったし、政府が非人道的だなんてとんでもない、と言う。

「以前は生殺与奪の権を彼らに握られていたわけだけれど、今じゃそんな問題はない。あんたは考えすぎだよ」と彼は言った。

空を覆い隠す巨大な高架高速道路の下を運転手は行く。上を覆う道路の底はとても滑らかで、クジラの腹に入ってしまったようだ。

「彼らがもっと良心に目覚めるのを待つべきだと言うの？　それをただ待つべきだと？」とジョハンナが尋ねる。

「わたしはもっと楽観的だね」と運転手が返事をする。「一晩にして何かが変わるのを望むなんて、そりゃ虫がよすぎるよ。ぼちぼちやろうや。心の中にわだかまりがあっても、大声では言わないことだね。中国はそういうところなんだから」

リーはもう聞き飽きていた。アパートの建物を建設するために上海の彼女の家を解体したことに対する賠償請求を当局に請願し続けて十数年になる。彼女は、中国の近代化の過程で自宅を失った何千万という人びとの一人なのだ。

「母の家と所有地が政府に奪われたのよ！」と彼女は怒る。「わたしたちの権利を勝ち取るために当局に請願した。その闘争のなかで、わたしたちは手入れを受け、拘留され、懲役刑を受け、報復されたのよ。わたしたちみたいな普通の住民が家を返せ、ささやかな暮らしを返せと言ってるだけ。それを虫がいい話だと言うの？」

運転手は何も言わなかった。そして長い沈黙が続いた――永遠のように感じられた六秒間。

「あなた、これを虫がいい話だと思うの？」リーは繰り返した。

運転手は首を横に振った。家を失ったのに一切賠償もされず、そのうえ秘密裏に拘留され、文句を言うと懲役刑に科せられたというリーの話を、彼は信じなかった。

「そんなわけないよ」と運転手は言った。「ありえない」

「たぶん、そんな目に一度も遭ったことがないからよ」とリーが言う。

「どうなんだい？」とわたしは運転手に訊いた。

ない、と彼は言った。

「道理でね」と、後部座席のリーが嘲笑気味に言う。

政府からそんなふうに扱われたらどう思うか、わたしは運転手に訊いてみた。

「そんなこと、わたしには起きないね」というのが彼の答え。「上海ではそんなことありえないよ」

表面的にはそういうふうに見えた。政府は上海市を、一党独裁国家資本主義の華麗なる広告塔として入念につくり上げた。河岸のスカイラインは、中国の地方出身者から海外投資家までを驚かすためにデザインされた超現代的な紗幕《スクリム》なのだ。しかし、中国版エメラルドの都〔『オズの魔法使い』に出てくる理想郷〕に場所を譲るためには、無数の家が破壊されなければならなかった。

「力ずくで家屋を取り壊すのは禁じられていたよね？」と運転手が言う。

文書上はそのとおりであり、運転手が正しい。家屋を取り壊された人びとには賠償金が支払われるという法律はあったが、リーが家を失ったのはその法律が制定される前だから、彼女にとっては無意味だった。

「強制的な取り壊しは許されないことになっているけれど、陰で違法なことをやっているの」とリーが言う。「真夜中に家を壊しにやってくるんだから。そういうこと、あなた知ってるの？」

一年前、上海のシェンという五十五歳の男性が、彼の古い家の跡地に建てられた新家屋を占拠することに決めた。家を取り壊されただけで、賠償金は受け取っていないと彼は主張していた。シェンは警官に連行され、彼の友人によると、戻ってきたとき彼の首の周囲にはあざができており、危篤状態だったという。その後まもなくシェンは死んだ。警官は暴力を振るったことを否定した。

運転手はリーに政府を信頼しろと言い、政府は公正な裁きをしてくれるよと励ました。

「最終的にそういう連中は法律で処罰されるものさ」と運転手は言う。「間違いない」

「今公判が終わったところで、結局、彼らは罰せられないことになったの」とジョハンナが言い返す。政府の主張には大きな穴があったにもかかわらず、リーの上訴は却下されたのだ。

ほんの少し前まで自信たっぷりだった運転手が、やや動揺している。

「罰せられるさ」と彼は小声で言った。

レストランに到着したとき、わたしは運転手に名前を尋ねた。ところが、たった今共産党が喜びそうな熱い弁護をしたばかりの彼が、自分の名前を明かすことを拒否した。車中の会話と自分の名前が結びつけられたりすると、今彼が称賛したばかりの政府に何らかのかたちで処罰されるかもしれないと恐れているのだった。運転手が示した政府擁護は、彼の経験と年齢、そして政府が慎重に制限してきた知識などを考え合わせると納得できた。上海の二四〇〇万の住民のうち、中国の独裁的政府の本気の怒りに触れたことのある者はひと握りであり、彼らのその後の運命について大衆にはほとんど知られぬよう、党は巧みに動いてきた。国営通信社はシェンの死や、何度も拘留されたリーのことなどまったく報じていない。中国国外の人びとが多くの中国人よりも共産党をうさんくさく見ている一つの理由である。

リーは政府からの賠償を求めることに自分の人生を賭けてきた。何度か、中央の役人から協力を得ようというむなしい期待を抱いて北京に出向いた。警察はそのたびに彼女を上海へ送り返し、「黒監獄《ヘイチエンユィ》」として知られる秘密の拘置所へ投獄した。人権擁護活動家によれば、中国には学校やホテル、そして精神病院などを転用した何百という黒監獄があるという。

リーが刑務所に入ることになる数年前、彼女は、自分が五、六度閉じ込められていた黒監獄へわたしを連れていってくれた。そこは黄浦江の河岸に沿って無秩序に広がった公園のなかにある貸別荘だった。わたしたちが訪れたのは夏の暑い日で、セミの声がかまびすしい樹木の茂った小道をぶらぶらと歩いていくとき、リーは中国人女性がよくするように日傘を差して日差しを避けた。竹藪を通り過ぎると、ヘンゼルとグレーテルに出てきそうな古風な小屋が集まっていた。モミの木の木立《こだち》に囲まれた小屋には赤い瓦が載り、木材の装飾が施されている。そのうちの何棟かには池を見渡せるテラスがある。どれも居心地がよさそうで魅力的に見えたが、二点だけ違和感があった。窓に分厚いガラスと太い金属棒がはまっているのだ。わたしたちはリーが拘留されていたという小屋に近づき、開いていた窓から内部をのぞいた。二人の男が机に向かって座っていた。声をかけると緑の迷彩服を着た痩せた男がドアに姿を現した。なかに誰かいるのかと尋ねた。誰もいないと彼は言った。

　そこでわたしは標準語で、ここが黒監獄かと訊いた。守衛はかっと目を見開いて室内に退き、ドアを閉めた。リーが別の格子窓から内部にいる青いブラウスの中年女性をめざとく見つけた。しかもまた別の守衛が付いていた。わたしはその女性に、なぜここに閉じ込められているのかと尋ねた。打ちひしがれた感じの彼女は手を振ってわたしを追い払った。彼女はこれ以上守衛と揉め事を起こしたくなかったのだ。守衛は窓を閉めてブラインドを下ろした。

「あの人、わたし知ってる」とリーが言う。彼女も仲間の請願者で中央政府へ抗議をするために北京まで行った人だ。その女性は勤務先の会社の腐敗を告発したのだ、とリーは説明した。

　守衛が応援を呼ぶかもしれないと恐れ、リーとわたしはいちばん近くの公園出口まで早足で歩き、バスに飛び乗り、そのあとタクシーをつかまえ、高架高速道路に乗って市の中心へ急いだ。三〇分と経たぬうちにわたしたちの車は、呉淞江《ウーソンチアン》をまたぎ陸家嘴を見晴らすコロニアル様式の外白渡橋《ワイバイトゥーチアオ》の赤信号で停止した。目の前の横断歩道を、旗を掲げたツアーガイドが田舎から出てきた中国人観光客を引き連れて渡っていく。ここから一〇キロほどしか離れていない公園のなかの貸別荘で、政府に雇われた暴漢が中年女性を拘束している、などということを話したら彼らはどう思うだろう、と考えた。わたしの言うことを信じるだろうか？

リーが数年後に刑務所に入るはめになった抗議行動は、地方政府のビルの前でなされたもので、彼女は自分の賠償請求に注意を向けようとステンレスボウルをガンガン叩いたのである。彼女の裁判の法廷記録によると、一人の警官がリーに対しボウルを叩くのをやめるよう説得に努めるも、リーがこれを拒否したので彼女からボウルを奪い取ったということになっている。リーはそれを取り戻そうとして警官の胸を引っかき、軽傷を負わせた、と警官側は言う。裁判所は、警官に対してリーが暴力を振るって政府の行政執行を妨害したと判断し、彼女を刑務所送りにした。一年間の獄中生活で彼女は痩せ、今では老け込んでしまってげっそりした顔をしている。だが、それでも彼女はくじけない。釈放されたばかりなのに、彼女は有罪判決を覆して汚名をそそぐために裁判所へ戻ってきたのである。

上海市第二中級人民法院は、幅の狭い、灰色のコンクリートの建物で、少なくとも一四階の高さがあり、チッペンデール様式の背高箪笥《ハイボーイ》〔英国十八世紀の家具様式〕をスターリンにデザインさせたような外観である。建物のてっぺんには正義の天秤のレリーフ彫刻が施されているが、有罪判決率が九九パーセントという国にあっては意図しなかった皮肉な仕上がりと言える。小さな法廷内の、もっぱら携帯電話を見つめて時間つぶしをしている陪審員団の前で、リーの弁護士ジョハンナは政府側の、そもそもが薄弱な論拠について疑念を提起した。彼女は、問題の警官は事件当日別の抗議者と乱闘をしており、警官が被ったという傷はそのときのものかもしれないと指摘した。しかし裁判所は二人目の抗議者に証言させなかった。ジョハンナは、別の場所で起きた乱闘の現場を写していた監視カメラの映像を検討することを提案したが、「たいへん不思議なことに、その証拠が消えてしまったのです」と、彼女は裁判官に強く言った。

さらに二つの異なる診断書が存在するという問題があった。最初の診断書には、警官の皮膚の一部が赤くなっていたり腫れていたと書いてある。二通目では皮膚がはぎ取られたとあるが、傷を写した写真からは警官の顔が見えない。ジョハンナはそれを書いた医者の証人喚問を求めたが、裁判所は拒否した。

「検察に対しては、合理的疑いをつぶしていくのはあなた方の義務であってわたしの仕事ではないと強調しておきたいと思います」と訴えたジョハンナは、リーのような境遇の者にとって、道路での抗議活動は唯一可能な要求表現なのだと言い添えた。

「彼女には力もお金もありません」とジョハンナは言う。「彼女にとって道路はたった一つの伝達手段なのです。地方政府のビルの前であれ道路のどこであれ、ボウルを叩くにせよ何かほかのことをするにせよ、これが彼女に残された最後の武器なのです。これから先、こういう人たちはどのように扱われるのでしょう？　刑法が適用されるだけなのでしょうか？　牢屋に入れておしまいなのでしょうか？」

有意義な問いかけだ。ここ何年かのあいだ、公の場での抗議が増加している。不満を解決する一つの方法は合法的な法律制度を通じ、市民に政府を訴える権利を与え、公平な審理を受けさせることだ。だが、自由主義諸国で行われているように、裁判所による政治権力のチェックが可能になると、政府は大衆により大きな力を与えてしまう、それを党は恐れている。法の支配は中国により明確な秩序と安定をもたらすだろうが、それは共産党にとって脅威だ――ジョハンナのような弁護士が脅威であるように。

「わたしたちはみんな、役人と大衆がこのような悪循環ではなく、一緒に善循環を享受することができるように願っています」と裁判所に語りかけ、ジョハンナは続けた。「しかし、善循環もどこからか始めなければなりません。何らかの出発点が。わたしたちこの裁判がその出発点になることを期待します」

ジョハンナはこの裁判に勝つ自信があるとわたしに言った。彼女が意見を述べるたびに裁判官はしきりにうなずいていた。しかし最終的には、中国におけるすべての政治的案件がそうであるように、裁判官は要請されたとおりの仕事をし、原判決を追認した。

「判決を言い渡したときの彼の顔には意にかなわぬ不満の色がありました」とジョハンナが言った。

リーも不満だったが、彼女はそれをいつものあきらめ顔で受け入れた。

「今日の判決はとっても悲しい。でもね、ずっと前から予想はついていた」。裁判のあとのレストランで、みんなで豚肉や白菜をホットポットに入れているとき、リーがそう言った。「政府の力って恐ろしすぎる。結局、岩を割るのに卵を使うみたいなものよ。結果は負けだってわかってた。だけどそれでも戦わないと。あきらめるわけにはいかないの」

人権派弁護士になろうと決めたジョハンナの信じがたい道のりは、一五年以上前、彼女が中国中北部の河南省で十代の娘だった頃にさかのぼる。同世代の大半の子どもたちと同じく彼女も、経済の大変革をなし中国を目覚ましい成長路線に乗せた鄧小平を崇拝しながら育った。鄧小平が死んだ一九九七年、彼女はまだ十二歳だった。彼の死に彼女はひどく動顚した。

「わたしたちにとって鄧氏は神様のようなものでした」と、ジョハンナはわたしに言った。

ジョハンナの家族は食料油と大袋入りの小麦粉を売る店を経営していた。地元の役人は小規模ビジネスから金を巻き上げることに喜びを感じ、何度かは偽りの口実で家族の在庫品を差し押さえた。彼女はそんな彼らを憎んでいた。しかし、どうやって役人をこらしめるかを考える代わりに、彼女は自分が役人になってやろうと決めた。ジョハンナは大学で法律を学んだ。そうすれば政府の仕事に就き、出世して、ゆくゆくは彼女の家族を守ることができると考えたのだ。

それだけではなく、と彼女は加えた。「もっと強くなりたかったから」

「その強さとは、自分を守るため？　それとも自分の意志をほかの人に強いるため？」とわたしは訊いた。

「両方だと思う」とジョハンナは言ったが、それは多くの中国人の内心をのぞかせる返事だった。法の支配が利かない一党独裁の国では、役人になるということは、家族や友人を守れるだけでなく、他人を利用したり、チャールズのおじが村の道路工事でピンはねしたように金を巻き上げる機会を得ることも意味する。ジョハンナは裁判官か検事になりたかったので、大学卒業後に公務員試験〔国家統一司法試験のこと〕を受けたが何度も失敗した。そこで、ミュンヘンで物理を勉強していた彼女の兄が海外留学を勧めた。インターネットで情報収集をしているうちに、彼女はスウェーデンのルンド大学に国際人権法の修士課程というのがあることを知った。どういう法律なのか、ジョハンナにはまったく見当がつかなかった。ジョハンナは、両親、年長者、公的権力への服従を重要視する集団主義的な階級社会で育ってきたのだ。彼女は「人権《ヒューマンライツ》」をグーグル検索した。その概念に目を開かれた。

「ああ、人権! すばらしい響きでした!」とジョハンナは言う。「ルンドへ行く前、『中国社会には』何かおかしいところがあると感じていたけれど、何がおかしいのか明確には言葉にできなかったし、それをどう変えたらいいのかもわからなかった」

それから二年間、ジョハンナはルンドのキャンパスで読書をし、授業に出、自分を啓蒙して過ごした。仲間の学生がクラスで中国政府を批判すると、私的な場所では彼らの言い分に賛同する彼女だったが、立ち上がって政府を擁護した。

「あの頃は国と党とを切り離して考えることができなかったと、今になってみるとわかります」とジョハンナは言う。「党すなわち国、国すなわち党、と考えていたのね」

上海テレビの外にいた警察はこの二つをごっちゃにして一体化し、アマンダなど中晋に投資した人たちがわたしのような外国人記者と話をすることを妨げるために、罪の意識を吹き込んだ。公の場での批判は党の、ひいては国の面子をつぶすことになるのだと。こうした定義のもとでは、自粛と沈黙が愛国的行為になる。

ジョハンナは中国に帰国してから労働者の権利と団体交渉という課題に傾注した。後者は、政府が独立組合を認めていない以上政治的にやっかいな問題だ。その勉強を進めるうちに、彼女は小規模だけれども精力的な人権派弁護士のコミュニティと接触することになった。彼らが標的にしていたのは——数あるなかでとりわけ——中国の悪名高き再教育労働収容所で、政府が裁判なしでだいたい一年から三年間人びとを閉じ込めておくことができる場所だ。二〇一三年の末、政府はこのシステムを正式に廃止し、被収容者を全員解放すると言った。しかし、それは全面的に正確とは言えない。被収容者が去ったあと警察が出動し、非合法の精神鍛錬法で政府に歯向かう法輪功《ファールンコン》の信奉者を再度拉致したのである。その後、警官は法輪功学習者たちを別の収容施設へ閉じ込めた。わたしはそのうちの何人かと言葉を交わしたことすらある。

「実際には、彼らはわれわれを解放したがらなかった」と、チュオという名前の男性がわたしに話してくれた。彼は、中国北東部の黒竜江省にある、労働を通じて再教育するという趣旨の収容所で一年間の刑期を務めた。釈放されることになっていた日、政府の役人が彼を車に乗せ、家まで連れていってやると言った。しかし、その代わりに彼は「法律教育センター」——その実態は空っぽの事務所——に連行され、そこで共産党のビデオを見るように強要され、法輪功の教えを放棄するよう圧力をかけられた。

このごまかしを憂慮したジョハンナの仲間たちは黒竜江省の法律教育センターへ出向き、内部に閉じ込められている人びとの拘留に抗議した。弁護士たちが地方検察院へ宛てた抗議書を準備していると、警察は彼らも拘留してしまった。これは中国という警察国家の典型的な対応だ。弁護士が、逮捕された人たちの権利を守ろうと法に訴える。すると、弁護士を逮捕しろ、となる。この仕打ちにさらに多くの弁護士が奮い立って黒竜江省へ向かい、仲間の投獄に抗議するために氷点下のなか拘留センターの外で野宿をした。ジョハンナも支援のために北へ飛んだ。黒竜江省へ行くまで、ジョハンナは中国政府を相手にしたことは一度もなかったし、党の激しさを感じたこともなかった。実のところ、そのときの彼女は、後日民主主義をめぐって議論することになる、あの上海のタクシー運転手と似たようなものだった。それまでに耳に入ってきたひどい話が真実なのか、それとも単なる誇張なのか、彼女には判断できなかった。

ある日の早朝、午前二時頃、ジョハンナが黒竜江省のホテルの部屋で眠っていると、一〇人の武装警官が彼女の部屋のドアを壊して入ってきた。彼らは部屋中を探し回り、彼女の衣服を床に放り出し、パジャマ姿で立ちつくす彼女のストロボ写真を撮った。そして彼女の手首を背後に回してガムテープでぐるぐる巻きにし、頭に黒いフードをかぶせ、地元警察署へ向かうバスに急きたてた。この話を語るジョハンナに、さぞかし怖かっただろうと言うと、そんなことはなかったと彼女は言った。

「ちょっと興奮しちゃいました」と彼女は言う。「そんなことが起きるなんて思いもしなかったけど、この身の上に起きている。ということは真実だったと納得したんです」

真実の探究が目隠しをしたまま迷路をさまようのに似た不透明な社会では、真実こそが恐怖を打ちくだく。追い詰められると党は何をしでかすかわからない、上海のあのタクシーの運転手や大半の人びとが到底体験していないあることを、ジョハンナは理解し始めていた。警察署に着くと警官は彼女を独房に閉じ込め、彼女はフードをかぶせられたまま木製のベンチの上で寝た。夜が明けると、二人の警官が彼女を尋問した。

なぜここへきたのか？

誰が旅費を出したのか？

ジョハンナは仲間を支援するために来た、飛行機代は自分で出したと答えた。彼らは、早く町を去れ、二度と来ないと約束しろ、と彼女に迫った。彼女は拒否した。翌朝、彼女は警官たちに、法に則ってあなた方はわたしを解放しなければいけないと言った。警官たちは、書類にサインするなら、彼らが拘留している別の抗議者たちと一緒に釈放してやると言った。何枚か草稿を作ったあと、ジョハンナは、ここに戻ってこないと宣言する内容の書類にサインした。だが、警察は彼女と別の弁護士を一人釈放しただけだった。警察はそれからさらに一〇日間、一般市民からなる抗議者たちを拘留したままだった。それは共産党が昔からよく使う、恥辱を仕込み不和の種をまく、分割統治の戦略だったのだ。

「やられたな、という感じ」とジョハンナは言う。「友だちを裏切ったように思えて。申し訳ないことをしてしまった」

仲間の被拘留者の一人は、黒いフードをかぶったまま顔にパンチを食らうなど警官から打擲された、と彼女は語った。ガラス瓶で頭を殴られ、壁に頭を打ちつけられ、脳震盪を起こしたまま放っておかれた。ともかくも、警察は四人の弁護士を、合計二四本の骨が折れるまで殴り続けたのである。この経験でジョハンナの考え方は変わった。怖じ気づいたのではない、逆に奮い立ったのだ。浙江省のキリスト教弾圧キャンペーンの一環として、ある教会の尖塔が取り壊された。彼女はこの件を裁判に持ち込んで教会の弁護をした。次にジョハンナは上海でリーの上訴を引き受けた。人権派弁護士や政府を批判する者たちにとって状況は悪化してきているけれど、ジョハンナはまだ希望を持ち続けている。

「中国人の『素質《スーチー》』は低いと言われます」――例の「劣った性格」という意味の表現がまた現れた――「というのは、わたしたちには特権を享受したいという自然な本能があって、優越感を好むからです」とジョハンナは言う。「この問題はたしかに存在します。が、わたしたちの性格に根づいていて変えることができないというものでもありません」

ジョハンナのような人たちは法の支配を求めて闘っている。彼女は、自分たちの暮らし、市民権、政府の政策遂行などに期待を寄せる人びとで溢れ、ますます複雑化しつつある社会における対立に対処するためには、法の支配が最善の方法だと思っている。党はこれをゼロサムゲームと見ている。大衆に本物の権利を与えてしまうと、政策操作のための力とそれを振るう余地が減ると考えている。党は、ジョハンナのことを市民活動家の草分けと見るのではなく、危険分子と見たのだ。

無力な人びとの権利擁護という高邁な理想の追求を政府は忌避するが、彼らが嫌うのはそれだけではない。本物の政治教育――独断の対極として――も歓迎されない。フィフィが大学を卒業したあと最初の仕事を通じて学んだのもそういうことだった。わたしはカウンセラーのフィフィと、彼女を乗せて上海中の患者のもとへ連れていくうちに親しくなった。ジョハンナと同じく、フィフィも中国では例外的なタイプ、理想家なのだ。彼女は上海で生まれ育った。彼女の父親は、ナイキなど西側ブランドの請負縫製工場で大勢の労働者の管理をしていた。母親は水処理研究所勤務の化学者として働き始めたあと、会計士として身を立てた。自分の両親は中国とアメリカみたいだ、とフィフィは言う。彼女によると、父親は中国なのだそうだ。勤勉で頼りになるが頑固――弱さはめったに見せず、間違いを犯してもそれを認めたり謝ったりしない。母親はアメリカみたいだ。「クール」で独立心旺盛で、出る杭になることを恐れない――こうした特徴は娘に引き継がれた。文化大革命の最中、誰もが青か緑の上着を強制されているとき、フィフィの母親は一つひとつのボタン穴のまわりに鮮やかな色の布を縫い付けた。同調志向の海に波立てた、ささやかな反抗だった。

フィフィは上海師範《ノーマル》大学へ進み――「わたしはノーマルじゃないけど」というのが彼女のジョークだ――そこで政治と法律を学んだ。卒業後、彼女は有名な高校に職を得、そこで上海の次世代の子どもたちに自分が学んだことを伝えようとした。彼女が教壇に立った一九九七年の中国はまだ比較的開放的で、フィフィは、一九八九年の天安門広場での民主化運動と虐殺など微妙なテーマを扱って、政治を論ずることができた。フィフィは生徒たちに自分の頭で考えることを教え、祖国の歴史の真実を知ってほしかった。だが政権は批判的思考と歴史的事実の追究を脅威に感じている。年月の経過とともに、生徒たちは政治を論ずることにだんだん興味を失ったり、気まずさを覚えるようになった、とフィフィは感じていた。なかには、クラスでの自由討議をやめて教科書に戻ってほしいと言う生徒もいた。学校でのテストや、中国独特の一か八かの大学入学試験である「高考《カオカオ》」〔全国普通高等学校招生統一考試〕で高得点を取るための特定科目を学べるように、と言うのだ。

「生徒の何人かはこう言いました。『先生、こんなことを話すのは危険すぎる……試験に通らないといけないから』」と言うフィフィは、真実を追究し、記憶喪失の集団感染をもくろむシステムの基盤にその真実を流布させようとする、あたかも現代のディオゲネスのように、わたしの目には映った。時が経つにつれ、一九八九年の出来事、中国の首都に戦車が進攻し、兵士らが何百、おそらくは何千という市民を殺した出来事を生徒たちがほとんど知らずにいることに、彼女はまた衝撃を受けた。

「歴史を消すことができるなんて、信じられない」と彼女は言った。

フィフィが教職に就いて数年が経過した頃、中国の国家主席、江沢民が「三つの代表」なる社会政治理論を提唱する。その考え方は、共産党は社会の「先進的生産力」と「先進的文化」そして「圧倒的大多数の人民」の利益を代表する、というものだ。できるだけわかりやすい言葉で言えば、江沢民の主張は、共産党は中国を前進させる力のある人びとに焦点を合わせるべきだということだ。つまり、成長しつつある中流階級、経営者、専門職を牽引役にしようという。フィフィはまったくもって馬鹿げた話だと思った。

「わたし自身の利益を他人に代表してもらう必要はない、というのがわたしの意見」とフィフィが言う。「わたしのことはわたしが自分で代表したい。共産党がわたしを代表できるだなんて、そんな発想はどこから出てくるの？」

生徒たちに共産党の小難しい言葉を無理やり暗記させる代わりに、フィフィは共産党の発言と実際の行動を厳密に吟味してみろとたきつけた。九年級の法律の授業で彼女は中国の憲法に焦点を当て、結社の自由などの権利が——少なくとも書面上は——憲法によって保障されていることを指摘した。

「わたしたちがこの自由を使った例って知ってる？」と、彼女は生徒に尋ねた。

正しい返事はノーだ。もし共産党が結社を自由に許したら、反対陣営が共産党に挑戦しようとして、すみやかに結党するだろう。この問いは、理論と実践と立憲主義についての興味深い意見交換を導く可能性を含んでいたけれども、フィフィによると、子どもたちのほとんどは次の試験のために記憶すべきことは何かと、そればかり質問してきたという。

「議論を仕掛けるつもりでいたのに、まず不可能でした」と、フィフィはいら立ちを見せた。「生徒たちは議論に居心地の悪さを感じるんですね。彼らは確実性を欲しがるんです」

この役割転換——恐れを知らない教師が、実利的でリスク回避型の生徒たちを引き込もうとする——は来るべき世代交代の前兆だった。権力に疑義を差し挟むのではなく、共産党支配下での繁栄しか知らない次世代の多くは経済成長の果実の享受に専念し、その成長を生み出した体制の批判はしない。

「川のなかにいるようなものよ」とフィフィは言った。「あなたが木片ならば水の流れに身を委ねていればいい。とても簡単。でも石だとすると水は絶えずあなたの頭越しに流れていく。もちろん、ずっとつらい。わたしが味わっているのはそういう感じ」

中国に住む、独立精神旺盛な人びとの多くがそうであるように、フィフィも少人数の友人グループから慰めと仲間意識を得ていた。同じ高校の同僚で、ニュースや政治や人生について語り合うことのできる似たような考え方の四人。この五人組は家族のようなものだった。国民の祝日には連れだって田舎へ旅行に出かけた。学期中にはコーヒーを片手に集まり、『南方 周末《ナンファンチョウモー》』（当時は大胆な調査報道紙だった）という週刊新聞を熱心に読み、その日の論点について、ときには大声で議論した。

「そこを通りかかった人たちは、わたしたちのことをすごく変な目で見ていた」とフィフィは回想する。ほかの人たちは「なぜわたしたちはおしゃれな服とか靴の話をしないんだろうって」いぶかしむのだった。

その学校では共産主義を本気で信じている者は皆無だったとはいえ、出世がからんでくると共産党への入党は有利に働いた。五人組のうちの一教師が入党申請を出すことを決意したが、途中で幻滅して翻意した。これが危機を招くことになった。入党申請を取り消すというのは、ジムの会員権をキャンセルするのとはわけが違う。心変わりによって、その教師は共産党と、校内共産党の幹事でもある校長を侮辱したと見なされた。

「彼ら［共産党］にとってはとても深刻な事態だったの」と、ある日の午後、フィフィを待ち合わせの場所へ連れていく道中、彼女は説明してくれた。「婚約よりも深刻な話。誰かに結婚の申し出をしておきながら、あとになって後悔したようなもの」

校長は三時間かけて、その教師に入党申請をそのままにしておくよう説得にかかった。

「どうしてそんな考えを起こしたんだ?」信じられないという表情で校長は彼に尋ねた。入党は「すばらしい、栄誉に満ちた、善いこと」なのに。

わたしはこの展開に首をひねった。滑稽な話に思えたからだ。なぜフィフィのところの校長は、平凡な教師が共産党入党申請を完遂し入党することを強いるために三時間も費やしたのだろう?そもそも、その当時すでに共産党は七〇〇万人以上の党員を擁し、これに対抗する組織的勢力は存在せず、広範なスパイ網をいつでも使える状態にあった。こんな小さな件をどうして穏便に内密に片づけることができなかったのだろう？

「内密にできるわけないでしょう？」いったい何年あなたは中国に住んでるの、と言わんばかりのあの声音でフィフィに言い返された。「共産党に関係した話になった瞬間、もうそれはプライベートじゃなくなるの」

実際には、共産党は強い不安にさいなまれている。驚くべき成長率を達成した経済体制を構想し、驚くべき数々の都市建設を監督した党ではあるけれど、大躍進政策、文化大革命、天安門事件の際に共産党が手を染めた恐ろしい出来事を人びとに知られてしまう危険を冒すわけにはいかなかったし、報道の自由に耐える自信もなかった。そして、さらに明らかになったのは、ずんぐりとした穏やかな語り口の歴史教師の気持ちをつなぎ止められないことにすら恐々としているという事実であった。

この騒ぎは無事解決した。ただし――中国での問題解決に頻繁に見られるように――作り話によってである。常に礼儀をわきまえた教師は、もし共産党に入党してしまえば歴史について客観的であり続けるわけにはいかず、それは生徒に害を与えることになる。したがって、生徒たちと彼らの知的主体性を守るために彼は入党申請書を取り消す、ということにした。

「最終的に彼は校長を説得することに成功しました」とフィフィは言った。「そして校長はこう言ったの。『そういう考え方でいてくれればいいんだ』」

話し終えたフィフィは大笑いした。

フィフィにとって、こうしたシステムのもとで生きることが、学術交流で上海に来ていた将来の夫、レミに出会ってから難しくなってきた。レミは四十代で、パリの大学で経済を教えていた。フィフィは二十代後半だった。自分が勤務する高校でレミと最初に会ったとき、フィフィは彼の声と態度に惹かれた。彼は、大多数の男性にありがちな「教えてやるぞ」という態度をとらず、思慮に富んだ言葉のやりとりを楽しむ熱心な聞き手だった、とフィフィは言う。

レミはフィフィを見そめた瞬間、この女性は自分のために存在していると確信した。その日のうちに、彼は彼女と彼女の上司を、在留外国人に人気のレストランへ招待した。フランスのシャンパーニュ地方で育ったレミは自分の血管にはシャンパンが流れていると言い、戸外のテーブルで二人にシャンパンをごちそうした。パリに戻ってから彼は、クリスマスに上海を再訪してもいいだろうかと訊いてきた。クリスマスまでは二カ月もなかった。二人だけで過ごしたのはほんの数時間で、キスもしなかった。フィフィはもう少し時間が欲しかった。とはいえ、そうこうするあいだに、二人はそれぞれのボーイフレンド、ガールフレンドとの関係を清算していた。フィフィは中国人のボーイフレンドとたくさん付き合ったが、とくに好きな男性はいなかった。彼女の母親と同じくフィフィはきわめて独立心旺盛で、彼女によれば、中国人男性は往々にして自立心など持たない従順な女性を求めたがるようだと言う。

「中国人の男たちは必要とされたがっている」と彼女は言った。「もちろん、わたしだって男性を必要とするけれど、そういう意味じゃない。コミュニケートの相手として、わたしを理解しサポートしてくれる人として、わたしを誇りに思い、本当のわたしをわかってくれる相手として必要だということ。中国人男性というのはわたしに彼らの話を聞かせたい、わたしを彼らのアドバイスに従わせたい、わたしは彼らなくしては生きていけないほど弱い存在だと見せつけたい人たちなの」

レミは違った。彼は読書欲が旺盛なうえ世界中を旅する控えめなインテリで、彼といるとフィフィの気持ちは落ち着いた。彼が初めてやってきたとき、彼と同僚のフランス人男性はすし詰めの上海の地下鉄のなかで当たり前のように彼女の両側に立ちはだかり、彼女を守ってくれた。

「生まれて初めて尊重され関心を持ってもらえた気がしたの」とフィフィは言った。「西欧の男性に甘やかされたみたい。中国人の胸に帰るだなんてできないわ」

次の春、レミは再度上海へ戻ってきてフィフィの両親に会った。二人はそれから三年間、遠距離交際を続けることになる。レミに付きまとうのはフランス入国ビザを取るため――当時そういう策略を巡らす中国女性は珍しくなかった――と思われるのが嫌で、フィフィは自分たち二人の関係を友人や同僚に隠していた。二人は二〇〇六年に結婚し、互いに上海とパリを訪れたり世界のあちこちで落ち合った。フィフィともっと多くの時間を過ごそうと、レミは上海にやってきたがうまくいかなかった。海外からの訪問者の多くが体験することだが、レミは大気汚染と人びとの無作法に耐えられなかったのだ。中国人の生徒を議論に引き込もうとした彼は、クラスルームにおける暗黙のタブーに真っ向からぶつかって、一部の生徒の感情を害してしまった。大半の中国人が自分たちの政治体制の欠陥や中国社会の問題を痛切に感じているのだけれど、その点について外国人から説教されるのは、人権派弁護士のジョハンナがスウェーデンの大学で体験したときと同様、腹に据えかねるのだった。二〇〇八年のある日、クラスルームで行った講演のなかで、レミは北京オリンピックの凡庸なスローガン「一つの世界、一つの夢」を批判した。

「中国で人びとは夢を見ることができません」と、中国人と外国人のあいだに不文律の礼儀が存在する社会で、レミは辛口で遠慮のない態度に出た。「それがなぜなのか、説明してみたいと思います」。レミは、最近チベットで起きた暴力的な取り締まりに抗議した人びとによってオリンピック聖火のリレーがパリで中断されたことを話し、自分の国のなかで何が起きているのか、そしてそのような政策が海外ではどのように見られているかをもっと知ることが、中国人にとっては重要だと言った。

「先生、そんなことを言うべきではありません」と一人の生徒が言った。

また別の学校でも、レミは引き続き反発にあった。彼の考え方が反発を招いただけでなく、考えを表明する権利にも異を唱えられたのである。

「挑みかかってくる感じで、ものすごく怒っている女性教師がいたの」とフィフィが思い出す。その教師は「わたしたちの生徒にこんな話をする人がいるなんて信じられない」と言った。

「申し訳ないけど」と、立腹したレミは言葉を返した。「わたしは講演をしてくれと招かれたんです。心にもないような話はできません。でたらめを言うわけにはいきません」

中国でこういう態度をとると、事態は悪化するばかりだ。西欧ならば、政治の授業で真実が語られなかったら話にならない。中国では、真実を語ると、それは無作法と見なされるレベルから体制を脅かす脅威と見なされるレベルまで、大なり小なり問題発言となる。いたるところに矛盾があり、人びとはそれを承知しているけれどもそのまま放置している。たとえば共産党は、自分たちの非効率的な経済政策で三〇年間だめにしてきた国を市場の自由競争によって救ったにもかかわらず、社会主義の継承者を自認している。驚異的な経済成長を続けてもはや数十年も経つのに、なぜそれほど見せかけにこだわるのだろう？

フィフィにとって、そこが問題なのだった。彼女の学校は分析的思考よりも試験準備に重きを置き、それにうんざりした彼女は結局退職して心理学を学び始めたが、この分野なら状況打破に寄与できると感じた。当時の状況はレミにも影響を与えていた。学校の教室を覆う政治的抑圧から街路での無作法な言動まで、さまざまな中国体験を経た彼は、フィフィが望んでいたような上海暮らしは無理だと彼女に伝えたものの、その後どうやって共同の人生を築いていこうかと二人は途方に暮れた。

人権擁護や政治教育にこだわらずとも、中国をより寛容で礼儀正しい場所にするために、波風を立てずに済む方法はほかにもたくさんあった。経済成長とともに金銭問題から解放された人たちは多く、他人を考慮する心の余裕や、ささやかな行為とはいえ状況を変えようという気概も生まれてきた。約二〇年前に記者として勤務していた北京の荒っぽい無秩序に慣れていたわたしは、上海の中心部で見た同情心の高まりに打たれた。わたしが首都に暮らしていた期間、誰かが乞食に金を恵んでいる情景はめったに見たことがない。その当時、人びとはずっと貧しくて、大半の乞食はギャングの一員として働き、ときには収入を増やすために赤ん坊を借りてくることもあった。それから長い時を経て、はるかに裕福になった上海で、人びとは依然として警戒心を捨ててはいなかったが、前よりも度量の広い行為をとるようになっていた。ある日の晩、帰宅しようと金融街を歩いていたわたしは、身なりのよいプロフェッショナルな女性が若い女乞食に食べ物を買ってやろうと、路上から立ち上がらせるべく説得しているのを見た。また別の日、昼食をとろうとぶらぶらしていた南京西路の歩道上で、ぼろ服を着た乞食が身体を引きずってくるのに出くわした。腰から下が麻痺した彼は、トラクターの事故で両脚がねじれて使えなくなったのだとわたしに語った。彼は人びとの罪悪感をつつく対置効果を承知のうえ、わたしがアマンダに初めて出くわした場所の近く、明天広場にあるマセラティの販売代理店の前に金集めの碗を置いた。離れたところから見ていると、若い会社員が一人また一人と乞食のプラスチック碗へ硬貨を入れていく。その多くは女性で、硬貨が音を立てぬように、またその行為が人目を引かぬようにと、腰をかがめて喜捨する者もいた。西洋人のカップルが通りかかったが、男性のほうが女性の両目を片手でふさぎ、二人は足を止めずに歩み去った。一時間と経たぬうちに、同胞たちのおかげで乞食は五ドル相当の施しを得ることができた。一五年前の北京だったら、その碗はほとんど空っぽのまま歩道にさらされていただろう。

人びとの暮らしが経済的変貌を遂げるなか、ある人たちは別のかたちでの貢献を模索した。中国南西部の雲南省の床屋マックスは、寝たきりの老人たちに無料散髪を提供した。ある春の日、わたしはマックスを彼の店「マックスビュー」で拾い、西へ三〇分、マックスが以前住んでいた場所からそう遠くない、運河沿いの杏梅苑《シンメイユアン》という団地へ連れていった。薄汚れた低層アパートの連なりである。マックスは穏やかな話し方をする三十六歳で、黒い上着に襟なしシャツ、黒っぽいズボンに鮮やかな赤いベルト、素足に黒い革靴という田舎のヘアスタイリスト然とした人物だった。はさみと櫛と電気カミソリの入ったズック地の小さなバッグを提げて、彼は団地の共用部屋へ、麻雀を打つ音と整髪を心待ちにしていた高齢住民たちの拍手に迎えられて入っていく。

「あの若いフーさんはいい人よ」と言う中年婦人のスンは、マックスのことを名字で呼んだ。彼女は地元の地域コミュニティのために働いている。「こんな奉仕活動をしてくれる若者はほんの少ししかいないけど、彼は献身的。そう簡単なことではないのよ」

マックスとスンとわたしは、アパートの建物の埃っぽい階段を上っていった。補強された鉄製ドアの背後から切なげな琵琶（西洋ナシの形をした中国のリュート）の音色と甲高い歌声が聞こえてきた。ドアの向こうには八十三歳の老婦人が座っていて、伝統的な中国の音楽演奏をテレビで見ていた。なかに入るとガスのにおいがする。スンは急いでガスコンロを消した。その老婦人には五十代の息子がいて、週に一度彼女のために料理を作りに来るが、団地住まいの多くの老人と同じく、彼女もほとんどいつも独りぼっちなのだ。マックスは台所の小さな食卓脇の椅子に彼女を座らせ、暴風にさらされた綿菓子のようなざんばら髪に取りかかった。マックスが髪を切っては合板の床に落とすかたわら、彼女は大きく歯を見せて破顔し、謝意を示す。

「たいていのアパートに比べたら、ここの環境はずっといいんです」とマックスは小声で言う。

同じ日の午後、マックスの四人目の客は九十二歳、ふさふさした白髪の女性だったが、わたしたちが部屋に入るなり疑わしげな目つきでわたしを見た。前回マックスが彼女の髪を切ったとき、テレビ取材班の一行が満足な説明もなしに付きまとったからだ、とスンが説明した。スンによれば、文化大革命の最中に苦労した人なので、とりわけ外国人に対して用心深いという。彼女はわたしをにらみつけ、テープレコーダーは切ってくれと言った。

「おばあちゃん、この人は友だちなんだ」と、彼女の不安を和らげようとしてマックスが言う。

彼女を安心させるためにスンは、マックスが無料散髪をしているという話をわたしが信じなくて、という作り話をした。「だからこうやって本当かどうか確かめに来たのよ」

わたしたちが立ち去る準備をしているときも、老婆は前回やってきたテレビ局のビデオ撮影について文句を言い続けた。

「あれはテレビ局と政府がやったことで、わたしは関係ないんだ」と、マックスは彼女に言う。「あれはこの地域の自治会がアレンジしたんだよ」。つまりはスンが監督している組織だ。

団地を出たあと、スンは彼女の事務所へ戻り、わたしたちはスイレンの葉に覆われた運河に沿って歩き、最後に石組みの太鼓橋を渡った。マックスが、今回の往訪にずっと付きまとっていたスンはいちばんいいアパートだけを見せようと腐心し、誰の髪を切るかも彼女が決めていた、と言った。

「老人がひどい環境に暮らしているところを外部者に見せたくないんですよ」と彼は言う。

そういうのは西欧社会においてもよくない話だが、儒教的価値観に基づき、年老いた両親を敬い面倒を見るべしということになっている中国ではもっとまずい。

「中国のニュースはすべてフェイクです。だって、目にするものはいいことばかりでしょう」とマックスは続ける。「悪いニュースを取材したとしても政府がつぶしにかかります」

前年、マックスがある女性のもとへ髪を切りに行くと、彼女はたった一人、意識を失って倒れていた。その後、彼女は回復した。その女性は隣人たちの善意と、パートタイムの介護人を雇ってくれていた孫に頼っていた。介護人は彼女のために食事を作り、おむつを替える仕事をしていた。マックスが、家族からあまり面倒を見てもらえなくなった老人たちを助けてやろうとすると、抵抗にあった。

「彼らはこう言うんです。『わたしらは世話なんかしないのに、どうしてあんたが世話を焼くんだ？』」と、マックスはそのときの話をする。「あるとき、地域自治会の姉さんが」――中国人はよく他人を指して「兄さん」とか「姉さん」と呼ぶ――「わたしにこう言いました。『今後、布団なんか買わないようにね、彼らの子どもたちがへそを曲げるから』」

その日最後のマックスの客がいちばん興味深かった。彼の名前はスンといい――あの地域自治会の女性とは無関係――国営繊維工場を退職した人だ。わたしたちは六階にあるスンの家まで上り、彼はお茶を淹《い》れてくれた。

「あなたの息子さんはアメリカにいるって、この人に話したんですよ」と、マックスは会話のとっかかりを作ろうとする。

「息子さん、アメリカで何を？」とわたしは尋ねた。

「たぶんホワイトハウスにいるんだよ」とスンが答えた。

「ホワイトハウスで？　何か特別な仕事ですか？」

「詳しくはわからないね。教育があの子のいちばんの関心事だったんじゃないかな」

「ホワイトハウスで？」と、わたしは同じことを訊いた。

「たぶんね。あの子に具体的なことは質問できないんだ。というのは……要するに、わたしらの話は筒抜けだから。アメリカはなかなか大したもんだよ。監視体制が徹底してる。わたしら家族の動向の一部始終を知ってる」

「監視されてるって、どうしてわかるんです?」

「聞こえるからだよ！ 電話で話をしているときにわかるんだ、何か仕掛けられてるなって。声の高低が変わったりふらついたり。わたしらの会話は筒抜け。みんなお見通し」

スンの言っていることが真実であるはずがないとわたしは確信していた。ホワイトハウスが中国から教師を雇うはずはなく、アメリカの諜報機関は上海の引退工員を盗聴したりしない。だが、スンがわたしをからかっているのか、本当に信じているのか、わたしにはまだわからなかった。

「あなたたちが電話で話した内容を彼らが知っていると、誰かが言ったんですか?」

「たとえば正午に電話で話をしたとする。するともう午後には筒抜けだ。『大公報《タクンパオ》』［香港の新聞］がすぐに報道する」。どうして香港メディアが私的な電話会話を報道したりするのだろう?

「わからんね」と言うスンの声は小さくなった。「大した話はしてないんだから！」と、彼はふたたび声音を上げていった。「実を言うと、わたしは何度か人権と自由について抗議したんだ」

マックスは散髪用ケープをスンの首のまわりに巻き、彼の髪を刈り始めた。スンは被害妄想のなかで生きていたが、歴然たる事実だという調子で話すので、何だか説得力があった。彼の息子は六年間海外にいて、たまの帰国時には西郊《シーチアオ》賓館に泊まるのだとスンは言った。豪華な五つ星ホテルで、オバマ大統領、英国女王、毛沢東、鄧小平らがみな泊まっている。スンは、中国のリーダーたちはみな彼の息子が達成したことを大いに誇りに思っていると言った。

「胡錦濤は」——前の国家主席——「わたしに『あなたは国家のためになる才能を育てた』というメッセージを送ってきたんだ」

マックスが散髪を終え、わたしたちはスンに時間を取ってくれたことについて感謝し、六階分の階段を重い足取りで下りていった。

「本当の話だと思いますか？」と、一階に到着したときマックスが尋ねてきた。

「どう思う？」

「どうも本当だとは思えませんね」とマックスは言う。「哀れだな」

「なぜあんなことを言うと思う？」

「自分の息子、そしてその人生が、さっき彼が描いたようなものになることを、心の中で祈っているんでしょう。彼は幻想のなかに生きているんですよ。あんなふうになってから二、三年。息子はもう何年も家に帰ってこないんです。たぶん息子に会いたくてたまらないんだ」

わたしたちは通りに戻り、モミジバスズカケノキが立ち並ぶ歩道を歩いた。アメリカスズカケノキに似た街路樹だ。

「彼の息子はいついなくなったの？」

「彼と知り合ってから息子に会ったことは一度も」

「彼には本当に息子がいるのかな？」

「彼の友だちですら息子を見たことはないと言いますね。たぶん息子はいるけれども、たぶん海外にいるということじゃないですか」

わたしの次の質問をマックスは先取りした。

「なぜわたしが彼のところに定期的に行くか？」とマックスは言った。「彼には世話をしてくれる人が要るんです。家族のように接してくれる人が要るんです。会話の相手が必要なんですよ、彼の話すことがでたらめであっても」

レイ、ロッキー、チャールズと同じように、マックスの出自もつつましい。貧しい村で育った彼は、身を立てようと上海にやってきた。わたしが知っている何人かの人たち――たとえばパジャマのセールスマン、チェン――の親切心や寛容さがキリスト教信仰に基づいている場合もあるけれど、マックスには何の信仰もない。彼はさまざまな旅を通じて愛他的な考え方を持つようになった。

　マックスは一九八〇年代に中国南西の辺境、雲南省の三〇ほどの家族からなる村で育った。彼は、人口の大部分を占める漢民族ではなく、中国の五五の少数民族――当然のことながらアウトサイダー扱いとなる――の一つハニ族に属している。ハニ族は集団的伝統を有し、それぞれの家族は家を建てるときや収穫時期に互いに助け合う。マックスは少年時代を泥れんがで作った茅葺きの小屋で過ごした。一家はトウモロコシ、コメ、サトウキビを栽培し、マックスは農家の少年らしい日々を送った。たとえば水田で泥まみれになって水遊びをし、バッタを追いかけて、捕まえたのは油で揚げた。学校までは毎朝、夜明け前に懐中電灯かたいまつを持って四五分間歩いた。いちばん近いところで映画を見るためには、少なくとも二〇分かけて山道を下りて隣村まで歩いていかなければならなかった。しかも映画館などというものはなく、映写機を備えた屋外のバスケットボールコートがあるだけで、高さ二メートル、幅四メートルの布の片方をバックボードに、もう一方を建物に結わえてスクリーンにした。マックスが初めて上海の映像を垣間見たのは、「上海灘《シャンハイタン》」ないしは「ザ・バンド」というタイトルのテレビドラマを見たときだった。香港の重厚な俳優、周潤發《チョウユンファー》が、一九二〇年代には学生運動家だったけれども刑務所を出てから上海のギャングとしてのし上がる男の役を演じた。若きマックスは、作品それ自体と華麗なコロニアル様式の舞台から強烈な印象を受け、上海の大きさに茫然とした。

「その町を見てみたいと思ったんです」とマックス。「そんな町が存在するなんて信じられなかった」

小さいころ喧嘩ばかりし、授業をサボりまくっていたマックスは、もう来ないでくれと五つの学校から言われた。結局、高校の一年目で退学することになる。マックスの兄が焼肉レストランを任せてくれたが、マックスがあまりに大勢の友だちに無銭飲食を許したために、レストランはつぶれてしまった。マックスの村は「黄金の三角地帯」〔タイ、ラオス、ミャンマーの三カ国がメコン川で隣接する地帯〕の北側に位置している。世界最大のアヘン生産地域の一つに数えられる。

「麻薬の蔓延はすごかった」と、マックスは当時を思い出す。彼の友だちのなかには中毒患者もいた。「公衆便所に入ると、いたるところで麻薬注射を打っているんです。幼なじみのうち五人が麻薬のやりすぎで死にました」

マックスの兄は弟が麻薬の密売に走るのではないかと心配し、国を出て自活するように命じた。マックスが家を出る日、母親は彼に六〇ドルを握らせた。

「苦しさに耐える〔吃苦（チークー）〕ことを身につけて」と彼女は言った。「感謝の気持ちを忘れてはだめよ」。「吃苦」は苦しみに耐えるという意味だけではなく——マックスの場合には、大人になるということも意味した。そのとき十九歳だったマックスは中国南西部の省都、成都《チョントウー》市へ向かい、そこのレストランでテーブル拭きや皿洗いをして金を稼いだ。中国南部の広東省では革鞄にマグネットの留め金を付ける工場で働いたが、工場が資金繰りで頓挫して社長は逃げ出し、マックスは三カ月分の給料を払ってもらえぬまま路頭にさまよった。彼は公園で一週間を過ごし、木製のベンチで眠り、公衆便所で顔を洗い歯を磨いた。

仕事を求めて中国をさまよい歩くのはきつい。チャールズが新疆で雄牛として働かされた日に感じたように。しかし、旅の先々で見知らぬ人から差し伸べられた親切にもマックスは心を打たれた。彼は焼肉売のスタンドを巡り歩いてビールの空瓶を集め、それをリサイクル業者に一瓶一セント相当で売った。ある日、タイ人の男性が彼にビール瓶が一ダース入った箱を物も言わずにくれた。栓を開けていないのも何本か入っていた。男性は両手を合わせてマックスにお辞儀をした。また後日、南部の都会、広州市で野宿をしていると、リーという名前の男性が彼を自分のアパートに招いて食事を与え、シャワーを使わせてくれた。マックスが別れを告げる前、「リー兄さん」――マックスはその男性をこう呼んだ――は五〇元紙幣をくれた。六ドルくらいの価値で、マックスが数日間食べていくには十分な額だった。

「びっくりしました」とマックスは言う。

その当時、広州では強盗と窃盗が頻発していた。どうして見ず知らずの人が、何の見返りも求めずに自分を助けてくれるのか、マックスには理解できなかった。その後すぐにマックスは仕事を見つけ、もらった金を返すべく、リーのアパートを訪れたが彼は引っ越していて――出稼ぎ労働者の常である――電話番号も変わってしまっていた。マックスはその金には一切手をつけなかった。数年後、マックスは上海でその紙幣を安全な場所に隠した。

子どもの頃スクリーンで見た町、上海へ、マックスは二〇〇八年のある日ようやくたどり着き、まっすぐバンドへ向かった。彼は川沿いの遊歩道に出るために階段を駆け上がった。彼の背後には、投光照明を受けて緑色に輝くピラミッド型の屋根を冠した和平飯店の御影石造りの正面など、租界時代の過去が控えている。階段を上りきると、正面に陸家嘴地区のガラスと鋼鉄の高層ビルをすっかり見渡すことができた。マックスは川向こうでまたたく東方明珠《トンファンミンチュー》タワーの照明を見つめた。バック・ロジャースの漫画に出てくるロケット式宇宙船のような形をしたタワーである。その夜、川面を行き交う貨物船を眺めて過ごした彼の頭上では、タワーの二つの球体が――上には回転レストラン、下には屋内ローラーコースターが入っている――その色を赤から青に、青から緑へと変えていた。何年も前に、バスケットボールのバックボードからつるされたスクリーンに投影された情景に比べると、町はずっと近代的だった。上海には数カ月しかいないだろうと思っていたマックスは、ときどきベンチの上でバックパックを枕にまどろんだりして、その夜は遊歩道で過ごした。同じ夜、バンドで野宿した人はほかにも多く、マックスは彼らも帰る場所がないのだろうと考えた。ところが実際には、彼らは夜明けを待っていたのであり、昇る太陽が近くの高層ビルを照らし出すと、タワーを撮影するために起き出した。子どもの頃から夢見てきたこの町に、マックスはついに到着したのだ。

「目標を達成したという実感がありました」と彼はわたしに言った。

貯めてきた金で上海一のヘアスタイリストの学校に入り、やっと数年前に最初のヘアサロンを開業し、そこで一六〇名ほどの会員客を獲得した。マックスは高齢者散髪チャリティーの写真をウィーチャットに投稿した。ある日、標準中国語は読めず話せずの母親と電話で話しているとき、こう尋ねられた。「仕事があまりないからただで散髪してやってるって本当かい？」

実を言うとマックスは、田舎に両親を置いてきたことへの、そしてひどい親不孝者であるという負い目に対する贖《あがな》いとして無料散髪を提供していた。チャールズと同じく、彼も大都会での立身出世のために両親を置き去りにしなければならなかった。マックスが留守のあいだに父親が死んだ。死に目に会えなかったことをひどく悔やみ、贖罪の意味で菜食主義者になった。老人たちの髪を切るとき、「わたしの両親のことを思うんです。散髪を済ませると気分が楽になり、心の中の罪の意識が少し軽くなったような気がするんです」と彼は言った。

マックスはビアーの、そして黄浦江の河岸にたむろす網師たちの、さらには負傷した膝をかばって道路に座り込んでいたフィフィを無視して通り過ぎた大勢の人たちの、対極にいる男だ。次の商機、次の獲物をもぎり取ろうとする男ではない。中国南部で落ちぶれ果てていたときに面倒を見てくれた見知らぬ人たちの親切心に恩返しをするために、彼は芽吹いたばかりの成功を利用した。

「直接会ってお礼を言えませんでした」と、マックスはリー兄さんからもらった六ドルについて触れた。「彼の行為のおかげで、この奉仕をすることになったのです。社会への報恩を可能にしてくれたのです。人助けのためのお金がたくさんあるわけではありませんが、少なくとも髪を切ってあげられるんですからね」

第6章

山で行方不明になった女性
——クリスタル、ウィニー

二〇一五年の夏、フリータクシーの運転を始めてから一年以上が経過したあと、わたしはリンクトイン（LinkedIn）上で謎めいたメッセージを受け取った。「あなたがご興味を示しそうな話があります。つきましてはあなたのご協力を仰ぎたく」と、クリスタルという名前の中国系アメリカ人の女性が、ミシガンの自宅から投稿してきたのだ。一方的な問い合わせというのは無駄に終わることが多いと承知しつつも、ともかくわたしは返事を書いた。そしてメールが来た。クリスタルは中国北東部のハルビンで育ち、ミシガン州中央部の情報技術の会社で働いていた。弟の結婚式に出席するためにその秋中国へ帰る予定でいたが、まず南西部の雲南省へ飛び、二年前にラオスとの国境近くの山中で行方不明になったままの妹のウィニーを探す計画を立てていた。ウィニーは農民と結婚したが、彼に殴打されると彼女は漏らしていた。彼女は家から飛び出し、そのまま失踪してしまった。

ウィニーが失踪したとき、クリスタルはちょうど新しい仕事を始めたばかりだったので、彼女は父親と義理の弟に雲南省へ飛んでもらい妹の探索ができるよう必要資金を出したが、彼らの調査は不発に終わった。わたしに接触するまでの一年間で、彼女は捜索再開の望みをつないで中国へ戻るのに十分な資金をようやく貯めることができた。

しかしなぜこの女性はわたしにコンタクトしてきたのだろう？　彼女はナショナル・パブリック・ラジオのリスナーだった。わたしのフリータクシーの話を聴き、とくにロッキーとチャールズとの長距離旅行に関心を持った。正月に彼らを車に乗せて実家へ連れていったわたしなら、ひょっとすると失踪者捜索のために彼女と一緒に危険な国境地帯へ同行してくれるかもしれない。

「あなたのレポートを読んだり聞いたりするうちに」とクリスタルは書いていた。「この人なら助けてくれる、と感じたのです」

それから二カ月ほどして、わたしは雲南省の町、景洪《チンホン》〔シーサンパンナ・ダイ族自治州の州都〕の小さな空港でクリスタルに会った。彼女は細身でてきぱきとした四十四歳で、ジーンズにブルーのポロシャツとスニーカーという姿でやってきた。翌朝、わたしたちは行方不明者をめぐる法律と警察への接し方についてアドバイスを求めるために弁護士へ会いに行った。弁護士は、失踪者の捜査に関して警察は法律上義務を負うが、彼らが本気で努力することはめったにない、と言う。中国では失踪者があまりにも多く、警察には人手と時間が足りない。クリスタルはアメリカに六年住み、その警察権力にはとくに好ましい印象を抱いていただけに、ショックを受けた。

「わからない？」と、弁護士は頭を振りつつ、そして笑いながら言った。「ここは中国なんですよ。アメリカじゃありません」

これがわたしたちの旅のテーマとなった。クリスタルが生まれた国と第二の故国と、どれほど違っているのか。景洪がアメリカと違うのは当然だが、上海と比べてもはなはだしく違っていた。高層ビルの代わりにヤシの木がある。何十万という車の代わりに、町の混沌としたラウンドアバウトを通り抜けるわたしのＳＵＶの周囲をかすめるオートバイの奔流がある。昼食後、わたしたちは南東をめざし、どんよりにごったメコン川を渡って、ウィニーが夫とともに住んでいた辺鄙な農村地帯へ向かった。しばらくすると、迷彩服とヘルメットと防弾チョッキに身を固めた武装兵が守る軍の検問所に差しかかった。当時、中国では軍の検問所を見ることはまれだった。兵士が免許証の提出を求め、目的地を訊く。何を探ろうとしているのか、わたしはいぶかった。

「おそらく麻薬」とクリスタルが言う。

考えるまでもなかった。ここはマックスが育ったのと同じ地方、「黄金の三角地帯」のすぐ北側、アヘンと人身密売の中心部なのだ。わたしたちは眼下に川を見下ろし蛇行する小道に沿って、どんどん山奥へ入っていった。クリスタルは自分の家族についていろいろ教えてくれた。一九七〇年代から八〇年代にかけて、彼女は農場で育った。クリスタルは長女である。ウィニーは五人姉妹の四番目で、クリスタルより八つ若い。七人家族の一家はほぼ一五年間を、屋根は草ぶき、床は土間という泥れんが造りの、寝室が一つしかない家で暮らした。中国北東部では一般的な、寝台と薪か練炭を床下から焚くストーブを組み合わせた炕《かん》〔中国式オンドル〕の上にトウモロコシの皮でこしらえたシーツを載せ、一家はその上で寝た。八歳のときからクリスタルはトウモロコシ、ジャガイモ、トマト、キュウリなどの種まきと収穫を手伝った。一家は政府の配給に頼っていたが、五人の子どもたち全員を養うには足りなかった。

「お金はありませんでした」と、クリスタルはこともなげに言う。「空腹を抱えて育ったんです」

食べる物がろくになく、クリスタルの母親はウィニーに授乳できなかった。乳児はカルシウム不足となり、それが妹の知的障害の原因になったのではないか、とクリスタルは思っている。

「彼女は万事のろいところがあって」とクリスタルは言う。「一生懸命勉強したんですよ。家族の誰よりも頑張った。でも絶対にいい点数が取れない」

もし姉妹たちが一〇年か二〇年早く生まれていたら、ずっと田舎住まいで、共産主義下で画一的で制限の多い暮らしを送ったことだろう。だが、鄧小平の経済改革が今までになかったあるものを生み出した。成功する機会と失敗する危険である。ロッキーやレイなど聡明な出稼ぎ労働者と同じく、クリスタルも都会に出た。彼女の場合は地方都市、ハルビンで勉強をして、看護師になった。ウィニーは自分の成績に失望し、十六歳で学校をやめて同じくハルビンに出、まずはウェイトレスとして働いたが、その後、無学な出稼ぎ女性労働者の多くがはまり込む標準職、セックスワーカーになってしまった。

「ほんとに悲しかった」とクリスタルは言った。「生き残るために仕方がないとはいえ」

共産主義の時代、売春業は毛沢東によって根絶されたが、経済開放とともに猛烈な勢いで息を吹き返した。何千万という男性が仕事を求めて沿岸の諸都市へ単身移住し、これによって膨大な需要が生まれた。教育を満足に受けなかった女性たちも田舎を出て都会へ向かい、これが供給源となった。政府によって宗教活動が制約され、法支配も不完全となれば、セックスワークの急速な蔓延を妨げる道徳的・法律的抑制はほとんどないに等しい。ウィニーが引っ越した一九九〇年代、ハルビンでは売春が花盛りだった。実際、性産業の規模が拡大してきたため、ハルビンは三陪小姐《サンペイシアオチエ》、文字どおりに訳すと「三種対応女性」〔歌、ダンス、酒の相手をする女性〕として働く女性から徴税を始めた。こうした若い女性たちはバーやカラオケバーのエスコートとして働き、男たちと飲んだり歌ったりダンスをする。そのうちの一部は売春にも手を染め、四種類目の付き合い、すなわちセックスとなれば追加支払いを要求する。

わたしが初めてハルビンへ旅したのは一九九八年のことで――ウィニーがそこで働いていた時期になる――こうしたエスコート女性に対する課税の話を書くためだった。ある日曜日の夜、わたしは町のナイトクラブへ行ってみた。女主人が控え室へ連れていってくれ、そこでは身体にぴったりしたドレスにハイヒールの二〇人ほどの若い女性がトランプや麻雀に興じていた。わたしが入っていくと、何人かはどぎまぎした感じでくすくす笑いをし、床に視線を落とした。わたしは部屋を見回して、インタビューに乗ってくれそうな女性を探した。真っ赤な口紅に厚底ブーツの女性が、吸っていたタバコを丸めた手のなかに隠そうとした。まじめなふりをしようと不器用な試みをしたわけだ。わたしは彼女を選び、一緒にナイトクラブのメインルームへ戻った。仕切り座席のなかでわたしの隣に座った彼女は片手をわたしの膝に乗せ、髪を振り払うしぐさをし、ほほ笑みかけてきた。

　チャンという名前の彼女は、地方の小都市から出てきた。その町で彼女は花屋を経営していた。サイモンとガーファンクルの「スカボローフェア」の歌が流れるなか、彼女はホットミルクを舐めながら、店の営業の仕組みを教えてくれた。エスコート嬢は男性と一緒に歌い飲み踊り、一二ドルから三〇ドルのチップを得るが、セックスならば一八〇ドルまで稼げる――九〇年代末の中国の片田舎では大金だ。チャンは、自分は売春婦ではないと言い張った。しかし、彼女が最後に働いていたクラブの女性の半数はそうだったという。彼女の一カ月の収入は八五〇ドルになるという。わたしが話をした同業界の女性たちの例にもれず、チャンもこの仕事は年末までに辞めて故郷に帰り、洋装店を開くのだと言った。その当時、「売春ではなく貧乏を笑う」〔「笑貧不笑娼」。売春よりも貧乏のほうが恥ずかしい〕という言い方がはやった。田舎の故郷の町に残っていたり沿海部の工場で働くよりも、売春のほうがずっと収入がよかったからである。

　売春は大なり小なりほとんどの国に存在するが、中国ではほぼ全域にあるようだ。わたしが初めて北京にやってきた一九九七年、売春婦たちは夜になるとたいてい、市の目抜き通りに建つマクドナルドの表に集まってきていた。上海では、中庭に噴水があり、玉突き台を何台か備えた高級売春宿が、わたしたちのアパートメント・コンパウンドの外側、スクールバスの停車場の隣に開業した。

　ある人びとは「チャイニーズ・ドリーム」は道徳とは無関係で、不法セックスはその一部をなしていると見なしていた。情婦や売春婦にとって、それはよりよい生活への飛躍台だった。多くの男たちは情婦を持つことを成功の証《あか》しと見なしていた。男たちが買春を控える最大の要因は道徳的・法律的なものではなく、恥をかきたくないという些細なリスクだ。しかし女性にとって、当然のことながらリスクははるかに大きかった。ハルビンにいたとき、ウィニーはひどい目に遭っている。

「わたしが外国にいたとき、彼女が何度か電話をかけてきました。殴られていたんです」。雲南省の山を越えて南へ走り続けているとき、クリスタルはそう言った。「鼻の骨が折れたって」

別の折、ウィニーはヒモのところから逃げ出したと電話をしてきた。しかし彼はまだ彼女の身分証を握っているので、彼女としてはどうしていいかわからない。

「わたしは彼女に言ったんです。『遠くに逃げて、家まで逃げて、家に帰っておいで』」とクリスタルは言う。

だがウィニーは二度と家に戻らなかった。その代わり彼女は北東の港町、大連へ向かい、そこで出世階段の次の段に足をかけ、実業家の情婦になったのだ。情婦を囲うことは裕福な実業家や政府高官のあいだでは珍しくなかった。二〇一三年の中国人民大学の調査で、汚職官吏のほぼ全員が不倫をしており、その六〇パーセントが情婦を囲っていたことが判明した。「二奶《アルナイ》」――逐語訳すると「二号さん」――はおおむね職業として認められ、契約も存在する。二号さんはアパートと月給を期待してよいが、その金額は住む都市の格付けと彼女たちの市場価値相場による。中国の都市はGDP、人口、行政レベルによって格付けされているのだ。上海、北京、広州などの巨大都市は一線城市（一級都市）とされるが、大連などは二線城市に分類される。二号さんのなかでも、売春婦をやっていた地方出身者は、いわゆる情婦ビジネスモデルの格付けで最低ランクに位置づけられる。

二〇〇〇年代の終わりが近づく頃、ウィニーは三十歳になった。しわはまだなかったが若々しさを失い始め、疲労が浮かぶことが多くなった。彼女は貯金を持って、はるか遠く国の反対側へ向かった。彼女はそこで匿名の生活を楽しめたし、金の使い道はさらに自由だった。彼女は小ぶりなアパートを六棟購入し、景洪市で家主になった。情婦が女実業家に変身するのは珍しくない。最も有名な例の一人が李《リー》薇《ウェイ》〔一九六三年生まれ〕というフランスとベトナムの混血女性で、彼女は一九七〇代末に難民として雲南省へやってきた。リーはタバコの仲買人として働き、現地のタバコ局役人と結婚する。このコネを利用して彼女は人的連絡網をつくり、中国を股にかけて高官や実業家と次々にロマンチックな関係を結んで、一〇億ドル規模の帝国を築き上げた。「高官公共情婦」として知られたリーは、タバコ、不動産、広告などの事業会社と北京のガソリンスタンド一八〇店舗を所有していた。彼女は脱税で投獄されたが大部分の資産は手元に残っており、香港へ移住したといわれている。

「彼女が歩んできた道を振り返ると、この難民ビリオネアの栄枯盛衰は『チャイニーズ・ドリーム』の典型例である」と、中国の経済誌『財経《ツァイチン》』〔二〇一二年二月号〕が書いた。政府はこのけしからぬ雑誌を新聞雑誌売り場から回収するという挙に出た。

二〇一三年の秋、ウィニーは突如として彼女の野心とは矛盾する行為に出る。彼女は、ルオという名のゴム農園主と結婚して遠隔村の彼の小さな家へ引っ越す、と家族に告げたのである。最初の頃、夫が女王のように扱ってくれると彼女は言っていた。

「わたしの足を洗い、食事を口に運んでくれ、その日稼いだお金を毎日全部わたしにくれるの」と彼女は、クリスタルに宛てたウィーチャットの一連のメッセージで報告してきた。「お金の管理は全部わたし。食べ物がちょっとでも残ると、それはわたしにくれる」

だが、ウィニーは自分の秘密を隠していた。所有しているアパートのことはルオに話していなかった。不動産の点検に彼女が町へ行こうとしたとき、当然のことながら彼は猜疑の目を向けた。

「景洪に行くのはほかの男に会うためだろうって、いつも言うの」と、ウィニーはクリスタルに言った。「そんなふうに怪しみ出すと怒りが収まらなくなる。数日前、わたしの電話を叩きつけて壊しちゃった」

ルオには二度殴られた、とウィニーはクリスタルに告げた。

「二回目のとき、もう一度殴ったら逃げるか死ぬかどっちかだって彼に言った」と、そのときウィニーはテキストメッセージを送ってきた。「なのにまた殴ったから言ってやった。『やめて！ 前の傷がまだ治ってないのに』」

クリスタルは妹に助言を試みた。

「あなたの前歴を彼は知ってるの？ それが理由であなたのこと見張ってるの？」と、ウィニーの過去に言及しつつ、クリスタルは尋ねた。「そういうことだったら、彼はあなたのことを絶対信用しないわ。どこかいい場所を探して身を隠し、新しい暮らしを始めたほうがいい」

姉妹間でメッセージのやりとりをしているうちに、ウィニーはだんだん動揺し始めた。彼女は三十四歳になる。永続的な関係を見出し、独立して生きてゆける新生活を築く夢が消えつつあった。

「わたし自身空っぽに感じるの、いつだって空っぽ」と、泣きながらウィニーは言った。「わたしを心から愛してくれる人が欲しかっただけ。それがどうしてこんなに難しいの？」

離婚したいと彼女は言ったが、夫に再度対面するのが怖かった。弁護士は、もし彼女が二年間行方不明のままなら、夫は彼女の出廷なしで彼女を相手どって離婚訴訟を起こすことができる、と説明した。ときどきクリスタルはいら立ちを隠せなくなった。その男と結婚する前に、なぜウィニーは家族の誰かに助言を求めなかったのだろう？

「どれだけ痛い目に遭ったの？」と彼女は言った。「まだ懲りないの？ 安全な場所を見つけて姿をくらまし、きちんとした人生を始めるべきだわ」

ミシガンでの人生がもっと安定してきたらウィニーに来てもらうよう招待するから、とクリスタルはウィニーに言った。ウィニーはバスに乗って一〇時間後、とある小さな町にたどり着き、ホテルにチェックインした。これから食事をしに外出する、友だちをつくるようにしてみる、とクリスタルにメッセージを送ってきた。

「気をつけて。こまめに連絡し合おうね」とクリスタルは返事をした。

「ＯＫ」とウィニーは返してきた。

　数日後、ウィニーはホテルからチェックアウトし、失踪した。

　クリスタルとわたしは、雲南省の山あいを抜けて旅を続けた。小さな町のまわりを迂回したあと畑が並ぶ谷底平野に流れ込む川に、山の陰影が落ちる。畑では、人びとが手で苗を植え、鍬で土地を耕している。長い、暗いトンネルに入った。しばらくのあいだは坑内照明がない真っ暗闇で、出口の見えぬ洞穴のなかを走っているようだった。光のなかへ飛び出したとき、クリスタルはウィニーが夫を捨てたあと、彼女と交わした会話の残りの部分を思い出しつつ語った。

「ウィニーはときどき、もう生きていたくない、寂しすぎる、この人生は無意味だ、と言いました」

「自殺を試みたような可能性は？」とわたしは尋ねた。

「それはないと思います」とクリスタルは言う。「彼女にはわたしたちがいるし、最後に話したときの彼女は楽観的だったし」

　ウィニーが失踪していた期間はずっと不安だった。自分が無事でいると家族に知らせるべく接触してくるようなことは、一度もなかった。わたしは軍の検問所を通過してきたことを思い出し、今自分たちが中国のなかでも危険度の高い地域を走っているのだと気がついた。

「人身売買されたという可能性は？」

「わからない」とクリスタル。「気をつけなさいとは戒《いまし》めたけれど。もし誘拐しようとするなら薬か何らかの暴力を使うでしょうね、見知らぬ人におとなしくついていくような子じゃないから」
一縷《いちる》の望みはあった。その年の初め頃、ある動きが浮かんできたのである。現地警察が、政府発行のウィニーの身分証番号が大連の銀行で使用されたという知らせを受けた。大連は中国北東部の町で、彼女が以前住んでいたところだ。弁護士の助言に従って彼女は二年間身を潜めることにしたのだろう、と警察は考えた。そういうことならば、たぶん数カ月以内に姿を現す。

「彼女の死体はあがっていない」とクリスタルは言った。「ということは、彼女はどこかで生きている、そう思います」

翌朝、わたしたちは失踪者を扱っている警官に会いに、地元の警察署へ出向いた。ほぼ二年が経過するのに彼は基本中の基本、たとえばウィーチャットから許可を得てウィニーのアカウントにアクセスしてみる、といったようなことは何もしていなかった。そうすれば、彼女が失踪する前、最後にメッセージを送ったか話をしたのが誰かはわかったはずだ。その警官に失望したクリスタルだが、彼だけが大連の銀行情報を取得し、ウィニーの身分証を使ったのが誰なのか知る権限を有していたから、彼に頼らざるをえなかった。贈答は、とくに何かをしてもらいたい役人に対しての贈り物は、中国に根づいた長い伝統である。そこでクリスタルは、警官の妻へと化粧品を差し出した。彼女に礼を言うどころか、警官はそれがヘビであるかのように贈答品から後ずさりした。それから彼は窓に突進してカーテンを閉めた。妙な反応だと思ったが、徐々に謎が解けた。習主席は中国共産党の歴史のなかでも最も徹底した反腐敗運動に深くかかわっており、辺鄙な田舎の一警官も、どんなに些細な贈り物であれ受け取ることにびくびくしていた。ウィニーを見つける手伝いなどしそうもない警官だったから、せめて彼女の夫が住む村の名前だけでも教えてくれてもいいではないかとせつくと、やっとのことで彼は折れた。あんたたちだけで捜査に行こうなんて考えるなよ、と彼は警告した——が、もちろん、わたしたちは捜査に出かけた。
中国とラオス国境に近いその町から三〇分ほど走っていくと、問題の村へ向かう脇道に出、そこから一車線の道に乗り入れる。轍《わだち》があまりに深く、露出した岩でガソリンタンクや排気管が引き裂かれやしまいかと気になった。バナナの木が茂り、アルミ波板で屋根をふいた丸太小屋が点々とする青々とした谷に沿って走っているとき、緑の小山のてっぺんに灰色の雲がからみついていた。道中、生簀《いけす》の脇を通ったり、担いだ籠に押しつぶされそうな農民、オートバイに乗った男たちとすれちがったりした。

Ｙ字路に差しかかる。わたしたちは谷の相当深いところへ入り込んでいたので、ＧＰＳがまったく効かない。右へ向かう道の先にあるのはお粗末な橋で、わたしのＳＵＶの重さには耐えられそうになかったから左を選んだ。警察からは、ルオには近づくなと警告されていた。彼はオートバイを盗んだかどで懲役刑を食らい、最近出所したばかりで、わたしたちは知らなかったのだが、麻薬取引にも手を染めていると警察は確信していた。

黒い半ズボンにサンダルばき、そして肩に無秩序に文字を刺繍した黒のＴシャツを着た男と出くわした。ルオの家までの道順を尋ねると、このまま同じ道をたどってさらに谷の奥へ進むように言われた。一キロ弱走ったあと、また別の通行人を止めて道を訊くと、Ｕターンしろと言われた。彼はずっと詳細な道順を教えてくれ、それに従ったわたしたちは、灰色の瓦を載せたコンクリートブロック製の一階建てがひと固まりになっている場所へ出た。あの黒いＴシャツの男がまたいた。しつこく尋ねると、当のルオであることを白状した。彼は田舎によくある木製の丸椅子を勧めてくれ、わたしたちは彼の家の玄関口にしゃがみ込んで話をした。ルオの家の隣には、彼の黄色いオートバイをしまっておく扉のない物置があった。彼はゴムの木に刻みをつけに行くため、真夜中それに乗って仕事に行く。物置に接して二ワトリの檻が設けてあった。張り巡らせた黒い網の裾を石の重しで止め、鳥が逃げないようにしてある。ルオはウィニーと最初に会ったのは、ある日の夜、ウィーチャット上だったという。

「彼女は自分のアパートで酔っぱらって泣いていたんだ」と、彼はわたしたちに言った。「ボーイフレンドと別れたとか。わたしはこう言った。『そんなことをしていてもしょうがない。男なんてたくさんいる。また誰かを見つけるさ』。すると次の日に会いたいと言う」

それからわずか一〇日後に二人は結婚を決意する。ルオの両親は早すぎる決断に反対し、ルオ自身も不安ではあった。しかし辺境地に住む中国人ゴム樹液採取労働者に大した展望はなかった。ルオは決行した。最初の頃ウィニーはルオによくしてくれた、と彼は言う。

「でも、結婚すると彼女は違う人間になった」と彼は言う。「何を考えているのかわからない。すぐに怒り出す。ある日の夜、わたしはゴムの樹液を取りに行っていた。彼女は誰かに送金するために銀行へ出かけた。誰に送ってるんだと訊いた。でも答えなかった」

言い争いになり、彼女は彼にびんたを浴びせ金切り声を上げた、とルオは言う。最終的には、彼も彼女に一度平手打ちを加えたことを認めたが、彼女がクリスタルに話したようなやり方はしていないと言い張った。ウィニーとのメッセージのやりとりに悩まされていたクリスタルは、ルオは嘘をついていると判断した。彼女は彼をにらみつけ、対決の姿勢をとった。

「実際に起きたことを知ってるんでしょう？」と、彼女は怒気を含めて言った。「彼女はどこへ行ったの？　それともあなたが殺したの？」

妹を殺したのではないかと責められた彼は、そこから逃げ出すだろうとわたしは思った。だが、彼は話し続けた。

「殺してたらこんなところにいるわけがない」と彼は、クリスタルの検察官まがいの口調に心底面食らった様子で答えた。「本当に逃げていったんだ。わたしが彼女のことを誰かに売ったとか殺したとか、そんなふうに考えるのはよしてくれ。そんなこと決してしてしてないよ」

そのあと、ルオはわたしたちに質問をぶつけてきたが、いろいろと示唆に富む質問だった。自分の妻について、その過去について自分はほとんど知らない、と彼は言った。ウィニーは彼に、自分には友だちがいないと言い、景洪のどこに住んでいたかは教えてくれず、身分証は見せようとしなかったという。自分は不動産管理人だと言い、賃借人に会うためによく景洪へ出かけていた。二年ほど経過したあとも、彼は彼女が家主だったとは知らなかった。ルオの話は尽きない。一緒に婚姻証を取りに行ったとき、窓口の事務員がウィニーに離婚証明書を提出するように言われたという。ルオは啞然とした。

「婚姻証を受け取る一カ月前に、彼女は誰かと離婚したんだ」。ルオは信じられないという面持ちで言った。「デートしていた頃にはそんな話はしなかったよ」

ルオは屋内に入ったあと、別の男に属す手帳を手に戻ってきた。それはラオスの北部四州への自由通行を可能にする許可証だった。ウィニーが残していったものだとルオは言った。当時、国連の調査によれば、ラオス北部の少なくとも六五平方キロメートル〔山手線内側の面積くらい〕がケシの栽培に使われていた。わたしは通行許可証に興味津々だったが、ルオの頭の中は行方不明の妻に関する疑問でいっぱいだった。

「あんたたちに訊きたいんだ。彼女は何年くらい景洪に住んでいたんだ？」とルオが質問する。「何をやっているのか彼女は全然話してくれなかった。わたしが尋ねると『そんなことなんで知りたがるの？』って言うんだ」

「今、彼女はどこにいると思う？」と尋ねてみた。

「わからない。そんなに遠くまでは行ってないと思うよ。景洪に隠れているんじゃないかな」

あたりが暗くなってきた。

「あんたたち、ここまで来ちまったんだから、今夜は泊まっていったら」とルオが提案した。「うちは貧しいけどさ、寝る場所くらいなら」

「ありがとう」とクリスタル。「やらなければならないことが山ほどあるの。彼女を見つけようと必死なのよ」

　わたしたちはルオに別れを告げてSUVに戻り、谷から抜け出す道をたどり始めた。路肩と呼べそうな道の端に車を寄せて、一台のトラクターがゴトゴトと走り去るのをやり過ごした。わたしの車の車輪が崖ぎりぎりに迫ったが、チャールズの村へ出かけたときの二の舞とはならず、四輪すべてが道路上にとどまっていた。学習の成果である。

「もう疲れたわ」とクリスタルがぼやく。「こんなにややこしい話になって」

「彼があなたの妹を殺したと思う？」とわたしは尋ねた。

「まさか」と彼女。「彼がどういう反応するかと思って、ああ出てみたの」

「彼と一時間半くらい話したあと、わたしたちが質問をやめてからも彼はこちらに質問し続けたね」とわたしは言った。「恐ろしい犯罪を犯した人間なら、普通はわれわれを追い出したがるもので、話なんかしたがらない」と言ったあと、わたしは彼女に訊いてみた。「あんなふうな男だと思っていた？」

「いいえ」とクリスタル。「ごろつきの暴力的な男を想像していたのに」

　実状を知れば知るほど疑問がわいてきた。辺鄙な場所に住むゴム樹液採取労働者などと、なぜウィニーは結婚しようとしたのか？

「わからないわ」と、轍のある道をバウンスしながら走る車中で、クリスタルはため息まじりに言った。「ああ、わたしの妹。手がかりはどこにあるの？」

　わたしたちは町に戻り、ウィニーの婚姻歴を見せてもらうべくすぐに役所へ向かった。案の定、彼女は別の男と結婚していて、その一カ月後に離婚している。履歴によると、彼女は六カ月以内に二度結婚して二度別れている。二人とも裕福そうではなかったから、それぞれの結婚が経済的メリットがあってのこととは思われない。地元の交通局の住所を使っていた一人目の男性を追跡してみたが、そこで働く誰一人としてそんな名前は知らぬと言う。

　次の手がかりを追ってわたしたちは三時間かけて山を越え、景洪へ向かった。そこにはウィニーの友人、カオという男性がいた。彼とは町のレストランで落ち合ったが、まず印象的だったのは、二十代の貧しい田舎の青年ルオとは全然違っていたこと。カオはビジネスマンで、生物燃料の分野で働いている三十代半ばの青年。背が高く、自信に満ちた態度で、人当たりがよく、映画スターのような彫りの深い顔立ちをしていた。ウィニーとは二〇一三年初旬のある夜、屋外マーケットで出会ってからすぐ友だちになり、もっぱらおしゃべりや散歩をする仲だったという。彼によれば、彼女は雲南省へは旅行者としてやってきたが、とても気に入ったので引っ越すことにした。自己啓発や自己修養の本を読み、投資の才を発揮したけれども、しばしば鬱状態で落ち込んでいた、と彼は回想する。

「孤独を身体にまとっているようでした」とカオは言う。彼には、州をいくつも越えた上海近辺に妻と息子がいた。「見るからに不幸そうでした」

　彼女の結婚のことは何も知らなかったが、落ち着き場所を見つけて家庭を持ちたがっていることを、彼は感じ取っていた。二時間かけて昼食をとりながらわたしたちはじっくりと話し合い、そのあいだカオは終始愛想よく、しばしば魅力的な微笑を見せた。しかしそのときの録音を聞き返してみると、彼の発言のなかには実のある情報がほとんど含まれていないことに気がつく。ウィニーを最後に見たのは彼女がアパートを引っ越したときだと言った。彼女は彼に鍵を渡したという。そのアパートを見せてくれと頼むと、カオはどこだったか覚えていないと言う。彼女に何が起きたのかカオは知らない、しかし雲南省のこのあたりは危険で麻薬が蔓延している、とわたしたちに注意した。何年か前に町のクラブで出会った娘が、内地で麻薬販売を手伝ってくれないかと持ちかけてきたが、彼は断ったと言う。警官を信用してはだめだとも言った。ここでは麻薬で逮捕された連中はだいたい賄賂を支払って釈放されるが、その標準的な額は八万ドル、この町ならアパートを二棟買える金額だと言った。

わたしが勘定を払った。レストランを出るとき、カオはわたしたちにアイスクリームコーンを買ってくれた。気の利いたジェスチャーだった。

手がかりは尽き、わたしはクリスタルを空港へ送っていった。彼女は大連へのフライトを予約していた。彼女は、大連の警察に出頭して、銀行で妹の身分証番号を使ったのが誰だったのか探り出そうと燃えていた。

「それが彼女自身であれば、と願っているんです」と、手荷物検査を通過する前にクリスタルは言った。「であれば、彼女を見つけるのもあとひと息だから」

彼女の旅は不発に終わった。クリスタルが現地の銀行に行くと、ウィニーの口座など存在しないと職員に言われた。彼女は雲南の警察に電話をし、警察は調べてみたあと謝罪した。その銀行が口座の整理をした際、コンピュータにトラブルが生じてウィニーの身分証番号を誤って吐き出し、それが雲南省の警察へ警告として通報されたのだという。

「まさか！　ダブルチェックしてちょうだい！」と、泣きながらクリスタルは要求した。「全力を尽くさなきゃだめよ。妹を見つけて、生きていても死んでいても」

だが、手の打ちようはなかった。

「そんな間違いをするなんて、ありえますか？」さめざめと泣くクリスタルは、怒ると同時にあきれ果てていた。「この四日間だけでわたしたちはたくさん成し遂げた。警察は二年近くも時間があってこのざまですよ」

彼女が中国にやってきたのは一週間前、そのときは妹の生存を信じていた。しかし今、彼女は最悪の事態を想定し始めている。

「彼女に何かいいことが起きたとは思えない」。涙にむせびながらウィーチャットを介してクリスタルは言った。「あの子は逆境を生き延びる子。家族か警察にコンタクトする方法は考え出すはずです。誰かに殺されたんじゃないかと思うの」

でも誰に？　どうして？

第7章 新しい中国に失望する

——チェン、セイラ、チャールズ、アシュリー

七月のある朝、黄浦江が湾曲した箇所、市の金融街が川のなかへ舳先《へさき》のように突き出た部分にあるわたしの銀行、巨大な内部空間を持つ招商《チャオシャン》銀行の上海地区本店へ向かった。銀色の雨が滝のように降り出したので、わたしは商機到来と色めき立った。天気のいい日でもそれなりの数の客がつくが、土砂降りとなると普通のタクシーには空車がなくなるので、みなわたしの車の魅力には抗しきれなくなる。車が雨に濡れないようにガラス張りの連絡通路の下に停め、マグネットシートのサインをボンネットとドアにぺたりと貼った。ピンクのスカートに白いブラウスを着た若い中国人女性が銀行から出てきて、彼女の勤め先まで乗せてくれと言った。名刺には、フェラーリ・マセラティ上海本社、営業部長とあった。三十代前半で、専門職に就いた如才なく現代的な上海女性のイメージを芬々《ふんぷん》と発散している。中国最大級の金融機関を擁する高層ビルに囲まれた陸家嘴公園の周囲をぐるりと回っているとき、彼女はマンチェスター大学でファッション小売業に関する学位を取ったと話した。わずかに言葉を交わした数分後、わたしはフェラーリのショールームの前で車を停めた。彼女は礼を言い、建物のなかへ足早に入っていった。

わたしが初めて中国にやってきた一九九七年、彼女のような女性はそんなにいなかった——ましてや

彼女が売っているような高級車はもっと少なかった。そもそもその当時、わたしの友人の大半は車など持たず、マセラティが到来したのは何年もあと、二〇〇四年のことだった。今日では高級車はいたるところで見かけ、とりわけわたしが住んでいる金融街には数多い。ある日の朝、わたしはノートを片手に自宅のあるアパートメント・コンパウンドの立体駐車場を歩いて回り、メモを取った。ロールスロイス六台、マセラティ六台、ポルシェ五台、ベントレー四台、フェラーリ四台、オレンジ色のランボルギーニが二台、そして六〇万ドル以上もするスーパーカーのマクラーレンが一台。わたしはＢＭＷ——標準語では「宝馬《バオマー》」——までは数えなかった。というのは、今となってはありふれた車種のような気がしたからだ。

その夜、わたしは見栄えのしないカムリに乗って夕飯に出かけた。週の初めに、キリスト教徒のパジャマ・セールスマン、家族をアメリカへ送り出したあのチェンからメッセージがあったのだ。わたしのことをブラザー・リアン——わたしの中国語の名字だ——と呼び、川の反対側にある彼のアパートでの懇親会に招待してくれたのだが、どういう集まりなのかはわざと曖昧にされていた。南浦大橋《ナンプーターチアオ》に続く入り口ランプを上り、コンクリート製の巨大な白亜のアーチの下をくぐっていく。アーチには鄧小平の揮毫による赤い文字が掲げられている。彼の経済改革が、上海のスカイラインを変貌させることになるブームを始動させたのだ。まだ雨は降りやまず、町の高層ビル群の、煌々《こうこう》と照らし出された宝石のような頂上が濃霧ににじんでいた。川の少し上流に上海当代芸術博物館が立っている。かつては発電所だったものを現代美術館に造り替えた建物だ。美術館の上にそびえ立っているのは、ワシントン記念塔とほぼ同じ高さの煙突だが、これが白と赤の照明が上がり下がりする巨大な寒暖計になっていて、数キロ先からでも見える。橋を渡りきったあと、二回旋回して地上の通りに出るまでに方向感覚を失う螺旋状通路を下りる。それからさらに二度ぐるりと回り、わたしは薄暗くて狭い通りへ入っていった。まるで別の町へ入り込んでしまったような気がした。左側に並ぶ家屋や商店は見捨てられたも同然で、高級アパートタワーやオフィスビルに場所を明け渡すための取り壊しを待っている。右側に、チャンが住むみすぼらしい茶色の高層アパートが立っていた。そのビルに入っていくと、鋼板製の防犯ゲートの背後の歌声が通路まで漏れ聞こえてきた。チェンはわたしを笑顔で迎え、彼の居間へ案内してくれたが、そこは彼が運営する秘密のキリスト教教会であった。二〇人くらいの男女が、壁際に寄せられた折りたたみ椅子に座って讃美歌「主よ、あなたに付き従う」を歌っている。

主よ、あなたを愛しても
あなたが示した道を歩いても
他の人を助け励ますために立ち止まっても
よろしいでしょうか
わたし自身を超えた力を見出すために

チェンの居間はがらんとしていた。冷蔵庫、壁にかけたカレンダー、天井からぶら下がる裸電球。すでに家族がロサンジェルスへ移住してしまっていた彼は、次の動きを準備している者の、余計なものを捨て去った簡素な暮らしをしていた。信者たちは二〇分ほども中国語の歌詞を何度も繰り返して歌っていた。そのあと、信者たちからマスター・リーと呼ばれている、会衆メンバーの一人である説教師が立ち上がって説教をした。飾りけのない、明快で切実な訴えだった。今わたしたちは空っぽな物欲中心主義の時代に生きている、と彼は言う。キリストを通じてのみ、わたしたちは人生の意義を見出すことができる。わたしはバックパックからｉＰａｄを取り出し、彼の話についていくために宗教用語を検索し始めた。丸顔で額の生え際が後退し始め、顎ごひげを生やしたマスター・リーは、わたしが駆使する最新技術を自分の説教のなかへ取り入れることに決めた。

「人は何かを手に入れると、必ずもっと何かを欲しくなるものです」と彼は言った。「今欲しいのはｉＰａｄかもしれません。けれどもしばらくするとフェラーリが欲しくなる。しかし、いつまで経っても満足は得られません、イエスを愛しイエスに従うまでは」

一九八〇年代に鄧小平は「金持ちになることは栄光である」と、共産主義のイデオロギーを覆すようなことを言ったとされる。鄧小平が本当にそういう言葉遣いをしたのか、確たる証拠はないけれども、これは何度も繰り返され、中国の中心軸を資本主義へ寄せることになった。さて、それから約三〇年が経った今、マスター・リーはずいぶん違うメッセージを発している。「金持ちになるだけでは十分ではありません」。それはあの正月、長距離ドライブで出会った上海の弁護士レイが、弟ロッキーの結婚式のあとに言ったことの変奏だった。中国の成功は高層建築とＧＤＰによってのみ計られるべきではなく、人びとがお互いをどう遇するかも大事だ。

そのあと、チェンのアパートにいた教会のメンバーが、二脚あったテーブルの上いっぱいにブタの角煮、タイのオレンジ炒め、マッシュルームスープ、ニガウリの炒め物などの料理を並べた。同じ日の午前中、わたしが車を停めたフェラーリのショールームから六キロ程度しか離れていないのに、まるで別の惑星にいるかのようだった。二フロアを占めるフェラーリのショールームが開店した数年前、得意げな報道発表がなされた。「陸家嘴金融街の格好の場所に位置するこのショールームは、『東洋のシャンゼリゼ』として名高い世紀大道《シーチータータオ》に面しています。正面は全面ガラス張りの上品で現代的たたずまい、ショールームには『跳ね馬』エンブレムの全車種が見事に展示され……すべての通行人からも世紀大道を行く車からもよく見えます。浦東のショールームはわたしたちのすばらしいネットワークをいっそう充実させ、フェラーリオーナーにまたとない経験とすぐれたサービスを提供するでしょう」

その夜の集会にフェラーリのオーナーは見当たらず、そこにいたのは、川から二ブロック離れた場所に立つ寂れたアパートに信者たちの秘密のコミュニティを築いた、地方出身の労働者階級ないしは中流層の、地味な服装の人たちだった。最近の上海では珍しく、その集会はすがすがしいほどに平等だった。メンバーが一人ずつ順番に立ち上がって個人的な話をし、それを自分なりに解釈した聖書の話に結びつける。

「ここではいつもみんなで聖書について話し合うんです」とチェンが言った。「理解できないことがあれば、それぞれ自分の意見を自由に言う。あなたとわたしの違い、金持ちと貧乏人の違い、町の出身か田舎の出か、そんなことはどうでもいいんです。誰もが同じ言葉で話します」

ますます階層化される社会にあって――裕福な者たちが自らを際立った存在に見せるため、より大きなステータスシンボルを求め続ける――このアパートでは誰もが身分に関係なく説教をしたり自分の考えを表明することができる。チェンの教会は信仰とコミュニティの促進を図るだけでなく、過去二〇年間、中国の都市部を席巻していた物欲中心主義を拒否していた。

チェンは仏教徒として育ったが、妻のコンの影響でキリスト教に改宗した。コンが信仰の道へ入ったきっかけは彼女の祖父で、彼は自宅に聖書を隠していた。彼女が病気になると、彼はそれを取り出してきて、彼女の頭のそばに置くのだった。

「これはおまえのどんな病気も治してくれる神聖な本だ」と彼は言った。

その当時、コンの村でキリスト教は汚名を着せられていた。たとえば、両親を失ったキリスト教者は、大っぴらな祖先崇拝行為を禁じられていた。それには祖先の墓を掃除すること、線香を焚くこと、愛する者たちがあの世で苦労しないように冥銭を焼くこと、などの行為が含まれた。〔線香や冥銭を焼いたあとの〕灰がない墓は、孝の欠如と面目大失墜を宣伝しているようなもの、とコンがわたしに説明した。キリスト教徒の迫害はそれはひどいもので、とコンが言う。「夫を見つけることすらできないんです」。これを聞いてわたしは、ロッキーの母親クオが、家族を持とうとしたときに受けた政治的迫害を思い出した。民衆が共産党よりも崇高な力と見なすものに対して、とりわけそれが外国の宗教の場合、党は猜疑心を抱き、組織化された信仰団体を管理し、政府公認のキリスト教教会組織を監督している。チェンはそのいくつかを訪れてみたが、会衆にあまり知識がなく熱心さが足りないようだったし、大きすぎて人間味がない感じがした。

　政府公認の教会で、「大部分の人は話をする機会がない」とチェンは気がついた。「みんな口を開かない。祭壇の上にいる人だけが話をするんです」

　それは政府公認教会だけに向けられた批判ではなく、中国政府そのもの、そしてまた被支配者と心を交えぬ役人の態度にも向けられているのだ。上海にはおよそ六〇〇の地下教会がある、とチェンは見当をつけていた――正しい数字は誰にもわからないけれど。そのすべてが、政府に登録されていない、監督されていない、という意味において非合法だ。数年前まで上海の役人は地下教会の取り締まりを厳しく行っていたが、最近は集会が一五人規模を超えなければ大目に見てくれるようになってきた、とチェンは言う。もっとも、彼の集会はその数を超えている。

「集まりが大きくなったときには、政府の人が質問しに来るときもあります」とチェンは言った。そして、彼の電話がときどき警察に盗聴されているのも明らかになってきた、と言う。「彼らはわたしたちのファイルを持っています。最近では、集会があるときにはこちらから通報しておくこともあります。あらかじめ耳に入れておいたほうが都合がいいようなので」

　ここ数十年、地下教会のみならず政府公認教会に対する寛容度は場所によって変わってきた。チェンは中国キリスト教の心臓部、中国のエルサレムと言われることの多い温州市《ウエンチョウ》〔浙江省東南部の町〕の近くで育った。二〇一四年から、温州市の役人が、尖塔の十字架をのこぎりで切り落としたりトーチランプで燃やしたりして、政府公認教会の弾圧を始めた。その後二年間にわたって、彼らは浙江省周辺にあった教会を少なくとも一二〇〇軒破壊していくが、それはある前触れだった。

政府は自国民に対し、外国人が運営している教会へ礼拝に行くことも禁じた。ある年のクリスマス・シーズン、わたしの家族が通っている上海市浦東新区の国際教会で行われるクリスマス劇をビデオ撮影するために、宗教事務局の職員がやってきた。ビデオカメラマンが祭壇から一五メートルほど離れた場所に三脚を設置し、子どもたちが歌を歌い、キリスト生誕の話を語る様子を撮影していた。当時九歳だったわたしの息子クリストファーは、嫌々ながら羊飼いにさせられ、青いチェックのスカーフを頭に巻いていた。観客が子どもたちに釘づけになる一方、カメラマンは真意をむき出しにした。やおらカメラの方向を変え、観客のほうをなめるように写す。観客のなかに中国人的な顔を見つけてはズームインするのだった。

共産党はキリスト教にとくに神経をとがらせる。大衆を動かす力と政治変革を促す潜在力を恐れてのことだ。共産党はソビエト連邦が崩壊に至るまでの経緯を警告的な話として見ている。ローマ教皇ヨハネ・パウロ二世が母国ポーランドに里帰りした一九七九年、何百万という人びとが彼を出迎え、モスクワのリーダーたちは愕然とした。翌年ポーランド人は独立自主管理労働組合「連帯」を立ち上げたが、これは教皇の励ましを受けた動きだった。連帯は最初の大規模な反共産主義運動で、ついにはポーランド政府と交渉して選挙の実施を認めさせる。キリスト教は中国国内の改革運動でも一定の役割を果たしてきた。中国の人権派弁護士の多くが、ジョハンナを含めてキリスト教徒であり、二〇一四年の香港民主化運動を支えたリーダーの多くがキリスト教のミッション・スクールで教育を受けていた。

中国政府がキリスト教に不安を感じているのは、それが人びとを代替価値体系に乗せて団結させるからでもある。まさにチェンとわたしに起きたことがそれだった。中国人は外国人を家に招いて食事を提供したりすることはめったにないが――外国人記者であればなおのこと――フリータクシーを運転し上海の教会に通うわたしだったから、チェンはわたしを例外的に扱ってくれたのだ。

「『外国人は信じるな』とはよく言われることです」とチェンが言う。「あなたのような同宗信徒に会えると、とても親しみがわくんです。わたしたちは家族の一員のようなものです。一国内にキリスト教徒が増えれば、その国はずっと平和になるでしょう」

チェンは、わたしの車に乗ったほか人たちが言ったのと同じようなことを重ねて言った。わたしが外国人で、とりわけアメリカ人だから、彼は同国人以上にわたしを信用するのだと（これはもちろん、中国政府がプロパガンダ攻勢で広めようとしたメッセージとはまったく逆である）。チェンは、彼個人の意見として、アメリカ人は平均的な中国人に比べるとずっと正直だと言った。

「わたしは、アメリカ人が幼い頃から教え込まれる価値観を信頼します。わたしがあなたを信頼する理由の一つがそれなんです」とチェンは言う。共産党の公式路線は彼にとっては空吹く風だ。

夕食後わたしは信徒の一人ひとりと握手し、招いてくれたことに感謝した。チェンと物見高い信徒仲間数人が、通りを渡ってわたしの車のところまでついてきた。

「広告はどうなってるんですか?」と一人が尋ねた。フリータクシーであることを示すマグネットステッカーの看板はどこにあるか、と訊いている。

今夜はこれからも勤務時間外だからマグネットステッカーはトランクにしまってある、と説明した。わたしはチェンが住んでいる界隈の地理に疎く、どうやって南浦大橋へ至る道を見つけたらいいのかわからなかった。すると、男たちが車に飛び乗って入り口まで案内してくれた。わたしは彼らに礼を言い、橋へ上がる長い道を旋回しながら上り、川を渡り、そしてガレージに高級車が並ぶわたしのアパートメント・コンパウンドに帰り着いた。二九階にある自分の部屋に戻ったわたしは、川面に立つ霧の向こう、赤と白の鮮やかな照明に輝く寒暖計を模してそびえ立つ煙突を見つめた。橋の下流約一キロ半のところに、チェンが住む建物の明かりをなんとか認めることができた。

チェンは中国に失望し、アメリカへの移住を心待ちにしていた。彼のささやかな信仰集会が当局によって監視されるのはうっとうしかったし、ときに上海の街路のあちこちから染み出してくるような不信感にはうんざりだった。だが、アメリカへ行きたかった最大の理由は、家族にもっと自由な暮らしを与え、子どもたちにはもっと開放的で、抑圧のない教育を受けさせたかったからだ。

チェンはいい仲間に恵まれた。多くの中国人の大富豪は——その定義は、中国が資本主義に移行した際に勝利した者——海外に目を向けて両面作戦をとった。少なくとも二〇一一年の頃すでに、中国の大富豪の半数が海外移住を考えているか、すでにその手続き中であると答えていたという中国銀行と胡潤《フールン》レポートによる調査結果がある。胡潤とは上海を本拠とし、富裕層の調査を専門とする会社である〔英国人ルパート・フーゲワーフが創設したシンクタンク、胡潤研究院〕。多くは大気汚染を懸念し、経済成長の鈍化や政府による接収、あるいは政情不安に対する保険として資産を海外に隠したがっていた。その当時、大勢の人びとが通称EB-5と呼ばれる投資ビザを取得しようと列をなしていた。米国内のプロジェクトに最低五〇万ドルの投資をする代わりに、グリーンカードが優先的に三年以内に取得できるようになるというものだ。ある日曜日の午後、わたしは上海市内のホテルで開催された、シカゴ・オヘア国際空港近くでのコンベンション・センター投資案件に関するピッチセッション〔売り込み対話〕に出かけた。そこでわたしはオリヴァーに出会った。彼は、中国で西側企業向けに市場調査をやっていた。

「みんな不安なんです」とオリヴァーは言う。彼はそのセッションに兄の代理として出席していた。彼の兄はビジネスマンでアメリカに移住したがっていた。「金持ちだと心配になる。明日、その資産価値が下がりやしないかと」

ビジネスマンの多くが、土地取得やさまざまな許可事項に関して地元の共産党幹部に恩義を受けていた。多くの富の背後には、政府とのいかがわしい関係があるので、もし習主席が中国全土で役人の摘発を行っている腐敗撲滅運動をこのまま継続していくと、思いがけぬしっぺ返しを食らうことになる。

「政府と仕事をすれば金持ちになれます」と、上海のスターバックスで夜のコーヒーを飲みながらオリヴァーが言った。「でも、政府が約束を守らなければ、何も得られません」。さらに何かがこじれたりすると「すべてを失うことになります。それが最も危険きわまりない事態です」。

裕福な中国人の多くはすでに外国のパスパートを持っており、なかにはアメリカを批判し共産党を褒めたたえることで世間から注目されるようになった人ですら外国パスポートを持っている。言うまでもなくチェンには投資ビザを取得する金などなかったが、彼は娘を上海から、そして彼女を殴る教師たちがいて視力を悪化させるほどの宿題を課す学校システムから脱出させようと心に決めていた。彼はまた二人目の子どもが欲しかったが、当時、中国の一人っ子政策によってそれは禁じられていた。ある日の午後、昼食の席で、チェンは彼の家族がどうやってアメリカにもぐり込んだかを語った。二〇一三年、チェンは家族を連れ、アメリカ入国に関していちばん簡単な通関手続地であると教わっていたハワイへ観光ビザで入った。彼の妻コンは妊娠五カ月で、それは外見から明らかだった。彼らは追い返されることを恐れていたが、入国審査官は訪問目的を尋ねただけだった。チェンは嘘をついて「観光」と言い、審査官は彼らのパスポートにスタンプを押した。

「どうしてパスしたのかしらね?」と、コンは首をひねりながら振り返った。入国がこんなにも簡単だとは彼女には信じられず、ハワイの浜辺にたどり着いたことに歓喜した。

「これがアメリカなんだ！」と彼女は興奮しながら確認した。「わたしはまるで、生まれて初めて上海に出てきた田舎者みたいでした」

一家はロサンジェルスに飛び、そこでコンは、アメリカに子どもを産みに来た中国人の世話をしてくれる家に入居した。四カ月後、彼女はインインを産む。チェンは上海に帰り、家族を支えるために金を稼ぎ続けた。

チェンの信仰集会に参加してから約一年後、アメリカへの移住申請にわたしの助けが必要だと、彼から電話があった。翌日、彼は書類の束を持って、わたしの事務所に現れた。ビザの申請や目がくらむような官僚的な手続きを助けてもらうために外国人に接触するのは中国人にとって珍しいことではない。チェンは拒否されることを恐れていた。アメリカ政府は、彼のコンとの結婚が最初の結婚で、これ以外の婚姻歴のないことを証明せよと求めてきた。わたしの助手のヤンが北京のアメリカ領事館に電話をしたが、すぐに切られた。そこで私が電話をした。わたしのアメリカン・アクセントが効果を発揮したようで、チェンは領事館が求めているものを整理することができた。チェンがビザ担当官と標準語で話しているとき、わたしは机の上に置かれた書類を眺めた。それによると、彼は亡命が認められた者の親戚としてグリーンカードを申請するかたちになっている。

亡命？ 本当か？ わたしは首をひねった。亡命の理由は？

チェンに尋ねてみた。妻は入国審査官に中国で第二子をもうけようとすると中絶を強制される、それが恐怖だと告げて亡命を認められた、とチェンは言った。それまでわたしと交わしてきた会話のなかで、チェンはそんなことは一度も話したことがない。彼の最大の恐怖は、〔第二子をもうけた場合〕最大三万ドル、年収二年分近くの罰金を食らうことだという。

何百万という中国人女性が強制中絶を余儀なくされてきた。陳光誠《チェンクアンチョン》という有名な弁護士は、盲目で独学の人物だが、中国沿岸の山東省を調査し、二〇〇五年だけでも一三万件の強制中絶と不妊手術が行われたと見なしている。それから何年もあとのことになるが、中国北西部の陝西省に住む男性と話したことがある。彼は年老いた両親を喜ばせるために、妻と相談して二人目の子どもをもうけることに決めた。地元の計画出産指導機構の役人は彼らに六〇〇〇ドル以上の罰金を科したうえ、妊娠中の妻を拉致していった。三日間彼女を監禁したあと、役人が夫に電話をしてきた。

「ずいぶん前に言っておいたよな、あらかじめ金を準備しとけよと。だがあんたはそうしなかった」

と役人は言った。

一時間後、分娩を早める注射を打たれて七カ月の胎児が死産で出てきたと、彼の妻が電話をかけてきた。親戚の一人が、病院のベッドの上の母親とそのそばに横たわる胎児の死体の写真をウェイボーに投稿する。ただでさえ悪評芬々だった――多くの人口統計学者に言わせれば不必要な――政策に人びとは激高した。

しかしそれは陝西省という一五〇〇キロほど内陸に入った田舎の話であって、上海のような国際都市での出来事ではない。チェンは中国の金融都市の中心地、バンドの少し川上に住んでいた。ここの役人がチェンの妻をアパートから引きずり出し、台車付担架に縛りつけ、彼女の胎児を殺すとはとても考えられない。わたしはまた、亡命詐欺が普通にあることも知っていた。二〇〇〇年当時、中国南東沿海部で政府による教会破壊運動を取材していたとき、同地のキリスト教徒同士が、アメリカ入国時に入国審査官の前で宗教的弾圧のせいで逃げてきたと答えられるよう予行演習していたと教わった。実際には、稼ぎのいい仕事を求めての渡米だったのだが。

チェンがわたしの事務所を去ったあと、わたしは彼を助けてやったことに自責の念を感じた。そして失望もした。なぜ彼が中国から去りたいと思い詰めているか、それは理解できるけれど、脱出だけのためにそこまでひどい嘘をついてほしくないという願いもあったのだ。それから数年後、ロサンジェルスで、チェンと彼の妻はわたしに一部始終を話すことになる。

ある日、英国でＭＢＡを取得した乗客が乗ってきた。彼はフェラーリの代理店で働き、地下教会を主宰する労働者階級セールスマンのアパートに住んでいた。彼を乗せたその日は、ほぼ一〇年留守にしていた中国に戻って以来、わたしが目撃した最大の変化の一つをはっきりと見せてくれた。一九九〇年代に大衆を分断していた収入格差が、今では、中国政府が依然として社会主義国家であるとうそぶく国の深い裂け目になってしまっていた。初めて北京にやってきたとき、大半の人びとの収入は増加しつつあったけれども、それでもアメリカやヨーロッパの水準に照らしてみれば比較的貧しかった。わたしの友人たちは政府保有のくすんだアパートに住んでいる場合が多く、職場へはオートバイか地下鉄で通勤していた。政府の社会主義から資本主義へのたゆまぬ変貌は経済と人びとの期待の中身をすっかり変えてしまった。九〇年末、政府は「鉄飯碗《ティエファンワン》」を壊すために国有アパートを政府職員に格安で払い下げた。鉄のご飯茶碗とは、わずかな給料しかもらえないけれども教育、住居、医療を実質的に無料で提供するシステムを意味した。このシステムは労働者にとってたいへん寛大ではあったが、国家破産を招く運命にあった。大規模の払い下げは――近代史のなかでおそらく最大の政府から国民への富の移動――都市部に住む公務員にとって大いなる起爆剤だった。わたしたちが北京を去ろうとする前から、すでに友人たちは国有アパートから近代的なメゾネットへ引っ越し、たちまち大家や地主になっていった――それはまさに毛沢東が一九四〇年代末期から五〇年代初期に、迫害だけでなく殺害の対象にした階級である。二〇〇〇年代、中国の経済ブームが続くなかで、収入格差は拡大し、上海はアメリカにおける類似都市、ニューヨークにそっくりになってきた。

　金融街で客探しをするとき、わたしはときおり五つ星ホテルのロビーの前に寄ってみることがある。九〇年代の終わり頃、北京から上海にやってきたときには空っぽだった。そうしたホテルの一つの五八階には屋外テラス席と、どこまでも続きそうなスカイラインの壮大な眺めを提供するバーがある。二〇一一年に引っ越してきたとき、わたしの妻ジュリーがそこを訪れ、屋外に座りたいと言うと、テーブルチャージとして五〇〇ドルを払わなければいけないと言われた。上海市で働く多くの人たちの月給二カ月分に相当し、それも、三一ドルのシャンパン・カクテルなどが並ぶメニューから飲み物を選ぶ前に言われたのである。

「そんなお金があったら電気スクーターが二台買えるわ」とジュリーは言った。そこを立ち去る前に、ジュリーは景色を一望した。バンドの向こう、高層ビルの建物と建物のあいだから赤い瓦屋根の波、トイレもなければ暖房もなく、気温が氷点下近くまで下がっても電気ストーブと布団で暖を取るしかない何千というアパート群が見えた。上海人の二割近くが――人口はロサンジェルス市よりも多い――「極限的な居住貧困」の状態で生きていて、一人あたりの居住面積は八平米〔五畳強〕しかない。十二月のある寒い日、わたしはこのような住環境に暮らしている女性に出くわした。名前をセイラといい、彼女はわたしのフリータクシーの看板に感心して足を止め、写真を撮っていたのだ。セイラは、上海から南西方向に一三〇〇キロ以上離れたところにある南昌《ナンチャン》大学を卒業したが、クレジットカード、地下鉄カード、ドアキーカードなどに組み込まれる無線タグを海外の企業に売るつまらない単純な仕事をだらだらと続けていた。彼女は上海に移住してきた父母と一緒に住んでいた。母親は、たまたま例の屋外席五〇〇ドルのホテルでメイドとして働いていた。ここにやってきた数百万人の出稼ぎ労働者と同じく、セイラも町の魅力に興奮すると同時に怖じ気づいた。彼女はウィーチャットに、川を見下ろすビルに巨大な「I❤SH（上海）」のサインが煌々と輝いている写真をアップした。

「魔法の都会、すばらしい友人、忘れられない物語」と、その写真の下に書いた。「この町を愛し、抱き締め、大切にする」

しかし大半の出稼ぎ労働者にとって、上海を抱き締めると口にするのは簡単だけれど実行となるとはるかに難しい。よそ者だった彼らは、一九九〇年代末に起きた大規模な不動産譲渡のチャンスを逃しており、そのほとんどがこの町で足だまりを見つけるのに苦労していた。家賃は高騰し、アパートの一戸を仕切ったところへ複数の出稼ぎ家族を詰め込む例も珍しくなかった。セイラは、刑務所の独房より少し大きいだけで、かろうじてベッドと合板テーブルと椅子が置ける窓なし部屋に住んでいた。複数家族がその一戸を占領し、しょっちゅう焼けたソバや黄ばんだ脂がこびりついたままの火口二つのガスコンロを共同で使っていた。一つしかない風呂場のトイレの便座も、水タンクの蓋もどこかに行ってしまっていた。セイラはどうしても引っ越したくてたまらず、わたしは新居探しを手伝うためにある日曜日、彼女を乗せて橋を渡った。彼女は引っ込み思案で、分厚い眼鏡をかけ、白のブラウスにしわくちゃの濃紺のスカートをはいていた。彼女の不動産屋は二十代の二人の青年で、またがっていた黒のスクーターを通りの角に停め、わたしたちは彼らの後について二五階建てのアパートへ向かった。エレベーターに乗って五部屋の物件にたどり着く。彼女の現在の住環境より多少はましだ。賃貸に出ていた部屋にはベッドと机があるが、その引き出しは全部なくなっている。そして六〇センチ幅の窓。

「たぶんあそこで料理ができるかな」と、セイラは希望に満ちていた。

その物件には風呂場も台所もなかった。セイラが興味を示した部屋の家賃は一カ月二四五ドルだという。

不動産業者の一人が、上海の一部、徐匯区《シュイホイチュイ》ではこの一〇年間で不動産価格が一平米一〇〇〇ドルから九〇〇〇ドル以上に跳ね上がったと言った。いつの日かは上海に自分の家を持ちたいとセイラは夢見ていたが、彼女は「中国では人口の二〇パーセントが富の八〇パーセントを所有している」と言った。

セイラの言い分はほぼ正しい。北京大学が二〇一五年に出したレポートによると、中国の全所帯の一パーセントで国の富の三分の一を所有している一方、下流層二五パーセントは国の富の一パーセントしか所有していないことがわかった。そうこうするうちに、セイラはようやく新しく住む場所を見つけることができた。ある冬の朝、わたしは彼女の引っ越しを手伝った。持ち物はあまりなく、本や布団や衣服を入れた箱が数箱だけ。わたしは彼女をフリータクシーに乗せて新居へ向かった。アパートの高層階で町の眺めにも恵まれていた。だがセイラは、依然として人生で何をしたいのかその模索にもがいていた。「魔法の都会」と名づけた町で、果たして自分の居場所を見出すことができるのか、自信がなかった。

セイラのような出稼ぎ者にとって、上海とその神話は抗しがたい魅力を持っている。しかし、正月に実家へ連れていき、その結婚式に出席させてもらったチャールズなどは、この町をまったく違った見方で見ていた。彼は上海を目的達成の手段であり、ますます悪化する中国分断――これに彼は憤慨している――を象徴的に表すものと見ていた。四月のある日曜日、わたしはチャールズを遠距離バス乗り場へ連れていった。妹の結婚式に出るために湖北省へ帰るバスに乗ろうとしていたのだ。チャールズの妻は男の子を産んだばかりだったので、わたしは彼に、普通ならば父親になった男を高揚させるであろう質問を投じた。

「赤ちゃんの将来に思うところは？」

チャールズは思案し、ため息をついた。

「それがまさに悪夢と不眠の原因なんです」と彼は言った。「あの子をどうしたらいいのか？ 誰が面倒を見ればいいんだろう？ 上海であの子を育てるのは大変なことなんです」

出稼ぎ労働者であるチャールズは、オブラートに包んだ人種差別を受けていた。生育地によって人びとを分断する二重構造の市民権である。チャールズは上海の外で生まれたから、彼と家族は、上海生まれの地元民が享受できる医療厚生と教育を完全には受けることができず、彼の息子は大学入試を受けるとなると湖北省へ戻らなければならない。役人は、人びとが中国国内の移住先で種々便宜を受けることを許してしまうと、すでに飽和状態の北京や上海などの都会が、出稼ぎ労働者の重みで破綻してしまうと読んだ。ということで、長くいたところで公的便宜は受けられぬと悟り、チャールズの妊娠中の妻は二〇一五年に田舎へ帰った――チャールズを一人残して。チャールズ自身も中国独特の戸籍制度のせいで別居を余儀なくされた家庭で育ったわけだが、そうした過去の過ちを繰り返さぬためにはどうしたらいいか、まだよくわからなかった。チャールズが子どもの頃、彼の父親は散髪業で稼ぐためにほぼ一年中家を留守にしていた。彼が帰省してくるとチャールズは不安にさいなまれた。

「ぼくらの父親だとは承知しているし、『父親』とは何かということも知っていたのに、彼はただ得体の知れない人みたいだったんです」とチャールズは思い返す。結局、チャールズが実質上一家の男手となり、すでに五歳か六歳の頃には母を手伝ってコメの播種と収穫をしていた。めったに帰ってこない父親をめぐるチャールズの不安の説明を聞いて、わたしはあの小さなホンホンのことを思い出した。一九九八年の正月に彼女の父親の帰省に同道したとき、父親から逃げ回っていた少女。

チャールズは頭数が増えつつある自分の家族と一緒に暮らしたかったが、金を稼ぐ必要があったし、彼の出稼ぎ身分ではそれは難しかった。それと同時に、自分の息子を上海では育てたくなかった。息子がいわゆる「端っこ」の存在、自分を決して受け入れてくれぬ巨大都市に住み、地元の方言をしゃべれぬせいで田舎の家では心地よさを感じない移住児童にはなってほしくない。言い方を変えるならば、自分の息子がどこにも属さない子どもになることを懸念していたのである。

「自分が属していると感じる場所はどこ？」とわたしは訊いた。

「属しているところ……」チャールズの声は小さくなって消え、数秒の沈黙ののち「ぼくは大都市の孤独な男。ぼくの心は『老家《ラオチア》』（故郷）にあります」と続けた。先祖代々の村を指しているのだった。「ここは単なるＡＴＭ、現金引出機ですよ。ぼくは上海が大嫌いだ」

出稼ぎ労働者の多くにとって上海暮らしというのは、いつも外側にいてそこから内側をのぞき込んでいるようなものだ。疲れるだけでなく情けない。セイラと同様、チャールズも典型的な貧しい出稼ぎ労働者たちの住環境のなかで暮らしていた。エレベーターのない建物の四階にある一部屋で、コンクリートの床に敷いたボックススプリングとマットレスの上で寝る。ベッドの脇には黒のロールバッグがあって、ここでの暮らしは常に一時的なものだと主張している。そして用途が明白な牛乳瓶。

「お恥ずかしい」と、その瓶に注目していたわたしにチャールズが言った。

チャールズはトイレをほかの二家族と共用していたので、ときには小用を足すのに三〇分待たなければならないことがある。よって、そのような容器を手元に置いておくことになる。

「中国の夢、とはえらい違いだね？」と言ってしまったわたしは、意に反した意地悪な響きをすぐに後悔した。「でもアメリカにだって苦労している連中は大勢いる」と言い添えた。「世界一金持ちな国であるにもかかわらずだよ」

チャイニーズ・ドリームもアメリカン・ドリームも民衆は置き去りにした。上海の人びとと話をしたとき、その会話が、ほんの数年前、世界金融危機に至る前段階からその真っただ中にかけてアメリカ国内で交わした会話に酷似している点に衝撃を受けた。不動産を持つことが、とくに人気のある大都市ではどんなに難しいか、いい仕事に就くための競争がいかに激しいか、良質の医療サービスを見つけるのは難しく、見つけても費用が高いことなど、人びとは不平を並べていた。言葉の壁を取り払ったなら、中国とアメリカの労働者たちは、一方が言いかけたことを他方が代わって言い終えることができるだろう。もちろん大きな相違はある。たとえば、アメリカは何百万という雇用を中国に奪われた。しかしその雇用も今ではさらに賃金の安い国へ移動したり、ロボットに取って代わられたりしている。

娯楽に使う金などほとんどないチャールズは、自由時間の大半を自己修養に費やしていた。ベッドの近くの靴箱の上に積んであったのは、英語版のシャルル・ド・ゴールの伝記、そしてフランクリン・ローズヴェルトの伝記だった。チャールズは毎朝、仕事に出かける前の一時間、壊れた椅子に座って使い古された机に向かい、墨壺に筆を浸しては薄い紙の上に漢字を書く。わたしには書道のたしなみなどないけれど、チャールズの書は気品があって優雅に見えた。

彼の書は唐（六一八—九〇七）の時代の「剣客」という詩で、彼のベッドの上の壁に貼ってある。

私はこの剣を一〇年間磨いてきた
冷たい刃を試したことはまだない
私は今この剣を手にして君に見せる
誰か不当な扱いを受けている者はいないか？

十年磨一剣
霜刃未曾試
今日把示君

誰有不平事

「剣はぼく自身です」ある晩、チャールズは説明した。「何かを達成したい、何らかの貢献をしたいんです」

この詩の語り手が、不正をただすことに自らを捧げた孤独な存在であることが印象的だった。予言的な詩ということになるかもしれない。

チャールズの奮闘は、『グレート・ギャッツビー』の最終シーンの一つを想起させた。ギャッツビーの父親がロングアイランドで行われたジェイ〔ギャッツビー〕の葬儀にやってきて、息子が少年時代に書いた自己修養時間割を語り手のニックに見せる。そこには次のような書き込みがあった。

電気の学習等……………午前七時一五分～八時一五分
話し方、身のこなしの訓練とその達成方法……午後五時～六時
シャフターズで時間を浪費しないこと
毎週ためになる本か雑誌を一冊読むこと
両親に孝行すること

わたしが中国に戻ってきた二〇一一年、インターネットの自由度にはばらつきがあった。政府がほとんどの主要海外ソーシャルメディアのプラットフォームを接続禁止にしていたが、中国で最も人気のあるニュースサイト、ウェイボーは驚くべきことにまだ広く開かれていた。ウェイボーによって、公的セクターの腐敗、不正、社会不安に関する興味をかき立てる話を堰き止めていたダムが決壊したような具

合で、そこから外人記者は無限の糸口を容易に引き出すことができた。たとえば、陝西省での強制中絶の話も、最初はウェイボーに現れた。

　ウェイボーは共産党をあざける場所にさえなった。中国で最も悪名高き風刺漫画家の一人、変態唐辛子《レベルペッパー》〔變態辣椒〕というペンネームの人物は自分の漫画をこの場所に定期的に投稿していた。彼の最高傑作の一つが、雷鋒《レイフォン》〔一九四〇―一九六二〕という兵士の美徳を激賞するプロパガンダ・キャンペーンをからかうものだった。雷鋒は人民解放軍の模範的兵士で、同胞の労働者と共産党に一身を捧げた――けれども半世紀も前に死んだ男だ。キャンペーンのなかには、九〇分間のテレビ番組で、建設労働者や客室乗務員や警官が行進しながら「みんなの鑑、雷鋒同志に学ぼう／革命に忠実たれ、党に忠実たれ」と大声で歌う、ブロードウェイ風の派手な作品もあった。変態唐辛子は、『ファインディング・ニモ』にヒントを得た漫画でこれに反応した。恐ろしい牙をむき出しにした化け物のようなチョウチンアンコウがまばゆく光る雷鋒の絵をおとりに使い、その光をほれぼれと見つめる小魚たちがアンコウの餌食になろうとしていることに気づかずにいる、という図である。

「政府は何でも真に受ける人びとを混乱させるために、いまだに雷鋒の見せかけのイメージを使っているんです」と、変態唐辛子はわたしに語った。

　オンライン上の驚くべき政治的開放性について考えを巡らしていたわたしの頭に謎が浮かんだ。この独裁政権はいったいどういう体制なのだろう？

　習近平自身も同じことを思い悩んでいたようで、こうしたネット上の自由は共産党の基盤を揺るがすと結論づけた。二〇一二年に政権を取るやいなや、政府はウェイボーの厳格な取り締まりに乗り出し、変態唐辛子のような煽動家たちのミニブログを削除した。変態唐辛子は拘留を恐れて日本へ逃げ、その後アメリカへ飛んだ。習近平の取り締まりのせいで、中国各地で今何が起こっているのか知ることが難しくなり、このことが、チャールズが次に選んだ仕事を遂行するうえで欲求不満の原因となる。

正月にチャールズを実家へ送っていってから数カ月後、ヤンが、上海にあるオランダの新聞社が新規アシスタントの人材募集広告を出しているのを見つけた。彼は、チャールズがセールスマンとして働くよりも収入がよくて刺激のある仕事を探しているのを知っていたから、応募してみたらとチャールズに声をかけた。わたしが推薦状を書き、チャールズはその職を得ることができた。彼にとってそれは大きなチャンスだった。通勤に長時間を要したので、何度か旧上海フランス租界にある彼の職場への行き帰りに彼を乗せてやったこともある。チャールズの職務の一つは中国の新聞のなかからおもしろそうな話を見つけ出すことだった。ところがこの時期にはすでに——習近平が権力を握って四年が経過していた——風刺と暴露の場は干上がっていた。ある晩、彼の家の近くで夕食を共にしたとき、彼はウェイボーがいかにつまらなく役立たずになったかを嘆いた。脂したたる肉団子をかじり、鶏肉とピーナッツの辛口炒めを頬張る合間、彼は携帯電話を開けておもしろそうなニュースを求めて情報サイトをチェックする。中国南部の都市深圳で、警察が二人の少女を身分証不携行を理由に二四時間拘留した、という記事に目を留めた。身分証の携帯は義務ではないにもかかわらず。それは基本的な法的権利に関する記事だったが、トップ記事扱いはされていなかった。むしろ、当時最も話題を集めていたのは、有名な俳優がある映画賞を逃し、妻を慰めているというニュースだった。

「もうウェイボーを真剣に見ることはなくなりました」とチャールズが言う。「今じゃエンターテインメントですよ」

その仕事に就いてかろうじて一年というところで、チャールズは海外のジャーナリズムにも幻滅し始めているようだった。上司があまり口を利いてくれないとか、外国人記者は事実を正しく理解しないことがあるなどと不満を口にしていた。

「概して彼らはそんなに優秀ではないけれど、書いたものは読んでやります」と冷たく言った。

習近平の政府が表現の自由をますます圧迫するなか、チャールズは自分の日記の書き込みにも自主検閲を加えている、とわたしに言った。いつなんどき政府の手先に見つかるかもしれないから、と言うのだが、そんなことはほとんどありえないよ、とわたしは言った。最近彼は、もっと素直に書くことに決めたという。

「心の中に何かを押し隠しているのは耐えがたいんです」

わたしは興味津々だった。チャールズがもはや抑えきれないというほど隠し続けてきたものはいったい何だろう？

「それについてあなたに話すことはできません」と、頭を振りふりチャールズは言った。「今から三年後なら話せます。なぜならとても大事なことですから」

「君の考えていることというのは機密にかかわることかな？」

「いや、仕事に関係したことです」

それ以上わたしたちはこの件には触れないことにした。

Ｆ・スコット・フィッツジェラルドは、一九二〇年代アメリカの金ぴか時代のシンボルとしてジェイ・ギャツビーを創り出した。ほぼ一世紀後、功名心と富と価値の不在によって特徴づけられる時代を迎えた中国の高揚と空騒ぎが、彼によって体現される。チャールズと同じくギャツビーも敏腕家で、田舎の貧しい農家の出身であり、大いなる機会と富の不均衡の時代に自分自身を作り変えるために都会へやってきた。ウィニーと同じく、自己改革は道徳的妥協と大きなリスクを伴ったのである。

この上ないタイミングでレオナルド・ディカプリオ主演の映画『華麗なるギャツビー』が二〇一三年

に中国で公開される。ある上海の出版社は原作小説の対訳本を出し、上海の美術館でロバート・レッドフォード主演の旧作上映を企画した。わたしがフリータクシーを始める少なくとも一年前のことだったから、わたしはタクシーをつかまえて上映会場へ向かった。映画が終わったあと、わたしは何人かの観客と話をし、アメリカの「狂騒の二〇年代」と今の中国との類似点を見出したかと尋ねてみた。アメリカの大学で経済学を専攻して卒業したばかりのリリーは、ある一場面に注目した。金持ちのビジネスマン、トムがパーティーの最中に労働者階級の愛人と喧嘩を始める。彼女は彼に妻のデイジーと離婚してほしいのだ。愛人はデイジーの名前を叫び続けるが、平手打ちを食らって鼻血を出してしまう。

「トムは金持ちで、やりたいことは何でもできるし欲しいものは何でも買える」とリリーは言った。彼女は、トムの見境のない放縦と同じものを裕福な中国人のなかに認めるのだ。「彼らがとってもとっても金持ちになると、妻を何人も持った挙げ句、家族がどうなろうと気にしない、子どもたちがどんなふうに育とうと気にしない」

中国経済の急成長は、ウィニーのような女性たちに多くの機会を提供した情婦ビジネスモデルを勢いづかせた。多くの金持ち男性にとって、情婦は見せびらかすためのものだ。わたしもアパート団地のなかで見たことがある。裕福な男が情婦を囲う場所として有名なアパートなのだ。ときおり、自動車販売業の有力者の息子を乗せた――ときには黒、あるときは白の――ロールスロイスの運転手がわたしのアパートの正面に車を停める。御曹司は自分の情婦と、二人のあいだにできた幼い子に会いに来るのだった。わたしはドアマンとよく情報交換をするが、彼がインターネットでチェックしたところ、その車はそれぞれ一〇〇万ドル以上するという。運転手は御曹司を乗せたままロールスをわれわれの地下駐車場に入れてほかの車と一緒に駐車することもできるのだが、それだと誰も気づかない。つまり目的を果たせない。

「最近では多くの人びとがどんどん物質主義に傾いています」。ギャツビーの上映後、人びとが列をなして出てくるかたわら、リリーは語り続ける。「多くの人びとが自分のアメリカン・ドリームを実現しようとして、本当にすごい車を何台も買いたがったり、贅沢な家に住もうとしていますが、最終的にはデイジーとトムみたいになってしまっていることに気づいて、人間性を失い、気にかけるのはお金だけ、そして自分たちの人生が空虚であることに気づくこともしばしばです」

この言葉のすべてが、安全で安定した暮らしという夢が手からすり抜けていくと察したときのウィニーの気持ちを代弁しているように聞こえた。「わたし自身空っぽに感じるの、いつだって空っぽ」と、ウィニーは情婦として暮らしてきた過去を捨て去ろうと試みたあと、失踪する前に、姉のクリスタルに告げた。

中国人が『グレート・ギャツビー』についてどう思っているのかもっと知りたかったので、わたしたちは原作を読んだ人求むの呼びかけをウェイボーに投稿した。中国のハーヴァード大学ともいえる北京大学の卒業生で、『ギャツビー』を二度読んだというアシュリーから返事が来た。アシュリーは北京に住んでいて、マネジメントコンサルタントとして働いている。彼女が強烈な印象を受けた場面は、ウェスト・エッグにあるギャツビーのマンションで開かれたパーティーだ。「夜半までには、興奮がいやがうえにも高まってきた」とフィッツジェラルドは書く。「有名なテナーがイタリアの歌を歌えば、悪名高きコントラルトがジャズ・ソングを歌い、曲目の合間には庭中いたるところで素人の『芸当』がはじまったりして、幸福そうな筒抜けな爆笑が夏の夜空高く舞い上がっていく」〔『グレート・ギャツビー』野崎孝訳、新潮社〕

ギャツビーのパーティーの場面を読んで、アシュリーはそれよりもずっと贅沢な、海南島で開催されたボートショーの際のパーティーを思い出した。パーティーの参加者はフェラーリやマセラティ、何百万ドルもするヨットの上の半裸の女性たちの写真をあちこちに投稿した。ある写真は、乱れたシーツとクッションにうずまった下着姿の男女らを写していた。ネチズンとは中国でインターネット・ユーザーを指す呼称だが、彼らによると、そこで撮影されたモデルの一人はセックスパーティーで九万ドル以上を稼いだと言い、また似たような別のパーティーでは参加者が二〇〇〇個のコンドームを使ったという。この証言の真偽を確かめる術はないが、中国にはびこる「欲しいものは何でも手に入る」という風潮を思えば、信じる人がいてもおかしくはない。

「中国にはギャツビーのように、パーティー三昧、おしゃれな車を乗り回し、女の子に囲まれた暮らしをしている新上流階級がいます」とアシュリーは言う。「ショックですよ。ほとんどの人たちはそういうのは憎んでいる感じですね。そうした『世界の終わり』みたいなイメージは嫌いなんです」

度を越した行動だけを嫌悪しているのではない。そうした行動に拍車をかける大金の出所をいぶかしがっているのだ。

「まともなやり方で金を稼いだとは思っていません。権力者たちと取引をしているのだろう、そんな金は使う権利はないと考えています」

わたしのアパートの駐車場にもそうした雰囲気が横行している。フェラーリやランボルギーニのオーナーの多くはナンバープレートなしでも平気だ。政府とのコネに絶対の自信を持っているから、警官など気にする必要がないのだ。こうした車のオーナーのなかにはハンドルを握る権利など与えてはいけない者もいる。ある日の夜、アパートの外に立っていたわたしは、二十五歳の青年が何十万ドルもするアストン・マーチンを縦列駐車させようとして何度も失敗するのを見た。ほかの都市でも見られるように、わたしのアパートメント・コンパウンドの金持ちは、道路はわが物という走り方をする。地下駐車場への螺旋式ランプを下りていくとき、往々にして彼らは対向車線へはみ出し、質素な車を運転する連中は当然ハンドルを切って道を譲ってくれるはずと決めてかかる。この戦略がいつもうまくいくとは限らない。ある日、フリータクシーのところへ行こうと徒歩でランプを下りていったとき、左側のフロントがめちゃくちゃになった白のマセラティが停まっていた。白いセンターラインを越えて走っていたところへフォードが上ってきたのだ。そしてフォードが勝った。

『ギャツビー』が出版されたのは、株式市場崩壊の四年前、大恐慌への入り口の一九二五年だった。アシュリーは中国社会と中国経済が、同じような運命をたどりはすまいかと心配していた。経済成長率はまだ高水準とはいえ、ここ数年減少傾向にあった。人件費は上昇しつつあり、地方政府は空室だらけのビルが立ち並ぶ「ゴースト」シティの建設をやめようとせず、地方政務債務は膨大な額へと積み上がっている。

「いつどこで爆弾が破裂するのかわかりませんが、そうなったら世界経済も道連れです」とアシュリーは言ったが、二十三歳という若者からの警告だけに、いっそう不吉に聞こえた。「とても無残な結果になるでしょう」

アシュリーは共産党員一家の出身で、中国社会については珍しく考え抜かれた批判的意見を持っていた。中国西部で二人の共産党員幹部の娘として育てられた彼女はずば抜けた才能のある学生で、彼女の出身地の二七万人以上が参加した大学入試では、トップ四〇人のうちに入っている。高校時代と大学時代、中国のインターネットはまだそこまで厳しく管理されておらず、彼女は天安門事件後の世代、一九八九年六月に天安門広場にいた民主主義活動家たちの著作を読み、影響を受けてきた。そのなかには劉《リュウ》暁波《シアオポー》のようなノーベル平和賞を受賞した文芸批評家・人権擁護活動家もいた。二〇〇八年に劉は、政府に国民に対するより重い責任を持たせようとする、民主化の青写真である「〇八憲章」の連名執筆者となった。「〇八憲章」は立法・司法・行政の分離、結社の完全自由――共産党による口先だけの自由ではなく、フィフィが彼女の生徒たちに教えた自由――政党から独立した法の支配、都市部住民を特別扱いにしない社会保障制度、民主主義的な選挙、そして不当逮捕・不法拘留の廃止を要求したものだった。「〇八憲章」は共産党独裁にとどめを刺すものだったから、政府は劉に対し禁固一一年の刑を科した。

　共産党の内部に通じているだけに、アシュリーは党のシステムがどのように作動するか知っていた。友人たちが警官から「喝茶《ホーチャー》」に誘われた話を彼女に聞かせてくれた。「茶を飲む」というのは、談笑を装った当たり障りのない尋問を婉曲に表現した言い方だ。「〇八憲章」が発表されたのと同じ年、政府はインターネットの取り締まりの強化を始め、チベットで抗議行動が起きたあとはユーチューブを遮断する。中国北西部の奥地、新疆で反乱が発生したあと、政府はフェイスブックとツイッターの監視を始めた。アシュリーはそうした処置に対し本能的に怒りを覚え、共産党の致命的欠陥の一つは、経済分野も含めた暮らしの側面のあちこちに審判兼参加者として首を突っ込むことだと考えた。目覚ましい経済成長があったとしても祖国と国民がどこまで進歩するか、そこには限界があるとアシュリーは見ていた。

「中国の大部分の人びとが抑圧されているような状況ですから、国がその潜在力を最大限に活かすことなど期待できません」と彼女は言う。「この国で暮らすときに当てはめられる価値よりも、アメリカや西欧の価値のほうがずっと魅力的だと思います。よりよい学校、より質の高い生活、そういう場所に住みたくなるのは当然でしょう」

　アシュリーと知り合ったのはわたしがフリータクシーを始める前だったから、彼女を車に乗せる機会はなかったけれども、わたしは彼女に好意を抱き、彼女の視点に教わることが多かったので、連絡は保っていた。わたしが彼女の祖国の変化を注視し続けるあいだ、彼女はユニークな視点を与えてくれた。これまでになく繁栄する中国に愛想を尽かし、アシュリーは仕事と勉強のために、望むままに物を読めて発言できるずっと自由な暮らしを求めて、アメリカへ移住することになる。これから数年、わたしたちはオンラインでチャットし、彼女が夏のインターンシップでシカゴへ行くときには現地で会うことにもなろうし、アメリカの大学でのＭＢＡコースの一環として一学期ロンドンとパリに留学するときにはそこでも合流することになるだろう。そうこうするうちに、アメリカと中国で政治的大変動が起き、両国に関する彼女の認識も変わっていく。

第8章 チャイニーズ・ドリームの暗黒面

——クリスタル、ウィニー

多くの中国人にとって、夢の追求とは引っ越しを意味する。ロッキー、レイ、チャールズ、マックスの全員が、上海でのよりよい暮らしを求めて、田舎に家族を残したまま出立せざるをえなかった。クリスタルの旅はさらにスケールが大きい。ハルビンを去ったあと、彼女は看護師としてマルタ（シシリー島の南にある島国）と韓国で働いた。さて、アメリカに落ち着き先を得たクリスタルは、大急ぎで実家を逃れた際あとに残してきた妹をどうしても見つけなければという気持ちに急きたてられた。

わたしと一緒に山間部を探索したあと、クリスタルはハルビンで行われる弟の結婚式に出席した。彼女はそこで家族に朗報を届けたかったのだが。ミシガンの自宅へ帰る前に、彼女は父親の血液を携えて雲南省へ舞い戻った。警察が誰かの死体を発見した場合、ＤＮＡ検査をしてもらうためだ。彼女は警察で、ウィニーが失踪したとき、彼女が短期間彼女の夫と同棲していた農家に残していったラオスへの自由通行許可証の持ち主に何が起きたのかを尋ねた。この件を担当していた警官が警察のコンピュータを検索し、その男は交通事故で死んだと言った。

クリスタルはカオとも再会した。ウィニーのハンサムな友だちで、われわれにアイスクリームを買ってくれた男だ。わたしたちがカオと話したとき、彼はウィニーがどこに住んでいたか思い出せないと言った。だが今回彼は、ウィニーが身を隠す前、すなわちおよそ二年前に彼女が持ち物をしまっておいたアパートへクリスタルを連れていってやると約束した。そのアパートは、景洪の町を見下ろす高層ビルの一五階にあった。そこから見えるのは、ところどころ建設用クレーンとタイ風のとがった屋根によってアクセントが打たれた、同じような団地が雑然とした集まりである。そうした建築的アクセントは、この町がミャンマー、ラオス、タイから至近距離にあることを思い起こさせてくれる。アパートがあるのは町の中心部なのだが、雄鶏の鳴き声が一日中下から響いてくる。アパートの管理者は、ごく最近まで警察が来たことはなく、来たときですら、アパート内部にある物を調べに入ってくることはなかったと言う。部屋にあったのは、パソコン、携帯電話番号リスト、写真、ビデオ、覚書用ノートなどだ。違う言い方をするならば、警官は関心を示さなかったということだ。

そのアパートは、中国人出稼ぎ者にとって定番のスーツケースとも言えるビニールテープで編んだ鞄がぎゅう詰めの、途中で時間が止まったままのタイムカプセルだった。二年が経過したあと、衣服が詰め込まれたいくつかの鞄は乾燥腐敗し、縫い目から裂けていた。バッグの山のてっぺんには黒のハイヒールブーツが鎮座している。アパートはがらんとしていて、ピンク色のソファとタバコ一箱とライターが乗ったテーブルしかない。ウィニーが所有していた六棟のアパートの賃貸契約書と鍵が入った袋もあった。ＣＤコレクションを見ると彼女の音楽の趣味がわかる。マドンナ、ブリトニー・スピアーズ、エンヤ、ジョージ・ウィンストン、そしてウィンダム・ヒル・レコード――心を癒やし鎮静作用のある音楽で、大都市から熱帯地方の静かな町へ逃げ出した者にはおあつらえ向きだ。

「目に飛び込んできたものがありました」。アパート内部をぐるりと見回したあとだった、とクリスタルは言う。「ウィニーの最初の結婚の離婚証明書でした。コーヒーテーブルの上にぽつんと載っていたんです」

郵　便　は　が　き

おそれいりますが切手をおはりください。

101-0052

東京都千代田区神田小川町3-24

白　水　社　行

購読申込書

■ご注文の書籍はご指定の書店にお届けします。なお，直送をご希望の場合は冊数に関係なく送料300円をご負担願います。

書　　名	本体価格	部　数

★価格は税抜きです

(ふりがな)

お　名　前　　　　(Tel.　　　　　)

ご　住　所　(〒　　　　　)

ご指定書店名（必ずご記入ください）	取次	（この欄は小社で記入いたします）
Tel.		

『上海フリータクシー』について　(9759)

■その他小社出版物についてのご意見・ご感想もお書きください。

■あなたのコメントを広告やホームページ等で紹介してもよろしいですか？

1. はい（お名前は掲載しません。紹介させていただいた方には粗品を進呈します）　2. いいえ

ご住所	〒　電話（　　）		
（ふりがな） お名前	（　　歳） 1. 男　2. 女		
ご職業または 学校名		お求めの 書店名	

■この本を何でお知りになりましたか？

1. 新聞広告（朝日・毎日・読売・日経・他〈　　〉）
2. 雑誌広告（雑誌名　　）
3. 書評（新聞または雑誌名　　）　4.《白水社の本棚》を見て
5. 店頭で見て　6. 白水社のホームページを見て　7. その他（　　）

■お買い求めの動機は？

1. 著者・翻訳者に関心があるので　2. タイトルに引かれて　3. 帯の文章を読んで
4. 広告を見て　5. 装丁が良かったので　6. その他（　　）

■出版案内ご入用の方はご希望のものに印をおつけください。

1. 白水社ブックカタログ　2. 新書カタログ　3. 辞典・語学書カタログ
4. パブリッシャーズ・レビュー《白水社の本棚》（新刊案内／1・4・7・10月刊）

※ご記入いただいた個人情報は、ご希望のあった目録などの送付、また今後の本作りの参考にさせていただく以外の目的で使用することはありません。なお書店を指定して書籍を注文された場合は、お名前・ご住所・お電話番号をご指定書店に連絡させていただきます。

アパートのなかには、髪を赤茶に染め、最初の夫とともにカメラをぼんやりと見つめるウィニーの写真があった。七歳年下の太鼓腹の男。それからほんの数カ月後に撮った二度目の結婚の際の写真のなかで、ウィニーはまったく無表情に見えた。彼女の夫のルオは――あの辺鄙な村でインタビューしたゴム農園労働者――青いチェックのシャツを着てびっくりしたような顔をしている。たぶん知り合って間もない女性と結婚したことに驚いているのだろう。

アパートにはウィニーの過去を語る品目があちこちにあった。ストリップやエキゾチックな踊り方の練習用ＤＶＤの山、売春婦たちの告白本。そのなかには、足を洗おうとしたが失敗した女性の話なども含まれていた。ウィニーは病的なメモ魔で、シャングリ・ラやケンピンスキーなど、顧客と一緒に泊まったらしい大連の高級ホテルから持ち出したノート類一面に、数字、名前、考え事などを書き記していた。携帯電話で撮った写真もあった。たぶん彼女が情婦として付き合っていたビジネスマンが撮ったもので、大連の高層ビルの広々としたデュープレックスで一糸まとわずポーズをとっている。

だが、彼女の部屋に残された物からは、窮境から脱出しようとしていた女性の姿も浮かんでくる。ウィニーは中国の好景気がもたらした副次的効果の一つを享受していた。金をがっぽり稼ぎ、喜んで享楽に費やす男たち。だがある時点で、彼女は昔の暮らしから脱皮して、独立独歩のビジネスウーマンとして自分を改造しようと試みたらしい。彼女の蔵書は自己啓発本と教養書の山だった。『人格向上必携書』というタイトルの本のある章は、人前での話し方を指南していた。『好かれるために最善を尽くせ』というタイトルも。ほかには、アリババの創設者、馬雲《ジャック・マー》によるビジネス立ち上げについての本や西洋型経済の本があったが、さらにはまた『凡庸から卓越へ』、『マーケティングの王』、『人材マネジメントの方法』などがあった。こうした蔵書は、アメリカ版自己改善の体現者であるジェイ・ギャツビーや、チャールズの家の壁に貼ってあった唐詩を想起させた。

ウィニーは、借金と大連のアパートの売却代金六万四〇〇〇ドルを元手に、糸目をつけぬ不動産投資に走った。投資物件のポートフォリオを組み立てていくなかで、彼女は景洪市の何十というアパートを訪れ、その多くを携帯電話でビデオ撮影していた。彼女はもっと大規模な物件をねらっていたらしく、南カリフォルニアに来たかのようなスペイン風集合住宅のなかにある広々とした未完成のヴィラをビデオ撮影していた。さらには、地元で売りに出ていたバーのちらしを手に入れ、ビール醸造設備の販売業者とオンラインでチャットしていた。

今や自己改造はアメリカ同様、中国において人びとが広く信じるものの一つになっている。彼女なりのやり方で、ウィニーは自分を変え、姉のように成功を追い求めようとした。しかしウィニーと姉には相違点があった。それは最初の一歩である。彼女は、きらきら輝く高層ビルのかなた、中国の都会生活の薄汚れた現実の裏側で金を作った。そこから逃れようとした彼女だったが、それはどこまでも付きまとった。レイやロッキーのように自分の実力で成功を収めた中国人もいるけれど、中国の好景気の陰部を利用して成功した者たちも大勢いる。ウィニーの物語は――そしておそらく彼女の運命は――チャイニーズ・ドリームの暗黒面だったのだ。

「妊娠検査がカギでした」と、クリスタルはわたしに言った。

最初の夫と離婚してから六日後、ウィニーは地元の病院で妊娠検査をし、陽性の判定を得た。しかしその検査には二つ、妙な点があった。書類の上では彼女の年齢が二十四となっているが、そのときの実年齢はそれより十歳上だった。二つ目は次のような事実だ。妊娠検査で陽性と判明した一カ月後、彼女は別名を使って病院へ行き、ＩＵＤ（子宮内避妊器具）を取り出してもらっている。であれば、そもそも彼女が妊娠していたはずがない。さらに混乱を招く細部が積み上がる。ウィニーが最初に行方不明になったとき、彼女の父親と義理の兄は景洪へ飛んだ。二人はカオに会った。カオはウィニーのアパートの鍵を持っていることを決して明かさなかったから、二人は鍵屋を雇ってドアを開けた。立ち去るときに彼らは、あたかも犯罪現場であるかのように薄いテープでドアを封印した。さて、それからほぼ二年後、クリスタルはドアの写真を撮り、情報交換のためにそれを父親と義理の弟のところへ送った。

「父はテープが違っていることにすぐ気づきました」と、彼女はわたしに言った。「誰かがドアを開けて部屋に入った証拠です」

彼女が知る人物で鍵を持っていたのはカオしかいない。父と義弟は、二年前にアパートに入ったとき、カオとウィニーが交わした覚書を見たと言ったが、そのメモはどこにも見当たらなかった。ところが実際には、誰かがその覚書ともう一つの覚書を、衣類の詰まった十数個の鞄の一つに隠していた。二通の覚書は、二人のあいだで交わされた私的な契約のように読めた。

「カオとウィニーは生涯を共にする」と一通目の覚書に書いてあり、カオのものらしい署名があった。「二人が別れるようなことがあれば、カオの家庭は破綻し、彼の家族はみな死ななければならない」

その覚書が意味するのは、もしカオがウィニーのもとを去る場合には、カオは自分の家族を呪い、その破滅を願う、ということだ。そこにはカオの自宅住所が記してあったが、おそらく、カオが裏切った場合にはウィニーが彼の妻を訪れて不倫をばらす、という算段だったのだろう。二通目の覚書はもっとあっさりとしている。

「いかなる理由であれ、その原因があなたの妻にあったとしても、わたしたちが別れることになった場合、わたしはあなたが家庭に戻ることを許す」とウィニーが書いている。「しかし、カオはほかの女と親しくなってはいけない」

ウィニーのコンピュータには、カオと彼女が一緒に写った写真とビデオが残っていた。本物の夫たちと撮った死んだような結婚写真とは対照的に、こちらのは愛し合っているのが見て取れるカップルの写真だった。抱き合っているセルフィーもあった。日暮れ時の二人のドライブを、ウィニーはビデオで撮っていた。タバコをくわえたカオの横顔が見え、彼の頭部が沈みゆく太陽を背景に黒い影になる。彼は首を回してウィニーを見つめる。口もとにかすかな笑みが浮かんでいる。

二人がセックスをしている最中のビデオもあった。ウィニーが二人の関係を暴露しようとした場合、これを脅しのネタに使えるとカオは考えていたのだ。ウィニーはカオの妻の写真も持っていた。髪をポニーテールに結った不器量な女性だった。長くて形のいい脚を持ち、赤いミニスカートと黒のマニキュアを好んだウィニーとは対照的だった。カオの家族の写真を見ることで、ウィニーは自分を痛めつけていたようだ。数ある写真のなかに、鮮やかな黄色の菜種畑のそばで息子とともに納まったカオの妻の姿があった。

「夜も遅いのに、眠れずに寝返りを打つ」と、ウィニーは写真の下に書き込んでいた。

彼女がしまっていた写真のなかでいちばん衝撃的なのは、彼女が大連で情婦をやっていた初期の頃に写した一連の写真だった。とくにある一枚は、未来に対する彼女の野心と彼女の質素な出自を同時にとらえていた。早春のある土曜日の朝、海に接して曲線を描く石造りの岸壁に立つ彼女はワイン色の花柄のスカーフを巻き、グレーのピンストライプ生地でできたダブルのオーバーコートの襟を立てている。ミステリアスで洗練されたポーズをとろうとしている彼女の視線はカメラから離れた方角を向き、ブロンドのハイライトを入れた波打つ長髪が、彼女の顔をカーテンのように覆っている。ところが、彼女が演出しようとしていたムードが、彼女の視野には入っていなかった画面右端に見えるものによって台無しにされていた。緑色の作業服を着た角刈りの出稼ぎ労働者が、中国のいたるところで見かける青い六輪トラックの後ろの荷台に立っていた。労働者とトラックは、ウィニーが投影しようとしていた富と洗練をひっくり返し、ファッショナブルなイメージを見事に台無しにしていた。ウィニーにとって過去は常に現在に付きまとった。

同じ朝、しばらくあとに撮った写真では、石組みの煙突と湖を見下ろすテラスを備えたアメリカ式木造建築が点在する住宅地で、ウィニーがモミの木に囲まれた丘の中腹で横になっている。その九年後、彼女の姉クリスタルは新たに結婚した弁護士の夫とともに、ミシガン州中央部の湖が見下ろせる場所に建つ、似たような家に移り住むことになる。ウィニーの見果てぬ夢の成就である。


妊娠検査に関する情報とウィニーとカオのあいだで交わされた覚書を持って、さらなる探索のために、わたしはヤンと一緒に景洪に飛んだ。ある日の朝、わたしたちは妊娠検査を行った病院へ向かった。あらかじめヤンが連絡をつけておいてくれ、わたしたちは検査室へ案内された。そこで会った白衣の若い女医に、わたしはことの顛末を標準語で説明した。

「これを見ていただいて、本物かどうか教えてくださいませんか？」と、わたしは携帯電話で撮影した書類の写真を見せながら尋ねた。

「どこでやった検査ですか？」と、女医はいぶかしげに訊き返す。

この病院です、とわたしは検査を担当した医者の名前を言及して説明した。

「ここじゃないでしょう」と、彼女はそっけなく言った。「そんな名前の医者はいないし、こんなＩＤ番号は使ってませんから。このレポートは偽物です」

別の医者がウィニーの診療記録を検索し、以前行われた正式な妊娠検査を見つけたが、その結果は陰性だった。ウィニーはワード・ドキュメントを使って陽性という結果を捏造したのだろう、と彼は言った。

「妊娠検査を捏造するだなんて、どういう目的で？」と尋ねたわたしだが、答えはあらかた予測できていた。

「勤めを休みたいという娘さんがいます」と女医が言う。「ほかには『わたし、妊娠した』と言って、男から金をむしり取ろうとするのもいます。偽の診療記録で仕事をサボろうとするのは結構ありますから」

それは本当だ。その前年、中国のオンライン・ショップは偽の診察書の濫造で——事細かに偽造した診療記録まで請け合うこともあった——大繁盛していた。仕事を休んでサッカーのワールドカップを見たい人たちのためだ。仕事をサボりたいので仮病を使いたい、よって大量の偽診断書が出回る、それは理解できるがウィニーのケースは違う。彼女は仕事に就いていなかった。ヤンが、素人ならばウィニーの偽の妊娠検査結果で騙されるだろうか、と質問した。つまり、医療専門家でなければこれで十分騙せるかと。

「みんな信じるでしょうね」と医師は答えた。

わたしたちは再度カオと連絡をとった。デリケートな話題の場合、わたしは相手の表情やボディランゲージを読み取れるよう、だいたいいつも面と向かってのインタビューを好む。だが、この失踪事件は日を追うごとに翳《かげ》りを濃くしていった。最初希望を抱いて開始した捜索が、次第に不吉な様相を帯びてきた。ひと月前に昼食を挟んでカオと談笑したときに、彼はウィニーとの関係について嘘をつきまくっていたことになる。わたしたちは、彼にプリペイド式携帯から電話し、こちらの居場所を告げないほうがよかろうと判断した。わたしたちが電話をした理由を知ったら、即座に切られるのではないかという不安はあった。だが実際には、彼は気まずい雰囲気のなかで四〇分間話をしてくれた。彼がウィニーを捨てたら彼の家族は脅しを受ける、という覚書を見たという説明からわたしは入っていった。

「あれは彼女が書いたんですよ」カオはきっぱりと言った。

「なぜ？」

「わかりません。でもごく最初の頃から、わたしたちは単なる友だちで、わたしには家族があると言ってありました。その後、わたしとしばらく過ごしたあと、彼女が何を考えるようになったのか、わたしにはわかりません。ある日、彼女はその覚書を書きました。でも、あなたがこの話を持ち出さなかったら、わたしは忘れていたでしょうね」

いやいや、自分の家族が脅迫にさらされるような覚書ならば、大半の人は覚えているものだろう。カオがウィニーのことをずっと友だちと呼んでいるので、彼は不倫を否認しようとしているのかといぶかった。

「彼女のことを愛していたの？」とわたしは尋ねた。

「もちろん愛していました」

「彼女はあなたと結婚したかったのかな？」

「ええ。わたしが離婚することを望んでいました」とカオは言い、彼女は繰り返し催促したことを言い添えた。「彼女は、わたしが離婚したら、その償いとしてわたしの妻にアパートを一棟与えるべきだとも言いました」

カオは自分の立場を守り、最終的には関係を絶つことに決めた。

「彼女との関係を続けることはできなかった。だって、あのままだったら彼女は精神的にどんどん沈んでいくだけだったでしょう。違いますか？」と彼は言った。

カオが決意を告げると、ウィニーは言葉を失って泣いた、と言う。

「わたしはそのことを二、三回話し、彼女は暗黙のまま承諾したんです」とカオは回想する。「別れたあとはいつもわたしを友だちとして扱ってくれました。彼女の引っ越しを一度手伝いました。でもそのあと、彼女から音沙汰はなく彼女にコンタクトもしていません」

ウィニーが失踪する数カ月前、カオの妻と息子が彼に会いに景洪へやってきた。カオはウィニーに、妻子が町にいるあいだはあまり電話をよこさぬよう注意した。彼女はしばらくは言うことを聞いていたが、そうこうするうちに彼に電話をしてきて会ってくれと頼んだ。もし来ないなら、そっちのアパートに押しかけていって不倫をばらすと彼女は脅した。

「どうしようもありません、わたしは出かけました」とカオは言う。「いったん彼女のところへ行けば帰れません。嘘をつかなければなりませんよね？　男なんて嘘つきでしょう？　そこでわたしは妻に対して、別のところで仕事があって、と説明しました」

彼の妻はそのあと、カオの従業員の一人に電話をしたが、彼が言うカオの居場所とカオの説明とのあいだに矛盾があり、結局作り話はばれてしまった。

「あとでわたしは妻に真実を話しました。そして最終的に彼女は許してくれました」と、カオは淡々と言った。

カオによると、それは七月中旬のことだった。ウィニーは偽の妊娠検査の日付を一週間後にしていた。わたしたちは、彼女の妊娠検査は陽性だったと彼に告げた。

「それは知りませんでしたね」と、カオはとぼけたような言い方をした。

たたみかけてわたしは言った。ところがそれは偽造だったと。

「あああ、そんな！」とカオが反応した。長いあいだ引きずっていた謎の回答をついに得た男のような声を発して。

なぜウィニーは検査票を偽造したのだろう、という推理にカオは決して乗ってこなかった。そうやって数分間、その疑問から逃げ回ったあと、その検査票の偽造が自分をねらったものだとしたら、それは彼女との結婚を自分に強いるためだろうという点を彼は認めた。しかしカオをねらったものではないとして、偽検査票の効力が彼の想定どおりだとしたら、ゆすりの対象は誰だったのだろう？　カオはいつもの調子で、わからない、と言った。そして、かつては愛を捧げた女性から、距離を置こうとするのだった。

「わたしは毎日仕事をしていますから、一緒に過ごしたのはほんのときたま。ですから彼女について知っていることはわずかです。それ以外の彼女の人生について、わたしにはわからない。わたしに向けてなのか、誰かほかの人に向けてなのかわからないけれど、きわめて不道徳な行為です。どうしようもない悪行だ」

カオが最後にウィニーを見たのは、彼女が失踪する直前だったという。中国のその地域で麻薬取引と人身売買が盛んに行われていることを考えると、何か恐ろしいことが生じたのではないかと思う、とカオは言った。

「こんなに長い時間が経ってしまったあと、彼女がわたしとの連絡を絶つのはわかるにしても、自分の家族たちとの連絡はとるべきですよね？　人質に取られたか、誰かに殺されたのでしょう」

ウィニーの書類のなかから、わたしたちはいくつかの電話番号を書き留めていたので、プリペイド式携帯からかけてみようということになった。一つ目の番号は使われていなかった。二つ目は、ウィニーが配っていた自分のアパートの賃貸広告に載せていた番号だ。電話に出た人を驚かせたくはなかったので、ヤンが電話を手に取って、わたしはヘッドホンで傍受していた。呼び出し音が三回鳴った。

「ハロー？」男が出た。

「販売用か賃貸用のアパートをお持ちでは？」ヤンが訊く。

「誰だ？」

「アパートを買いたいんです。ある不動産業者があなたの番号を教えてくれたので」

「何だって？」

ヤンは同じ質問を反復した。

「あんた、番号を間違えてるよ」

「これ、景洪市の番号ですよね？」とヤンが尋ねる。

「あんた、どこからかけてる？」と男が訊き返した。声からすると四十代だろう。

「景洪でアパートを買いたいんです」

「あんたは今どこにいるのか、と訊いてるんだ」男が攻め立ててきた。

「今、景洪です」

「景洪のどこだ？」男は警戒心をにじませ、攻撃的な口調で再度訊き返す。

「町の中心ですが」

「どうやってこの番号を知った？」

「不動産屋が教えてくれて」

「どの不動産屋だ？」

ヤンはその質問から逃れようとする。

「あんたはどこから来たんだ？」と男は繰り返す。

「雲南省の外からですが」

「オーケー。じゃあ今はどこにいる？」

ヤンは危険を感じ、答えをはぐらかした。

わたしの心臓の鼓動が速まった。間違い電話だったので電話を切っておしまいにするというような男だったら、こんな質問はしてこない。あるいはウィニーが使っていた電話番号を解約後たまたま割り当てられたような男でも、こんな反応はしない。わたしにとってこのときの会話は、番号間違いと判明してからもなお話し続けた最長の会話だった。今われわれはウィニーを知っていたに違いない男と話をしている、そういう直感がわたしにはあった。

彼は彼で、わたしたちの正体を暴きたがっていた。

今すぐ。

「アパートを買いたいと言われてもね、わたしはアパートなんか持ってないんだよ」と男は言った。続けてこう言った。「で、会えるかい？　オーケー？」

「販売物件をお持ちでないなら」とヤンが言う。「この話は忘れましょう」

そのあと長い沈黙があった。そして男は電話を切った。

ヤンとわたしは目を丸くして顔を見合わせた。

「この会話、どう思った？」とわたしは尋ねた。

「すごく怪しげな人物ですね、わたしのことを根掘り葉掘り訊こうとしたり」

「こちらの正確な居場所を知りたがっていたね」とわたしは言う。「きわめて危険だ。そもそも売れるアパートを持っていないなら、それも番号を間違えて電話をかけてきた人に、なぜ会いたがるのだろう？」

当初漠然としていたことが、今や明確になってきた。わたしたちは未知の領域に踏み込みつつあり、ウィニー失踪の物語はその細部が明らかになるにつれ、ますますただごとならぬ様相を帯びてきた。わたしたちは、どうやら妊娠検査をごまかしたあと行方がわからなくなった、少なくとも偽の姿を一つ持つミステリアスな女性を調査しているのだった。彼女は既婚男性と関係を持った挙げ句、自分たちの不倫を暴露すると脅した。さらに驚くことに、彼女が彼女を捨てた場合、彼女は彼の家庭の破滅を願ったりもした。

　そうこうするうちに、わたしたちの手がかりが枯渇してきた。ウィニーが農家に置いていったラオスへの通行許可証の持ち主だった男性は死んでしまった。警察は彼女の最初の夫を見つけることができず、この件をさらに追求する興味はない。そして今、彼女が持っていた電話番号の一つを呼び出してみたが、すぐさまわれわれの居所を突き止めたがる威嚇的な声に対応するはめになった。わたしはナショナル・パブリック・ラジオの警備担当者に話してみたが、ウィニーを探し続けるのは賢明ではないと言われた。ここまで知り得たことをクリスタルに話してみたが、彼女ですら、あちこち嗅ぎ回るのはもはや安全ではないと考えていた。

　ウィニーに何が起きたのかはわからずじまいだった。とはいえ、そこまでの事実によっておおよそのことは言える。彼女は人生の一発逆転を期して雲南省へ引っ越し、妻帯者と恋に落ちた。彼女が望んだのは、姉が手に入れたような、いい収入と生涯を共にする恋人に恵まれた安定した人生だった。彼女はそれを勝ち取るためにどんなことでもした。妊娠したふりをし、不倫を暴くと脅迫した。どこでやったにせよ危険をはらむ一連の行為だ。しかしこの黄金の三角地帯の境界にあって、ウィニーは家族のない無名の出稼ぎ労働者でしかなく、そこの警察はたちが悪く、無謀だったとしか思えない。それにウィニーは完全に心を入れ替えたというわけではなかった。彼女は、用心深く情報を守り複数のＳＩＭカードを使い分けることによって、自分の人生を切り分け続けた。カオとの関係が壊れると、彼女は自分をコントロールできなくなり、ほとんど知らない二人の男と一カ月のうちに結婚しては別れることを繰り返した。チャイニーズ・ドリームを達成する代わりに、ウィニーは中国の暗黒世界へ落ちていった。

上海に戻ったあと、わたしの知人、不倫調査でキャリアを確立した私立探偵に会いに行った。情婦殺しというニックネームをつけられたウェイは、一六〇〇件以上の調査を手がけていた。情婦の勃興を、経済的観点からとらえていた人は多い。ウィニーのような貧しい田舎娘にとって情婦になることは、少なくとも理屈のうえでは経済的自立を得るための近道であった。だがウェイは、急成長してきた彼の不倫調査ビジネスを、いわゆる中国の奇跡の中心に隠れた腐敗度の指標であると考えていた。市場経済は、考えも及ばなかった誘惑を提供しつつ、この国を異常な速さで突進させてきたが、こうした驚くべき変化に人びとが取り組めるよう支援する道徳観の構築は、はるかに立ち遅れてしまった。中国の急激な変化は、大半の人びとにとって容易に消化できたり乗り切ったりできるようなものではなく、ウィニーのような悲劇は経済発展の代償なのだった。

「中国の経済面での大成功は人びとの道徳的・精神的退廃を隠してしまいました」とウェイは言った。「外面的にはきらきら光って見栄えがよく、全世界が注目しているけれど、実際に中身を見ると芯まで腐っています」

ウィニーはどうなったと思うか、ウェイに尋ねてみた。不倫調査に専念してきた長年の体験からすると、ウィニーがとったような危険を冒した人たちはだいたい同じような運命に陥る、と彼は言った。

「彼女は死んでます」

アメリカへ帰国する前に、クリスタルは、置き去りにしたままの妹を探す最後の試みをした。雲南省の山地を越える九時間のバスの旅をして、ウィニーが最後に目撃されたというホテルへ行った。彼女は町の市場でビラを貼り、ウィニーの人相書きに当てはまる人物を誰か見かけなかったか訪ねて回った。過酷な旅だった。バスは軍の検問所をいくつか通り過ぎ、ガードレールのないつづら折りを走った。地元の方言しか知らないバスの同乗者とは話が通じなかった。運転手は、対向車がいつ現れるかわからないのに黄色い二重のセンターラインを平気で越えた。アメリカへの帰国準備をしていたクリスタルにわたしは、中国で過ごした三週間ほどのあいだ、何か得たことはあったかと尋ねた。

「アメリカでの生活が懐かしくて」と、笑顔にも、泣き出しそうにも見える顔で彼女は言った。「なんだかアメリカ文化に甘やかされたみたい」。彼女の声が震え始めた。「ここじゃ、わたしは何者でもないんです」

妹を見捨ててしまったという自責の念を振り払うこともできずにいた。クリスタルはどうにか軌道に乗って、アメリカで幸福な生活を築いたのに、ウィニーは何千キロのかなたで蟻地獄へ落ちていった。共産主義時代の中国で、人びとの暮らしはみなだいたい同じだったけれど、資本主義下では勝者と敗者が生まれてきた。わたしのアパートの駐車場に車を停めているような連中は大勝利を収めた口だが、他方ウィニーのように何もかも失い、自分の命で片をつける人たちもいた。

第9章 メイキング・チャイナ・グレート・アゲイン

——レイ、チャールズ、フィフィ

一〇年間の政治不安のあと、習主席にとって最大の挑戦の一つが、中国国民の共産党支持を取り戻すことだった。彼は、ソビエト連邦が、内部崩壊を起こすほどに衰弱した姿を目撃しており、共産党に対し同じ轍《わだち》を踏む危険があると告げた。社会主義はまったくと言ってよいほど信用を失い、共産党は、中国〔中華民国〕最初の国家元首だった孫文が、よく知られているように「ばらばらの砂」と評した膨大な人口を一つにまとめるイデオロギーを、もはや持ち合わせていなかった。そこで習近平は、期待に胸膨らませ、次第に落ち着きを失ってきている人びとを共産党に近づけるために、中国人としてのアイデンティティと愛国主義を強調する一方、人びとの怒りを国外の敵と歴史上の傷へぶつけるよう促した。この努力は実を結び、国営新聞、映画館、ミュージックビデオのなかにどんどん表れた。次いつどこでこのプロパガンダの不意打ちを食らうかわからない。

ある春の宵、わたしは近くの小学校の学芸会に出かけた。典型的な上海の学校ではなく、進歩的で海外志向の学校だった。習近平のますます国家主義的で権威主義的になってきた支配下では、その学校はほとんど反体制的にも、抑圧に対する対抗勢力のようにも映った。フィフィを教職から追い出し、人権派弁護士ジョハンナの数多くの仲間たちを投獄した抑圧だ。

生徒たちが、その日の朝八時からドレスリハーサルに励んでいた二時間のショーは二カ国語で行われ、中国の伝統音楽と舞踏、そしてもっと自発的で遊び心に満ちた西洋的なものとが完璧に合体した作品だった。ショーは広々としたステージの上で「We Are the World」風に両手を振りながら生徒たちが歌う校歌で幕を開けた。次が「溢れんばかりの花が満開」という曲。ステージに座ってスポットライトを浴びる緑色の衣装を着た少女たちによる、中国風のツィター〔古筝〕のつま弾きで始まった。音の一粒一粒が雨だれのように聞こえる。それに続いて古詩の朗読が行われ、農村生活への敬意を表した唐代の詩『憫農（農民を憐れむ）』などが含まれていた。次のプログラムは、上海暮らしの日々の現実を反映した作品だった。何人かの生徒が咳をしたり不平をこぼしたりしながら、ステージ上を歩き回っている。

「どうして汚染がこんなにひどいんだ？」と生徒の一人が尋ねる。

まもなくスポンジを手にした何人かの生徒たちが合流する。彼らは地球にシャワーを浴びせて環境を洗う動作をしている。一見、その舞台からは人びとが大っぴらに公害を語り、子どもたちも環境問題意識を育《はぐく》みつつあるかのような印象を受ける。

「今あるものを大切にしよう」と彼らは歌う。「水をきれいに保とう。よりよい暮らしを築こう」

しかし最初の子のやっかいな疑問――「どうして？」――に対する答はなされぬままだ。その問いに正直に答えようとすると、共産党が経済成長を加速させるため、工業界の雇用維持のため、政治的安定のため、そして究極的には党の権力把握のために産業が大気を汚し、何億という民の寿命を縮めたことを認めなければならなくなる。となると、これはもう小学生のなごやかな学芸会が扱う題材ではなくなってしまう。赤白の縦縞シャツと褐色のズボンの六人の少年がステージに登り、ドラムとギターとキーボードでビーチボーイズの「ファン・ファン・ファン」の演奏を始めると活気が出てきた。ピンクと緑のスカートをはいた絶叫少女たちがステージ上に殺到する一方、クレーンの先のカメラが演奏者を追い、あたかも一九六四年のアメリカン・バンドスタンド〔アメリカの音楽バラエティ番組〕の再現のように、彼らの白黒映像が大スクリーンに映写された。少女たちがシミー〔肩だけを前後に揺らすダンス〕を踊り両手を宙に投げ上げるかたわらで、スケードボードに乗った三人の少年が疾風のように駆け抜けた。

「And we'll have fun, fun, fun 'til daddy takes the Tesla away」と子どもたちが歌う。

その後何曲かが終わると、子どもたちは一種の世界讃歌を歌いながら、ステージを自転車で走り回った。

「世界の人びとはみな平等、でもそれぞれにみな違う」というような意味の歌詞を彼らは歌った。「お互いに助け合う準備はできている、いつでもどこでもあらゆる場所で」

次に、赤いホットパンツをはいた五人の少女が、ディスコ音楽の古典「恋のサバイバル（I Will Survive)」に合わせてブレークダンスを披露する。そのパフォーマンスの最中に、誰かが習主席の言葉「世界は運命を分かち合う」を引用した。

すばらしいショーだった。この上海の小学校は、二〇〇八年の北京オリンピック以後、共産党がつかみ損ねていた世界にアピールする魅力を編み出したようだ。彼らのパフォーマンスは、西欧のポップカルチャーを吸収しながらも古き中国の伝統に敬意を払う、開放的で楽しむことも知る中国を表現していた。唐詩と古箏をブライアン・ウィルソン〔ビーチボーイズのリーダー〕とグロリア・ゲイナー〔「恋のサバイバル」の歌手〕を結びつけてしまった。ソフトパワーの真髄と言えよう。

ところが最後から二番目の曲が始まると、ショーは色合いを変えた。赤い照明がステージを浸し、五〇人の生徒がカーキ色の半ズボンとスカートをはき、白の半袖シャツを着、首に赤いスカーフを巻いて登場した。小さな兵士のように直立不動の姿勢をとった子どもたちは、中国共産主義青年団が指導する全国組織、中国少年先鋒隊の格好をしているのだった。子どもたちは、第二次世界大戦のときの日本軍の中国侵攻に対する抗戦運動、「狼牙山五壮士（狼牙山の五人の勇士）」と称される、中国の全生徒が暗記している物語を語り始めた。大砲の音を模したラッパとドラムが轟くなか、毛沢東の八路軍兵士に扮した五人の少年が、山を象徴する箱の上に立って大見得を切った。少年たちが巨人に立ち向かう弱小者の軍記物語を再現するあいだ、一人はライフルで照準を定め、もう一人は挑戦的にこぶしを宙に振り上げる。一九四一年、少数の共産軍兵士が日本軍を騙して彼らを追わせるように仕向け、北京の南西、河北省にある狼牙山におびき寄せた。敵の主力軍だと勘違いして追いかけた日本軍は貴重な時間を浪費した。だが英雄たちの弾丸が尽き、共産党史によると、彼らは崖から飛び降りた。三人が死に、二人が木の枝に引っかかって助かり、この話を語ったという。その晩の芝居は八分を要し、最終的に五人の生徒たちが箱から飛び降りて幕を閉じた。ステージの両側に設置されたスクリーンに中国語と英語のメッセージが流れた。「五人の国民的英雄は、祖国の領土保全と国の威信を守るため、勇敢に自分たちの命をかけて外国からの侵略者に抵抗した。詩の詠唱と演技を通して、生徒たちは国民的英雄に多大なる敬意を払い、われらが祖国に対し、また世界平和という揺るぎなき価値に対し、大いなる誇りを表明した」

しかし愛国的テーマはそこで終わらない。ふたたび赤い照明がステージを照らし、少年先鋒隊が、国に命を捧げた兵士のための花輪を持って戻ってきた。彼らは巨大スクリーンのほうへ向き直ってひざまづいた。スクリーンの上で巨大な赤い中国国旗が風にはためき、次のシーンでは兵隊が敬礼したままグーステップで行進する。中国の最新型空母の一つが姿を現し、飛行甲板に並ぶ戦闘機、そしてそれが空高く飛翔する眺め。そして、落下傘部隊が飛行機から飛び出して降下していくイメージが続く。

なぜ、上海の小学校が開いた学芸会のクライマックスに、ほぼ八〇年も前の戦時下の出来事を持ってきたのだろう？　それは国家の威信と歴史的被害者意識を共有することによって、全国民をより効果的に束ねるためだ。共産党に対して公平を期して言うと、中国にはそのための素材がたくさんある。中国がいちばん嫌いな国は日本であり、一九三七年の中国侵略の際の、そしてその後も続いた野蛮行為のせいで憎悪を買ってしまった。大半のアメリカ人は第二次世界大戦でナチスが引き起こした惨事を知っているが、日本も恐ろしい残虐行為に手を染めていた。何年も前に、日本軍がハルビン市に設置した悪名高き七三一部隊による生物兵器開発の実験台にされた男をインタビューしたことがある。ある冬の夜ふけ、石炭を焚いて暖を取りながら、その人は、医者たちによってペスト菌に感染させられたが、死ななかったために手術台に乗せられ、感染の臓器への影響を検分するためにある医者によって麻酔なしで解剖されかけた、という話を語った。その日本人医者は、解剖準備の最中にその男が、さかのぼること数年前、近所に日本人診療所を建てたとき手伝ってくれた男だと気がついた。

「彼はわたしの友人だ」と医者は言い、執刀が中断されるという珍しい事態のなか、助手に彼を連れ出すよう命じた。

「彼のひと言がなかったら死んでいたよ」と老人は、しわ寄った皮膚にうずもれた目に涙をにじませながら、わたしに言った。

こうした歴史があるから、経済規模で世界第二と第三の国同士の関係が緊張をはらんだものになっている。中国は、東シナ海の釣魚《ティアオユイ》群島〔日本側は尖閣諸島と呼ぶ〕をめぐって日本と揉めたままで、それゆえに小学校の芝居のなかに「祖国の領土保全」という表現が出てくる。空母、ジェット戦闘機、そして兵士のイメージに接した観衆は、経済ブームに資金を得て急成長した軍事力が、過去において中国の弱みにつけ込んできた日本のような旧敵から国を守ってくれている、としみじみと感じるのだった。

「狼牙山五壮士」は、絵画、映画、芝居、そして博物館の展示を通して語られてきた誰もが知る物語を活用し、こうした価値観を十分に認識させる手段としてすばらしかった。都合の悪いことに、中国人全員が、五人の英雄は少なくとも九〇人の日本兵を殺したとか傷つけたという主張を含む「狼牙山」物語の最初から最後までを信じているわけではない。数年前には、洪振快《ホンチエンクアイ》という歴史家が、その共産党兵士たちは実際何人の敵を殺したか、そして彼らは山から飛び降りたのか、それとも――美談にはならないが――滑り落ちたのか、という疑問を提起した。

保守陣営と共産党機関メディアは洪を非愛国的であると攻撃し、中国政府が言うところの「歴史的ニヒリズム」に陥っていると非難した。共産党支配を正当化する党公認の歴史に異議申し立てする態度を言う。五人の英雄のうち二人の息子たちが洪を訴え、彼は裁判で負けた。五人を肯定的に評価せず、「不十分な証拠」に基づいてあの出来事に疑義を投じた、という判決だった。

「かくして中国国民の精神的価値に損害を与えた」と判決は言う。

洪振快はこの裁判結果には驚かず、習近平のもとでいっそう権威主義的になってきた共産党文化に政府が回帰した結果だとした。

「政治的な風が左寄りになってきたのを目撃していました。そして左派はいわゆる紅色文化《レッドカルチャー》〔共産党精神〕を擁護したがっています」と、洪振快は『ニューヨーク・タイムズ』紙に語った。洪のウェイボー・アカウントは閉鎖され――漫画家の変態唐辛子と同じように――自己弁護の道が閉ざされた。日本軍を食い止めた戦争の英雄を尊敬すべきだとは思う、と洪は言うが、事実も尊重すべきだと言う。

「日本軍の侵略に抵抗するために軍隊と民衆を鼓舞する必要があったから、当時のプロパガンダが誇張されていたであろうことは理解できるが、今や人びとは歴史的真実を知りたがっている」と、彼は『財経』誌に書いた。

洪振快の弁護士の一人は、あの裁判の結果は政治的圧力が加わったもので法律に則ったものではない、と語った――まさに人権派弁護士のジョハンナが上海で、彼女の顧客リーのために討論し負けた例と同じだ。

「あの判決は、当局が自信を欠いていることを示している」と、歴史家の弁護士は言った。

共産党指導者の権威が過去数十年のなかで最も強力で大衆からの支持もこの上なく高いとき、そして国の世界的注目度がこれまでになく高まっているとき、共産党創設にかかわる多くの神話の一つについて根掘り葉掘り疑義を呈するような歴史家を、政府は恐れる。それは、共産党のイメージが対外的に、また国内においてもいかに強力であろうとも、党が立脚する土台は外目に見えるよりも軟弱で不安定であることを示している。

共産党は「歴史的ニヒリズム」をどの程度懸念していたのだろう？　二〇一八年に中国政府は、国家的英雄に疑問を投じることを禁止する法律〔「英雄烈士保護法」〕を成立させた。

「英雄烈士の事跡と精神の歪曲や醜悪化、中傷、否定を禁止し、侵略戦争と侵略行為の宣伝美化を禁じる」と、国営通信社の新華社が同法の内容を要約して報じた。また、同法に抵触した者は刑事責任を追及されるとしている。


ある日の午後、わたしは金融街、陸家嘴の上海タワーにあるレイの新しい法律事務所へ出かけた。上海タワーは市内でいちばん高いビルで六三二メートルもあるが、所有者である政府コンソーシアムは、まだほとんどが空っぽで広大なオフィス・スペースを埋めるために、家賃割引や奨励制度を提供していた。わたしたちは会議室に座り、通りの反対側に並ぶ高級商品店を眺めていた。ルイ・ヴィトンの店の正面はダイヤモンドのようにきらめき、世紀大道をまたぐ歩道橋に設置された相場速報機がダウやニッケイの株式相場を次々に流している。そうした風景を感慨深く眺めながら、レイは湖北省の田舎で撮った子どもの頃の写真を思い返していた。ぬかるんだ道の上、泥れんがで作った小屋の脇に立つわずか二歳のロッキーと撮った写真だ。

「アフリカの原住民レポートで見かけるような小屋ですよ」と言うレイは、ピンクのシャツにテーラーメイドのグレーのスーツを着こなしていた。「この界隈も」と、彼は陸家嘴を指して言う。「二〇年前には何もなかったし」

当たらずと言えども遠からず。その頃はルイ・ヴィトンも、その周囲のほぼすべてのビルも存在しなかった。金茂タワーだけがそのあたりに立っていた唯一の高層ビルで、二階建ての中国式家屋が立つ荒廃地の上にそびえていた。その後、そうした家屋も取り壊され、もともと何もなかったような草地になった。ビル開きがあった一九九九年に、わたしは金茂タワーの写真を撮った。あまりに高いので——四二〇メートル——全体をカメラに納めるためにわたしは草原に寝転がらなければならなかった。

それが今、レイに言わせれば「まったく違う世界」になった。

彼の法律事務所を見学させてもらったあと、わたしはレイを車に乗せてあの歩道橋の電光掲示板の下をくぐり、川の下のトンネルにもぐったあと延安高架路へ上った。高架道路を行けば、かつての上海市の西欧風全盛期を特徴づけていたいくつかのコロニアル風建築のそばを通り越す。左手に見える一九三〇年代の娯楽複合ビル、大世界《ターシーチエ》は曲芸師や手品師の根城だったところで、ウェディングケーキのような塔を持つ。右手、人民公園の向こうに見えるのは国際飯店、茶色のれんがでできたゴシックタワーである。二二階建ての国際飯店はある時期まで上海でいちばん高いビルだったが、今では市庁舎と上海城市規画展示館に挟まれて、高速道路からはほとんど見えなくなっている。上海にはコロニアル風の歴史的建造物がたくさんあるけれど、そのまわりを取り囲むような、あるいは覆いかぶさるようなかたちで新しい建物が建てられてきた。

上海の西洋建築は結局のところ、英国の麻薬取引に負うところが大きい。十九世紀、英国は中国とのあいだで拡大してきた貿易赤字を埋めるために中国にアヘンを密輸入して販売した。中毒の蔓延に直面した中国は抵抗してアヘン在庫の一部を破壊し、これが第一次アヘン戦争の勃発へとつながり、英国は楽勝する。講和条約の一部として、英国は上海の開港を求め、英国人のほかアメリカ人とフランス人が居留地を設定し、彼らはそこにそれぞれ自国のイメージを色濃く反映させた。大半の上海人はコロニアル風の建築に誇りを持ち、国際都市としての遺産と見なしているが、その建築群は中国政府が屈辱の世紀と呼ぶ、日本を含む外国勢力が中国を分割した時代を思い起こさせるものでもある。

建設工事は中国復活を特徴的に示す活動であり、最近のプロジェクトで最も注目すべきかつ論争の的になっているのは、ガラスと鉄鋼を駆使したプロジェクトではなく、サンゴ礁と砂によるものだ。二〇一三年以降、中国政府は自国沿岸から何百キロと離れた、世界貿易の五分の一が通過する国際水路、南シナ海々上に、少なくとも一三平方キロメートルの新島を建設してきた。レイは政治的に穏健で共産党のいくつかの見解には異義を唱えていたが、南シナ海での人工島建設に関しては政府を支持していた。イリノイで法律を勉強していた頃から、レイはアメリカに対する深い愛情を育んできたけれども、彼の愛国心を損なうものではなかった。多くの中国人と同じく、彼もアメリカの自由と法の支配を高く評価していたが、中国の隆盛を牽制したり中国を邪魔するようなアメリカの行為に対しては歯向かった。とくに、中国と近隣諸国の近海をめぐる論争に、アメリカはかかわるべきではないとレイは考えている。

「政治家たちはいつも、中国がアメリカの軍事力とか現在の地位に挑戦してくると論じるけれども、それは真実ではありません」と、わたしがラッシュアワーの高速道路を降りようと苦心しているそばでレイが主張する。「中国は自国の権利を守ろうとしているだけです」

中国は南シナ海諸島に対する合法的・歴史的権利を有していると、レイは確信していた。彼は、自分の国が周囲に威張りちらすような新興国だとは思っておらず、弱かった時代に小国からつけ込まれてきた犠牲者だったと考えている。

「前の世紀に、中国は文化大革命のような自分自身の問題に集中しなければならず、島々の問題に対処する余裕も手段もなかったんです」とレイは言う。「あの頃、たくさんの国があの島々を一つずつ盗んでいきました」

そして今ついに、中国は岩礁しかなかった場所に自分の島を造ってしまうほど強大になり、それが自国活性化、すなわち習近平のチャイニーズ・ドリームの一環であるという主張を強要できるようになったのだ。小国が中国につけ込んだ例としてレイが挙げたのは、一九九九年に当時はきわめて小ぶりだったフィリピン海軍が、第二次世界大戦時に米国輸送艦だったシエラマドレ号を、中国とフィリピン両国が所有権を主張するスプラトリー諸島のサンゴ環礁に座礁させた件である。

「彼らは早急に座礁船を引き揚げると中国に約束しました」とレイは言う。「しかし実際には、どんどん軍隊を送り込んで船の上に駐留させてしまい、島の所有権を主張したのです」

二〇一三年に中国は、十数人の孤独なフィリピン海兵隊員が水中銃で魚を捕って食料にし、身体を張って守っている錆だらけの廃船周囲の海域をパトロールするために、沿岸警備艇を派遣した。客観的事実として言っておくと、シエラマドレ号はフィリピン領パラワン州沿岸から一九〇キロ、中国の海南島からは一〇〇〇キロ以上離れたところにある。アメリカはえこひいきをし、同盟国のフィリピンがシエラマドレ号を座礁させたことについてはまったく責めていない、とレイは言う。

「ところが今、中国が他国への要求事項を強制しようとすると、アメリカが出てきて『だめだ、そんなことをしてはいかん！ 太平洋のバランス・オブ・パワーを壊してしまうじゃないか』と言ってくるんです」とレイは言った。「アメリカというのはクラスにいる身体のでかいいじめっ子のようなもので、好き勝手に振る舞っているんです」

情報への自由なアクセスができず、国辱を強調する教育システムが主流である国において、アメリカの立場を議論するのはほとんど建設的ではないことをわたしは思い知った。帰宅途上、レイと議論する気分があったなら、わたしは中国のようにあれだけたくさん、あれだけ迅速に島を建設した国はないと指摘しただろう。そして、習近平は島を軍事的に転用することはないと確約したけれども、政府はレーダー基地を建設し、爆撃機が使える滑走路を造り、射程二〇〇キロの対空ミサイルを配置したではないか。さほど昔の話ではないが、習近平の前任者胡錦濤は、中国は「平和的興隆」という発展路線をたどると誓ったではないか。しかし中国とアメリカの軍事交流会議で、中国は自分たちの意図を明確にした。二〇一一年に戻るが、北京で開催された交流会議で、アメリカ側は中国が人工島を建設している件について問題提起をした。

「なぜ建設を続けているのか?」米国海軍の司令官がこう質問をした、と参加者の一人が報告している。「敵対的行為だ」

中国側の司令官の一人が怒りをあらわに立ち上がり、テーブルの上に身を乗り出した。

「われわれは興隆しつつある国だ」と、彼は厳しい口調で言った。「あなた方は衰退国家。われわれに順番が回ってきたのだ。あそこは今も昔もわれわれの海で、これから強化にかかるだけのことであり、あなた方はそれに適応すればいいだけだ」

中国は、米国海軍に対し南シナ海から出ていってほしいと告げた。そこが公海であるにもかかわらずだ。米国政府は、中国が南シナ海を中国の湖にしてしまうのではないかと考えている。第二次世界大戦の終わりから太平洋の監視役を務めてきた米国海軍にとって、難題が突きつけられた。中国の人工島に米国海軍の船が近づくと、中国船がずっと尾行した。恐ろしいのは、世界最強の二国を戦闘状態に引きずり込んでしまいかねない公海における判断ミスである。二〇一八年十月、アメリカは、中国船が米軍駆逐艦の周囲を攻撃的に動き回り、あと四〇メートルでぶつかるというところまで近づいた、と発表した。中国とアメリカは、政治体制や基本的権利への取り組み方など、それぞれの相違によって特徴づけられる。しかし、両者の類似点が両国を紛争状態に駆り立てるというリスクもある。両国ともに国家主義的であり、自らの優越性、ならびに拡大強化が使命であると信じている。

　レイとわたしは、町の中心から遠ざかる途中で、上海のなかでも奇妙きてれつな建物のそばを走り過ぎた。ある建物は巨大な長靴の形をしている。またある建物は、天井から泡が吹き出しているように見えるＬＥＤで覆われ、六〇階建ての建物全体がまるでシャンパングラスのようだ。その日はフリータクシーを運転していなかった、というのは運転が許されない状況だったから。交通量を減らす試みとして、市当局はわたしの運転しているような車――値段の安い田舎のナンバープレートを付けた車――がラッシュアワーに高速道路を走ることを禁じていたのだ（上海の道路を運転すればするほど、チャールズのような田舎者がこの町では二級市民扱いされる感じを、わたしは身に染みて理解し始めた）。その日、レイを乗せるために、わたしは助手のヤンからＢＹＤ〔比亜迪〕セダンを借りた。ナンバープレートは特権的上海ナンバーである。後部座席にいたヤンは、南シナ海についてレイに質問した。

「アメリカは校庭にいるいじめっ子みたいだって言ったね」とヤン。「だけど中国のまわりの多くの国にしてみたら、中国がいじめっ子みたいだろう？　であれば、この問題は彼らの立場からも見てみる必要があるんじゃないか？」

「そう、その点はわかる」とレイが答える。「強い中国というものに慣れていないからね。過去一〇〇年、中国は弱かった。自分たちの国益を守ることができなかった。でも今は権益を守るのに十分な手段がある。そこのところが嫌われるんだ。だって、みんな弱い国、弱い中国を好むから。しかし今、中国はずっと強い。だから立ち上がらなけりゃいけない、何も言わずに隅っこにいるわけにはいかない。こういうことがいったん落ち着けば、みんな新しい中国に慣れてくると思う」

南シナ海をめぐる会話を聞いていて驚くことの一つは、南シナ海のほぼ全域が中国の領海であることは間違いないと、多くの中国人が信じている点だ。その理由は歴史と教育システムにある。一九四八年、中華民国の国民政府がある地図を発表した。それによると、九つの断続線〔九段線〕で囲まれたU字型の線が、台湾の南からフィリピンのそばを通ってマレーシアまでずっと下がったあと、ベトナム沿岸をさかのぼり、ほぼ全海域を包含している。その線によって囲まれる面積は七八万平方キロメートルと、カリブ海よりも広い。この地図の意味を一文で伝えるなら「全部われらのもの！」。実際、中国の学校では生徒にそう教えている。中学二年生の地理の教科書ではジェームズ礁――中国語で「曾母暗《ツオンムーアン》沙《シャー》」――のことを「わが国領土の最南端」と呼んでいる。ジェームズ礁は実際には中国本土南端から一八〇〇キロ以上離れており、マレーシアからはほんの八〇キロしか離れていない。かつまたそこは水深二〇メートルである。水中の縄張りに印を付けるために――そもそも彼らの領土でも何でもないのだが――中国の海洋監視船が二〇一〇年に、「中国」という文字を彫った大理石の「主権碑」を投入した。シートン・ホール大学〔米国ニュージャージー州〕の平和紛争研究センター所長を務める汪錚《ワンチョン》が、中国トップクラスの大学で講座を持ったとき、彼は学生に『中国国家地理』という雑誌に掲載された二〇一三年の記事を見せた。その雑誌には「九段線は……今や中国人の心と魂に深く刻み込まれている」と書いてあった。汪はクラスを前にして、この内容に賛成する者に挙手を求めた。ほとんどの学生が手を挙げた。

もしチャールズがそのクラスにいたら、彼も手を挙げただろうけれども、学生時代よりもはるかにナショナリスティックではないと強調する。ある日の午後、彼を仕事場から自宅へ送る途中、彼は二〇〇六年の日記から、ルームメイトの一人を愛国心が足りないと批判した箇所を読んでくれた。アメリカと日本が東シナ海の釣魚群島を対象とした共同訓練をしていた頃、ルームメイトが日本のアニメ『ファイナルファンタジー』を観ていた。同群島は中国と日本両国が領有権を主張しているところで、日本側はこれを尖閣諸島と呼んでいる。チャールズはそんなものは観るなとルームメイトに注意した。

「クラスの友だちとぼくは、われわれの本土に日本文化など持ち込むな、日本文化が中国を侵略することを許すな、と言って彼を批判しました」とチャールズは言った。「ぼくはその手の中国人だったんです。そういったたぐいの物の見方をしていたなんて、すっかり忘れていましたが」

「どうして漫画に侵略されるなんて思うんだろう？」と尋ねた。「日本との戦争なんてもう何十年も昔のことなのに」

「ぼくらの意見は、メディアや教育を通して教わったことに基づいて作られるんです」とチャールズは言った。

大学時代、チャールズは『グローバル・タイムズ』紙〔『環球時報』の英語版〕という、強烈に愛国主義的な国営紙を読んでいた。二〇一二年、日本の活動家が係争中の島に上陸して日本の国旗を掲げたことに対する抗議運動が起きた。その翌月、日本政府は、日本の国粋主義者による島の開発を阻止するため、島のいくつかを購入する。しかしながら中国国営紙は、この動きを詐取であり、火に油を注ぐものだと表現した。

「東京は、まずい場所で、まずい時に、まずい敵を選んでしまった」と『グローバル・タイムズ』紙は、読者に対し日本の残忍な過去を思い起こさせ、すばやく警告を発した。「日本は中国に対して近代史のなかでも最悪の残虐行為を働いたが、それは屈辱に次ぐ屈辱であった。もし中国が過去の恥辱を洗い去るために標的を選ぶとしたら、日本が最も適している」

その当時の日本に対する抗議活動の激しさの度合いはさまざまだった。わたしはデモの参加者と一緒に上海を歩いたことがある。彼らは、「日本列島を解放せよ」という言葉が入った毛沢東の肖像や、手書きの「日本人を殺せ」という看板を掲げて通りを練り歩いた。しかし、そうした行進の多くの参加者からは笑いがこぼれ、仕事休みの一日を楽しもうという気分があった。だが、ほかの都市では抗議活動が暴力沙汰になったりした。山東省では、デモ隊がパナソニックの工場とトヨタ車の販売店に放火した。そのずっと西の西安《シーアン》市では、抗議者がトヨタ車に乗っていた男性を引きずり下ろし、バイク用ロックで打ちのめして出血させ、意識を失った彼を歩道に置き去りにした。

『人民日報』のウェブサイトは、抗議者たちを支持する社説を掲げた。

「母国が威嚇されたとき、強い愛国心が脈打つのを感じぬ者はいないだろう」と社説は切り出す。「母国が挑発されたときの同胞の憎悪と闘志を理解できぬ者はいないだろう」

チャールズはデモに参加した人たちをとくに評価していない。

「あの人たちは駒として利用されただけです」と彼は言った。

何が彼の考え方を変えたのだろう？

大学の夏休み、湖北省の実家に帰ったはいいが、金もなければ何もすることがなく、仕方なく朝から晩までテレビを見て過ごした。そうするうちに、彼は真実を悟った。

「そのすべてが、テレビという仕組みそのものが、ぼくを愚かにするようにできている。もちろんニュース番組も含めてですよ」

高校時代にすでに、チャールズはグーグルを知った。まだ政府が閉鎖する前のことだ。中国国営テレビと違い、グーグルはまったく新しい情報の世界を開いてくれた。チャールズにはすべきことがそれほどなかったので、自分自身を教育することにした。

「ぼくたちはこれを、退屈な生活のおかげで生まれたさらなる求知心、あるいは真実を求める心、と呼びます」とチャールズは言った。「ぼくが、本流である国内メディア以外のことを知っているのはこのおかげです」

チャールズが禁書『墓碑』を知り、「大躍進」と三六〇〇万人以上を殺した大飢饉の背後にある事実を知ったのはグーグルを通してだった。著者の楊継縄はチャールズの生育地に隣接する省の出身だが、彼は一九五九年に父親が餓死寸前だと聞きつけ、毛沢東がもたらしたもののすさまじさを知らぬまま、故郷の村に戻った。

「湾里《ワンリー》村に近づいたとき、すべてががらりと変わっていることに気がついた」と楊は書いた。「実家の前に立っていたニレの木は樹皮をはがれて幹だけの姿になり、根っこも掘り返されて皮をはがれ、地面には醜い穴が残っているだけだった……父はベッドの上で身体を半分だけ起こしていたが、目はくぼんで生気がなく、顔は痩せこけ、皮膚はしわだらけでたるんでいた。彼はわたしを迎えるために手を伸ばそうとしたが、手を持ち上げることができなかった」

「この話を考えるたびに、ものすごく腹が立つんです」と、上海のフランス租界だった地区のスズカケの木が頭上を覆う道路を走っているとき、チャールズは大躍進に触れて言った。

正月に湖北省へ行ったとき、チャールズがロッキーにこの本のことを説明しようとしていたのを思い出した。ロッキーは読んでおらず、興味も示さなかったのだが。もし今でも中国でグーグルが利用でき、数億人の中国人が『墓碑』を読む機会を得たならば、彼らは天安門広場の毛沢東の肖像を、これまでと同じ目で見ることができるだろうか、そんなことを思ってみた。さらに重要なのは、彼らの共産党を見る目は変わるだろうか？中国で検閲の厳しさが増している事実からすると、共産党がそんなリスクを冒さぬであろうことは明らかだった。

反日抗議についてチャールズは懐疑的ではあるが、彼は依然として愛国者であり、中国の領土主張を支持していた。チャールズは、情報を求めて中国最南端の省、海南省へ出かけてもいる。中国人が大昔、南シナ海のいくつかの島に住んでいたという証拠を説明してくれる政府の調査員に会いに行ったのだ。チャールズは、南シナ海で見つけた愛国的記念品たるホラ貝も持ち帰ってきた。島の所有者が誰なのか疑いはない、と彼は言った。

「ぼくは中国人、そして南シナ海はぼくたちのもの」と彼は言う。

フィリピンは中国に抗議し、この件を――アメリカの支持を受け――ハーグの国際裁判所へ提訴し、同裁判所は翌月判決を下す予定になっていた。裁判所の判決が中国に不利なものだったらどうする、とわたしはチャールズに尋ねた（結果はそうなったのだが）。

「われわれの政府は立場を鮮明に表明しています」と彼は言った。「ぼくらはそんな裁定は拒否します」

「この国で書かれたもので君らが信じないものはたくさんあるね」とわたしは言った。「なのにどうしてそこだけは信じるの？」

「ぼくらはアメリカ主導の包囲網にずっと取り囲まれてきました」と言うチャールズは、彼の国は敵意ある隣人に囲まれているので南シナ海の島々は緩衝物として必要だと考えている。

「だけど、ほかの誰よりもはるかに大きな、比較にならないほど大きな島を造った理由は？」

「ぼくらにはそれができるから」と、こともなげにチャールズは言った。「ぼくらは金持ちですから」

中国のリーダーたちが北京から東を眺めたとき、彼らには韓国、日本、グァムに駐留するアメリカ軍、戦艦、空母、戦闘機が見えた。過去の新興国と同じように、中国も勢力範囲を広げたかった。何十年も続いた貧困、混乱、そして「国辱」のあと、中国政府はついこの前、一九九〇年代までは夢にも思わなかったやり方で、今や彼らの意志を押しつけることができるようになったのだ。これは新しい現実である。習近平の言う「新時代」の本質の一つでもあり、チャールズやレイのようにほかの点では穏やかな中国人の心を、まさに主席が望んだとおり、愛国的矜持で満たすことになった。

中国の教育に影響を与える政治情勢を見るにつけ、わたしが町中を走り回って患者のところへ連れていったカウンセラーのフィフィは、教職から離れてよかったと思うのだが、かつての学校の同僚や仲間意識が懐かしかった。二〇一八年のある日、彼女はそのうちの二人と学校の構内で待ち合わせた。彼女たちは互いに顔を合わせて満面の笑みを浮かべた。お互いの考えをずっと自由に語り合うことができ、もっと開放的で希望に満ちていた昔に戻ったような気がした。職員用カフェの木製テーブルでコーヒーを飲みながら、彼女たちの会話は懐旧の愁いを帯び始め、学校に残った二人の職員は一九九〇年代末頃から学校がどれほど変わったかを語った。そのうちの一人、女性管理職は、昔楽しんだような自由気ままな会話ができなくなったと嘆いた。

彼女自身と現在の生徒、そして多くの教師たちとのあいだにジェネレーションギャップがあると感じる、と彼女は言った。学校は、国立高校入試のための指導に長けた、新しいタイプの教師を地方から雇ってきたが、そういう教師は生徒を励まして自立した思考を育てることには興味がない。情が深く率直なその管理職は、今の教育システムは批判的思考を育むことに注力せず、学生たちに力強い主張や激しい議論をする能力を与えぬままにしている、と言った。彼女に言わせると、学生の書くエッセイは往々にして考えごとの断片でしかないという。最近のことだが、彼女は学生たちに一冊の本を読むか映画を一篇鑑賞して意見を聞かせてくれと言った。宿題をやってきた学生のうち、独自の意見を言えたのはわずか一五パーセントだった。

「大半はインターネットからコピー・アンド・ペーストしてきただけ」と彼女は言った。

過剰な学業のプレッシャーを与え批判的思考の教育を拒否することが、若者から共産党に疑いを抱く気力も手段も奪ってしまうための生き残り戦略なのだろうか？

「そのとおり」。管理職は平然と言った。「そのとおり」

中国のリーダーたちは、次世代の学生に自分の頭で考えよ、などということを学校が教えたりすると、共産党の寿命が短くなることを知っている。最近その管理職は、学校の新しいスローガンについて議論するために、他校の幹部と集まりを持った。積極的思考に重きを置くようなものにすべき、と提案する人たちがいた。ほかには、生徒が自分の意見を持つことを強調すべき、という人たち。だがその後、そういうのは共産党を怒らせることになるだろうということで全員合意した。

「二番目の案はより危険でしょうね」と管理職は言った。

フィフィがいなくなってから、学校は拡張し、設備も劇的に改善した。エレベーターとエスカレーターが設置され、地下のバスケットボールコート、五つ星ホテル並みのウェイトルーム、そして観賞魚用の巨大な水槽とフラットスクリーン・テレビのある教職員用ラウンジ。しかし、政府がくれた金には政府のプロパガンダがくっついてきた。野外の巨大スクリーンに、学生と教職員に対するメッセージが繰り返し流された。デジタル表示されたハンマーと鎌の意匠を背景に、習近平の政治理論が、毛沢東思想同様、憲法内に正式に位置づけられることに決まったという最近の党大会が絶賛されていた。

「第一九回中国共産党大会の内容を掘り下げて学習し、実践に移せ」というメッセージが、構内をぶらぶらと歩く人びとに訴える。「力強い、栄えゆく、民主的で、文化的で、協和的な、美しい近代的社会主義国を建設するために奮闘しよう。本来の自分に忠実であれ。人びとの幸福のために働こう。国家活性化のための使命を心に刻め」

共産党は一九八九年の北京の血と銃弾〔天安門事件を指す〕のあと、中国人民と世紀の大取引をしたわけだが、その取引の再定義をしているのだった。あの暴力沙汰のすぐあと、政府は人びとに対し、より大きな個人的自由と、金持ちになる機会を許した。共産党に楯突かないならば、という条件で。そして今は彼らは、共産党の言うことを信じてほしい――せめてそのふりをしてほしい――と言っているように見える。

職員メンバーの二人は仕事へ、フィフィは昼食に戻らなければならなかった。別れる前に、彼女たちは手短にそれぞれの夢を語った。何年か前、共産党入党申請を撤回するために何時間も費やしたあの歴史の教師は、清浄な中国を夢見ていると言った。

「動物とか植物の種が絶滅しつつあるという記事を読むたびに、胸が痛むんだ」と教師は言った。彼は別の学校に移籍し、今は暇なときにカメの世話をしている。「ものすごくたくさんの動物を殺してきたからね」

管理職の女性はしんみりとしてしまい、悲しそうに見えた。

「夢がないの」と彼女は言った。「それがわたしの問題なのよ」

第10章

大統領ドナルド・J・トランプ

——アシュリー、レイ、チェン、コン

二〇一六年、新たな勤務地をめざし一家そろってロンドンへ引っ越す準備をしていたとき、わたしはギャツビーを愛読する社会批評家、あのアシュリーと、わたしのオフィス近くのスターバックスで落ち合った。彼女は全額給付型奨学金を受けてMBAを取得するためにこれから渡米するところで、最終的にはそのままアメリカに落ち着くつもりでいた。アメリカへ行くのは勉強のためだけでなく、中国の汚職蔓延の世界から逃げ出したいから、好きなものを読み、好きなように発言できる環境を渇望していたからだ。共産党役員の娘だった彼女は、日常茶飯のこととして収賄が機能するさまを自宅で目の当たりにしながら育った。彼女が若かった頃、彼女の両親は夜遅くまで外出し、母親が新しい職に就けるよう、タバコ、現金、茅台酒《マオタイチウ》という高価な蒸留酒などを贈り物として配って歩いていた。両親が自分たちのコネを構築すると、今度はほかの人たちが、子どもたちの共産党入党を計らってもらおうと、高価な酒や数百ドル相当の現金を隠したタバコ入れを持ってくるようになった。アシュリーは両親を非難しなかった。

「そうしてもらうのが当たり前ということなんです」と彼女は言う。「ですが、わたしは嫌でした。わたしの倫理に反します。中国でも、悪いことだという了解はあっても、まあ問題ないとみんな思ってい

るのです」

中国の汚職の水準に照らすと、アシュリーの両親の振る舞いは軽犯罪にも当たらない。わたしが中国から離れていた十数年のあいだに公務員が手当たり次第に不正を働き、国民の共産党に対する支持を脅かした。二〇〇八年の中国人民銀行の調査によると、一万六〇〇〇人以上の共産党役員、実業家、会社社長らが一三〇〇億ドル以上の金とともに姿をくらました。習近平主席は二〇一二年に権力の座に就くやいなや取り締まりを開始したが、過去に行われた撲滅運動とは異なって、その衝撃はすさまじかった。二〇一三年以降、政府は一三〇万人以上の下層役員を不正行為の罪で処罰した。

「わたしの家にしょっちゅう来ていた人たちも牢屋に入りました」とアシュリーは言った。「ショックでした」

アシュリーの渡米もまた一種のショックとなった。大学に着いて五カ月後、ドナルド・トランプが第四五代アメリカ合衆国大統領に選ばれたのだ。アシュリーはトランプの政策やリーダーとしてのスタイルが気に入らなかった。

「わたしを中国からアメリカへ駆り立てた唯一の理由が、専制主義的国家にはもう住みたくないということでした」と、いら立ちながらアシュリーは言った。「自由な国で暮らしたかった。最悪の場所からまた別の最悪の場所へ飛んでくるなんて、ものすごい不幸だって思ったものです。それに最悪の事態が始まったばかりですからね。プロパガンダというものが時間の経過とともに強力に効いてくるのを知ってますから、将来どうなるのか、わたしにはわかりません」

共産党の内部で育った女性による二〇一七年当初のこの洞察は卓見だったということが判明する。だが、トランプ行政の最初の数カ月が経つと、アシュリーの不安は和らいだ。アメリカが根本的に変わったわけではなく、ムスリムを主体とする七カ国の人びとの入国を禁じるというトランプの禁止令を裁判所は当初違憲とするなど、チェック・アンド・バランスはしっかり機能していた。

「人びとの心の中の倫理基準はいまだにしっかりしています」と、アシュリーは希望を込めて言った。「アメリカ人をもっと信用すべきで、この国をあるべき姿に戻そうと努めるだろうと信頼すべきです」


上海に目を転じると、アシュリーと同じように、レイも当初はトランプ大統領について、困惑するというよりもおもしろがっていた。多くの中国人には、トランプのぶっきらぼうな話し方が、自分のリーダーたちの伝統的で過度に管理された公的人格とは痛快なほど対照的に見えた。

「彼のこと、本当に好きですよ」。トランプ大統領が誕生して約一〇カ月目、わたしたちの歓談の最中に、レイが笑いながら言った。「普通、アジアの人たちはあんなしゃべり方をしませんから」

レイは、アメリカ人労働者の面倒を見るという姿勢においてトランプを尊敬していたが、彼の政策のいくつかは経済的に意味をなさないと思っていた。トランプが就任してからの任期はまだ浅く、大統領は製造業と石炭産業の雇用を復活させることに集中していた。そうではなくて、とレイは言った。大統領がすべきなのは、儲けが多くて、教育、金融、デザイン、エンターテインメントのようなアメリカがもともと競争優位性を持っている分野に照準を合わせることだと。

「あれは危険な方向です」。トランプがブルーカラー主体のエネルギー分野と工場労働に集中している点について、レイが感想を述べた。「旧式の産業に集中したら、われわれの偉大なるアメリカが持つ強みを損なうことになります。二流国にはなってほしくない」

レイの「われわれのアメリカ」という言い方、つまり国境を越えたところにいても、少なくともある人びとは、アメリカが単なる外国ではなくまだ自分に密接なかかわりのある国だと感じているという言い方に、わたしは強い印象を受けた。レイにとって、アメリカは単なる米国民の私利私欲を超えた、より大きな存在なのだった。彼はまた、トランプの「アメリカン・ファースト」戦略、世界秩序を見くびる態度に懸念を抱いていた。世界秩序とは、アメリカがその設立を手助けしてきた世界貿易機関などの国際機関を含む。

「本当にアメリカが好きなんです」とレイは言う。彼はイリノイで勉強していた時期を、人生のうえで最高の経験だったと振り返る。「力強い国際的なアメリカは世界のためになると確信しています。過去四〇年から四五年のあいだ、全世界がその体制を享受してきました。中国政府がいつも『体制を破壊したいのではない。われわれはそのなかでもっと重要な役割を果たしたいだけだ』と言っているのはそういう意味です」

そしてレイはこう付け加えた。「われわれは十分に尊重されてしかるべきです」

トランプの政策を批判するのはたやすいが、ある分野では——とくに中国政府とアメリカのビジネス界の関係では——大統領に一理ある。アメリカのビジネスリーダーたちは一時期、中国共産党を強く支持していた。というのは、中国の経済成長を助ける見返りとして共産党から優遇措置を受けることができたからで、その経済成長に乗った多国籍企業はたいへんな成長を果たした。しかし年月が経過すると、アメリカのビジネス界は中国政府にうんざりし始めた。いくつかのアメリカ企業に対し、中国市場へのアクセスと交換に技術を提供しろと迫ったり、アメリカ企業の技術を盗むためにハッカーを使ったといわれている。

「かつて海外企業は中国のベストフレンドでした」とジェームズ・マグレガーが言う。彼は国際広報とコミュニケーション戦略のコンサルティング会社、ＡＰＣＯワールドワイド社の大中華圏部門の会長を務めている。だが今は「ここだけの話、全面否定ですね。最近の政策のもと、政府はまったくもって

『くそったれ』ですから。『ウィン・ウィン（win-win）』というのは中国では二回勝つという意味ですよ」。

まだ上海で働いていた頃のある日の朝、わたしはタクシーに飛び乗って一万二〇〇〇平米の広さを持つコンパウンドへ向かった。無秩序に広がった浦東新区のレストラン、カラオケクラブ、マッサージパーラー、食料品店などの建物のなかに紛れた場所だ。コンパウンドの中心には、屋根にサテライト・ディッシュを載せた一二階建てのオフィスタワーがある。外壁の標識が、通りからのビデオやカメラ撮影の禁止を警告している。わたしが到着したとき、青いダウンコートを着た私服警官が、門口の前の歩道を行きつ戻りつし、通りに視線を這わせ、気づかわしげに携帯電話に話しかけていた。その数時間前に、アメリカのサイバーセキュリティ会社マンディアントが、このコンパウンドが人民解放軍６１３９８部隊の本拠地であることをすっぱ抜いていた。マンディアントによると、同部隊はアメリカ企業にサイバー攻撃をかけて、科学技術の青写真、製法特許、事業計画、パートナーシップ契約などを含む数百テラバイトのデータを盗んだ。

「二〇種類の異なる産業にわたる一四一社以上の企業の信用を貶め、大量の知的財産をまんまと盗みました」と、マンディアント社の脅威情報ビジネスユニットを監督していたダン・マクホーターがわたしに言った。

過去と同様、中国政府は産業スパイに手を染めたりはしていないと否定した。

アメリカ政府の見方は違った。それから二年後、国家情報長官は、中国のサイバースパイによってアメリカが被った損害は年間四〇〇〇億ドルに達すると推定。組織内部の者による犯行も、長らく問題になっている。最近起きたケースでは、警察が台湾の半導体企業で働くエンジニア数名を、ラップトップやＵＳＢドライブを隠匿した件で逮捕した。当局によると、彼らは中国での五七億ドルの政府援助を受けたマイクロチップ工場の立ち上げ支援のため、アメリカのハイテク技術の秘密を中国へ持ち込もうとしていたという。二〇一七年には上海の米国商務省の職員が、中国企業の成長にとって最も重要な改革分野として知的財産権を挙げている。二〇一九年には、前例のないことだが、米国情報員が中国政府の怪しげなスパイをベルギーにおびき寄せ、経済スパイ罪で訴追すべく米国へ引き渡した。たまたま知的財産権を専門とする弁護士だったレイは、中国での知的財産権の保護については各段の改善があったと言い、ほかの知財専門弁護士たちも、大半の商事紛争においてそれは事実だと認めている。そもそも、中国企業にしても自分たちの知的財産が盗まれるのは嫌だ。だが、戦略的に重要な産業となると、有利な立場を占めるために北京はなりふり構わず何でもする、とマグレガーは言う。

　就任後最初の一八カ月のあいだに、トランプ大統領は欧州連合を目の敵にし、ＮＡＴＯの加盟国には防衛費用を応分に負担していないと不満をぶつけた。トランプがアメリカ第一主義の計画を追求し、アメリカの国際的影響力が衰えていくなか、ワシントンは北京に対し譲歩しつつあるように見える。レイはそれでもまだアメリカに関して楽観的である。

「大統領、やってきては去っていく」とレイが言った。

「つまり、アメリカについて心配はしていないんだね？」

ノー、と彼は言った。心配していない。

「合衆国憲法を信頼すべきですよ」とレイが言う。彼はイリノイで修士を取ったときに憲法を専攻した。「建国の父たちは驚くべき仕事をしてくれました。それよって自由が与えられ、それによってアメリカの人びとは守られたのです」

レイは、中国にはアメリカのようなチェック・アンド・バランスの体制がないことを強調した。

「習主席はよいリーダー、偉大なリーダーですよね？」レイは言葉を続けた。「でも次に来る主席はどうなのかわかりません。でもアメリカなら悪い大統領がいても、よい憲法がある。一人や二人悪い大統領がいたって大丈夫です、大したことはありません」

いや、実際には大したことであったのだ。ジョージ・W・ブッシュはイラクに侵攻し、世界的金融危機が起き、トランプ政権は中国と世界におけるアメリカの名声に傷をつけた。しかしレイの主張のなかに一つだけ正しいことがある。アメリカ人は——中国人と違って——投票権を持っているのだ。

「本当のことを言うと、わたしは中国のことが心配なんです」と、レイは不意に言った。「習主席のようなとてもすぐれたリーダーがいるときは、われわれは順調に進歩を遂げることができます。でも悪い主席となったら恐ろしいことになるでしょう。薄熙来《ポーシーライ》のことは知っているでしょう?」

知っていた。実を言うと、わたしは二〇一二年に安徽省で行われた彼の妻の殺人事件公判を取材していた。薄は洗練されたカリスマ性のある政治家で、中国南西部の巨大都市、重慶をマフィア国家のように運営した。彼はビジネスマンや敵対する政治家を投獄し、毛沢東時代の革命歌を公の場で歌わせる行事を組織化した——この動きに、中国の多くの人びとは疑念を抱いた。薄熙来は共産党指導層の最上層をねらっていたが、彼の妻がある英国人ビジネスマン——夫婦の汚職について彼らを恐喝していたといわれる——を殺害してから彼は地に落ちた。

「彼が主席になったりしたら——とんでもない話!——五〇年過去に戻って文化大革命みたいなことになります」とレイは言った。

「アメリカにはすぐれた民主主義があります」とレイ。「あなたの国には非常にすぐれた、よい教育を受けた、勤勉な人たちがいます。アメリカとはそういう人たちのことであって、大統領のことではありません。わたしはあなた方を信頼していますから!」

この会話を交わした一年後、民主党が中間選挙で下院の過半数を占めることになり、この結果は大統領に対する非難のしるしであると広く解釈された。

地下教会の主宰者であるパジャマのセールスマン、チェンはついに自分でもグリーンカードを取得し、家族と合流するために上海からロサンジェルス郡へ引っ越した。妻のコンは、一家のためにロサンジェルス東郊に寝室一間のアパートを確保していた。渡米後最初の数カ月、ウィーチャットに投稿した写真を見る限り、チェンはアメリカでの生活を楽しんでいたようだ。コンが自家用のカローラでロサンジェルス広域をドライブするあいだ、チェンは、上海という無窮運動装置とはまるで違って見える景観を窓越しに撮った。透き通った青空の下、ヤシの木が立ち並ぶ静かな通りの両側には芝生とバンガロー、屋根の樋《とい》にちょいと乗ったリス、そして屋外の巨大なクリスマスのディスプレーはトナカイと「FELIZ NAVIDAD」〔スペイン語でメリークリスマス〕という文字を綴った豆電球の連なり。

一年半後、わたしはロサンジェルスへ飛び、チェンとその一家がどうしているか見に行った。リフト社〔配車サービス会社、ウーバー社と同業種〕で働いているコンが気を利かせ、わたしを空港で拾ってホテルまで届けてくれた。それから何日間かの大半を、一家の庭付きアパートに入りびたり、彼らがアメリカ暮らしに馴染んでいく様子を学んだ。コンは二人目の娘インインを、中国人移民妊婦のために特別に設けられた家で産んでいた。乏しい予算しかなく、夫が近くにいない状況で、安定した住環境を整えることは生やさしいことではなかった。ある時期には、コンと二人の娘は自家用車のトヨタのなかに住み、夜はマクドナルドの駐車場に車を停めて、長女のジアリは宿題をするためにそこのＷｉ-Ｆｉを使い、登校前には店の洗面で顔を洗った。一家が合流して二年が経ち、家族の状況は改善した。チェンは電気工として働き、コンは理容師免許を取るべく勉強をしていた。彼らがジアリをここへ連れてきたのは、彼女の衰えてきた目を救うため、そして中国の過度な学習量から救い出すためだった。ジアリは今もって引っ込み思案で他人と目を合わせることにしばしば困難を覚えるが、アメリカでは学校がそれほど重荷ではなくなった。彼女は高校のＧＰＡ〔Grade Point Average＝成績平均値〕で３・５点を取っていて、カリフォルニア大学システムのいずれかの大学へ進学しようと考えていた。

トランプ大統領がムスリムを主体とする七カ国からの移民を禁止しようとしたとき、一家はショックを受けた。中国がその禁止国に入っていたわけではないけれど、コンは亡命者としてのグリーンカードを持っていただけなので不安を感じたのだ。その年の春、夫婦は、コンが以前別の男性とのあいだにもうけた息子の結婚式のために中国に戻る計画でいたが、コンは心配だった。アメリカの出入国審査官から、一人っ子政策を破ったことをそんなに恐れているならば、なぜ中国へ帰国しようとするのかと訊かれはしまいか。彼女はまた、アメリカの政治が予想しにくい今、アメリカに帰ってきたときに入国拒否されるのではないかという恐れもあった。家族から切り離されるのを恐れたコンはカリフォルニアにとどまることを選び、息子の結婚式には出られなかった。

ある日曜日の午後、地元の中国人教会の礼拝に出席したあと、一家はわたしを彼らのお気に入り、アジア全域よりどり料理をビュッフェ式で提供する店に誘ってくれた。ポークリブ、寿司、点心などの小皿にかぶりつきながら、彼らはトランプと彼の移民政策に対する失望を語った。

「オバマだったらあんなことはしないわ」とコンが言う。

「オバマはもっと落ち着いていて丁寧だ」とチェン。

わたしはジアリに、アメリカの新大統領をどう思うか訊いてみた。

「女性を馬鹿にしています」とジアリは言い、こう付け加えた。「彼はレイシストです」

彼女たちのような移民家族が今後どうなるか心配していないか、と訊いてみた。

「大丈夫だと思います」と彼女は言った。「今のところは」

チェンとコンが結婚式のために中国へ行ったはいいがアメリカに戻れなくなってしまうという恐怖は理解できたが、トランプの政策のいくつかは彼らのような人びとが虚偽の理由でアメリカに入国してくることを妨げるものなのだ。数年前、彼らはコンの膨らんだ腹を隠してハワイに飛んで入国審査官を騙し、アメリカの地で出産して、市民権取得までの道を着々とたどろうとした。ある晩、彼らのアパートの床に座っていたとき、わたしは勇気を振りしぼって亡命申請について尋ねた――一人っ子政策のもとで処罰される恐怖を理由とした申請。数年前、上海にいた頃のチェンが見せた申請書で、そのおかげで一家がここで暮らす権利を得たあの申請だ。疑い深いわたしだからそうした質問を投じてきたということを、チェンは了解している。

「あれは事実です」とチェンは沈んだ声で言った。「事実なんです」

インインは居間の床で遊んでいた。ジアリは友だちと一緒に映画を観に行っていた。家族が食事のときに使う折りたたみ式のプラスチック製テーブルに座っていたコンは、しばしためらってから何が起きたかを話し始めた。ジアリが生まれたあと、コンは中国の伝統に沿って、チェンのために息子を産まなければならないという強迫観念にさいなまれたが、それは法律が許さない。もう一人子どもをもうけてしまったら不妊手術を強制され、とんでもない罰金を取られる。その昔一九八三年に、彼女の母親が四人目の子どもを産んだあと、計画出産委員会の役人が母親に不妊手術を施した、と言った。コンの姉も不妊手術を強制された。

二〇〇二年、コンは危険を冒す覚悟で妊娠した。胎児が育つにつれて上海の下町にあるコンの床屋も繁盛してきた。数年間の奮闘のあと光が見えてきた。だがほどなくして、ある日の夜九時、床屋の背後に位置する彼らのアパートのドアが叩かれた。チェンは魚屋に買い物に出かけていたので、コンは夫が帰宅したのだと思った。ドアを開けると、近所の計画出産委員会の役人、ジョンがいて、彼は四人のごろつきを連れていた。

「あんた妊娠してないか？」とジョンが訊いた。

「どうかしら」とコンは嘘をついた。

「病院へ行って調べてもらおう」

「お金なんかありませんよ」とコンは言った。ゆすりだろうと思ったのである。

「びた一文かからないよ」と、ジョンは不気味な言い方をした。

ジョンがどうやって彼女の妊娠を聞きつけたかコンにはわからなかったが、客の一人が金欲しさに彼女のことを密告したのだろうと思った。計画出産委員会は密告者に対して常日頃八〇ドルを払っていたのだ。ジョンとごろつきはコンを近くの病院へ連れていき、妊娠検査のためにトイレへ行って検査棒を尿で濡らしてこいと命じた。コンは窓から逃げ出すことを考えたが、二階にいたのでそこから道路へ飛び降りるのはただもう無謀。それも彼女の身体では。

「田舎だったら逃げ出せたのに」と彼女は言った。

コンは妊娠陽性の結果を持って戻り、逆らっても無駄だと悟った。男たちは彼女を手術室へ連れ込み、ゴム製の黄色い医療チューブで手足を手術用チェアに縛りつけた。堕胎を促す注射を打たれた。麻酔などしてくれなかった。

「ケツを動かしたら内臓を引き裂くからな」と、暴漢の一人から脅かされたのをコンは覚えている。

ごろつきたちに見られながら脚を広げられたコンは、伝統的で露骨な冒瀆の言葉でののしった。「叫《チアオ》你《ニー》生《ション》孩《ハイ》子《ツ》没《メイ》屁《ピー》股《ク》眼《イエン》」とコンは叫んだ。文字どおりに訳すと「てめえの赤ん坊なんぞ肛門閉塞で生まれてきやがれ」になる。

男たちは激怒し、コンはそれ以上の罵詈雑言を禁じられた。

「彼らは外科手術用のはさみを持ってましたから」とコンは思い出す。「わたしの命は彼らに握られたも同然でした」

医者が中絶手術に取りかかる前、コンの意識は真っ白になり、無力感に襲われた、と彼女は言う。

「手術のあとは、身体が破壊されて空っぽになった感じでした」と彼女は言った。「わたしの心は死にました」

コンが話をしているあいだ、チェンは紫色の折りたたみ椅子に腰を下ろし無表情のまま壁を見つめていた。彼は両手で頭をわしづかみにしたと思うと、どうしようもない心を抱えて立ち上がり、暗い寝室へ消えた。

中絶手術のあと午後一一時頃、計画出産委員会の役人は、何事もなかったようにコンを帰らせた。そのあと帰宅途上で、コンは彼女を縛りつけたごろつきの一人を見つけた。彼は知らぬふりをした。彼女のほうでも目を合わせぬようにした。

「彼らのことは全員知ってる」と、彼女はごろつきについて語った。「でも彼らをやっつけることはできません。中国ってそういうところなんです、とくに普通の人にとっては。声を上げることができないんです」

中国ってそういうところなんです。

「これが中国なんだ」というのは、アマンダが、あの上海の歩道で感情を抑えきれずに口走った言葉だった。家族の生涯貯金のすべてを失った投資先である資産管理会社の破綻に抗議したことで逮捕されそうになり、おびえていた彼女。

その後数年間、コンのヘアサロンは順調に成長し、いつか家族そろって渡米するときの蓄えも増えてきた。ある日、青空市場でコンはジョンに出くわした。彼女の強制中絶を仕切ったあの計画出産委員会の役人だ。

「あんたの床屋、順調らしいじゃない」とジョンが言った。「いつか髪を切ってもらおうかな」

「そんな暇はないよ」とコンは言い返した。

ジョンが木箱から果物を選び、売り子に値段を下げさせようとするそばで、コンは四・五ドル相当の果物を買って八ドル相当の紙幣を卸売業者に手渡し、お釣りはいらないよと言った。普通の人びとには大した権利もなく、頼みの綱にも恵まれないこの国では、こんな振る舞いがせめてもの意趣返しになった。


中絶後、コンは次から次に健康上の問題に悩まされた。彼女の輸卵管が部分的に詰まり、チェンとの営みのたびごとに感染したが、彼女はあきらめなかった。彼女は貯金を続け、体外受精をすることに決めた。中国では違法だが、ある種の病院では内緒でやってくれる。再度妊娠したことが判明したとき、夫婦はアメリカ行きを決意した。彼らの地下教会の信者だった者がアメリカにいて、出産間際の中国人女性の世話をする家のエージェントをやっていた。それは二〇一三年のことで、タイミングとしては完璧だった。コンの床屋は土地開発のために取り壊し対象になっていた。補償金として受け取った一四万ドルは、アメリカで新生活を始めるための元手になった。コンは中絶のことはもう考えないようにし、その話はごく少数にしかしなかった。それから一五年以上が経つが、彼女はいまだに感染しやすく、痛みが耐えがたいのでチェンとはあまりセックスをしていない。

「わたしたちの夫婦関係には調和が欠けていて」と、コンはとても中国語的な曖昧表現で説明した。

上海での強制中絶からロサンジェルスでシングルマザーとして長時間働き、自家用のトヨタのなかで寝た年月、そうした自分の人生を振り返ってみたコンは、自分がここまで生きながらえてきたことに、われながら唖然とした。

「こんなにつらい思いをしてきたのに、まだ死んでいないって驚くわね」と言うコンの声には、つくづく腑に落ちないという響きがこもっていた。

インインが生まれてから数年後、中国政府は人口政策を変えて夫婦あたり二人までの子どもを許すことにした。中国の出生率は今では世界のなかでも最低の部類に属しており、数年前までは女性に中絶を強いていた役人たちが、もっと産んでほしがっている。その理由は簡単だ。中国の人口の高齢化が加速的に進み、今国は労働力の減少という危機に直面しているからだ。今では何人かの人口統計学者が、そもそも一人っ子政策はまったく不必要だったと言っている。中国がずっと裕福で都会的になり、子育てが非常に高くつくものになってきたから、おのずと人びとは子どもの数を減らそうとする、というのが彼らの説で、現実はまさにそのとおりになってしまった。

第11章 心を失う

——チャールズ、アシュリー

上海のチャールズの小さな部屋で彼に別れを告げてからほぼ一年後、ある日の朝、わたしはロンドンから彼にビデオ電話をかけてみた。湖北省にある彼の家族が住むアパートを訪問して帰ってきたチャールズは、イヤホンを耳に、木製のロッキングチェアに座ったまま不幸なニュースを次々に話した。父親のシェンホアは、出稼ぎをしていたときにかかった一酸化炭素中毒からついに回復することなく、ひと月前に胃癌で亡くなり、チャールズの祖母も亡くなった。チャールズのことを自分の娘には不釣り合いだとずっと思っていた義父が脳卒中に倒れ、医療費を補助するためにチャールズは彼に三〇〇〇ドル近く貸さざるをえなかった。しかし、いくつかの朗報もあった。わたしが彼らの結婚式で運転手の役を務めてから三年近くが経つが、夫婦に二人目の子どもが誕生する予定だという。それはよかった、おめでとう、とわたしは言った。

「それは早すぎるかな」と言うチャールズは、出産のタイミングのことを言った。

その妊娠は想定外で、父を失った男——家族を支えるたった一本の柱、と自分を表現した——にとってはさらなる重荷だった。

「子どもなんて最初の二〇年間、家庭に何の貢献もしませんからね」とチャールズは言った。一つだけメリットは認める。子どもたちの年齢が近いから、妻は二人をまとめて育てて早めに復職できる。チャールズの受け取り方は冷淡に聞こえるけれども、出稼ぎ労働者——ホワイトカラーではあっても——としての経済的不安定ゆえに、彼は自分の人生を損得勘定の計算書のように感じることがある。

坊主刈りで袖なしTシャツを着たチャールズは、少し太ったように見えた。わたしはトランプ大統領の話題を持ちかけた。大統領選挙でトランプが勝つだろうと彼は予測していたのだが、その話には乗ってこず無表情のままだ。チャールズの上司であるオランダ人特派員は六十五歳に近づきつつあり、いずれ引退する。後任の特派員が引き続き自分を雇ってくれるどうか、チャールズには自信がなかった。チャールズはもともと好奇心旺盛で知的活力に満ちた男だったが、どうやら父親の逝去と義父への用立てで憔悴しきった感じだった。そんな彼は見たことがなかった。

「まだ絶望はしていません」と彼が言えたのは、まだ新聞社でのアシスタントとして雇用されていたからだ。これまで就いた職のなかでいちばん収入は多かった。

電話を切ったあと、元気になるといい、とわたしは念じた。

上海へ帰る列車に乗る前に、チャールズは鞄の写真をアップしていた。なかには一冊の本、家族の誰かが持たせてくれたゆで卵とゆでたジャガイモ。

「寂しいな、うちを去るのは」と、チャールズはウィーチャットに書いた。

「稼がなければだめよ」と彼の妹が書く。彼は妹のことも支援していた。妹はメッセージのあとにスマイリーフェイスを添えた。数日後、チャールズはこう書いた。「三十歳を過ぎてから、毎日恐怖のなかで生きている」

それから数週間後、わたしは夏期休暇を取ってアメリカへ帰国し、アシュリーを訪ねるためにシカゴで降りた。彼女はビジネススクールの初年度を終えたところで、投資銀行で研修をしていた。わたしたちは彼女のアパートの外で会った。シカゴ川から一ブロック離れ、ミシガン湖までは歩いていけるところだった。アシュリーはスピンクラス〔フィットネスバイクを使ったエクササイズ〕を終えたばかりで、ライムグリーンのランニングパンツにフラットシューズを履き、横目づかいのネコ――アシュリー独特の疑い深い性格にぴったりなイメージ――の漫画をあしらったTシャツを着ていた。

ヨットがミシガン湖を間切《まぎ》って走り、わたしたちは緑陰樹の下、湖に沿ってそぞろ歩いた。アシュリーは投資銀行で働く三人の研修生の一人で、卒業後は職にありつけるだろうと楽観視していた。短期留学プログラムでパリの秋を過ごせれば、と楽しみにしていた。ビジネススクールを卒業したあと、アシュリーはいくらぐらい稼げるのかわたしは疑問に思ったが、なかなか訊きづらかった。一九九〇年代の中国では、給与額を尋ねるのはぶしつけなこととは見なされなかったが、社会規範というのは――ほかのさまざまなことがらと同様――常に移り変わるもので、最近あちこちで給与の質問をしたところ、あきれたまなざしで見つめられた。しかし今回ばかりは好奇心を抑えきれなかった。

「年間一二万五〇〇〇ドル」とアシュリーは答えた。

彼女の両親の年収を足した額よりも多い。

わたしたちはレイクショア・ドライブを渡り、グラントパークで開催されていた夏の大フードフェスティバル、テイスト・オブ・シカゴの雑踏のなかへ入っていった。ソーセージを焼き、エビフライを揚げる煙があたりに満ちていた。汗まみれの群衆をかき分けていくとき、アシュリーは手をひらひらさせて、脂っこいアメリカ料理のにおいを鼻先から追いやった。多くの中国人が西欧に来る理由の一つが人混みから逃れるため、ということをわたしはついつい忘れてしまう。

「母はわたしをここにいさせたくないんです」とアシュリーが言う。両親は娘の仕事の選択も渡米も承認しなかったという。

「だけどたくさん稼げるよね」と言ってみた。

「彼らにとってお金はそんなに重要じゃないんです。伝統的な中国人なんです」

アシュリーの家庭は共産党と有力なコネを持っていた。おばの一人は、アメリカで言えば各省長官に匹敵する地位に就いていた。アメリカ人の親なら大半は、アシュリーのような職業的成功や金銭面での成功を喜ぶことだろう。彼女は齢二十八にして、他国ならば二、三世代かかることを一世代のうちに成し遂げようとしていたのだ。

わたしたちはシカゴ川に沿ってぶらぶら歩き、途中で点心を食べ、彼女が住むミシガン湖の見渡せる一六階の転借アパートへ向かった。そこでの会話は、わたしたちのおしゃべりはすぐそうなる傾向があるのだけれども、ふたたび政治の話になった。アシュリーは二〇〇八年のアメリカ大統領選挙の結果を、北京大学に来ていた興奮気味のアメリカ人学生たちと見ていた。彼らは自分たちの国が黒人大統領を選び、人種には拘泥しなくなったらしいのを見て、驚いていた。それから八年後、アシュリーはここアメリカの自分の大学近くの中華レストランで、選挙の日の夜を過ごしていたが、テレビにはほとんど注意していなかった。というのも、ヒラリー・クリントンの勝利を当然のことと考えていたからだ。ペンシルヴェニアとオハイオで共和党の勝利が伝えられたあと、アシュリーは自分のアパートに帰り、トランプが大統領の地位に就くのをオンラインで見た。

「うわぁ、こんなことが本当に起こるんだ」と思った。

わたしたちの最後の会話から数カ月後、トランプ大統領は――証拠もなしに――オバマ政権がトランプタワーで彼を盗聴していたと非難し、ＦＢＩ長官だったジェームズ・コミーからどうやら忠誠表明を引き出せなかったということで彼を解任した。彼はまた、アメリカを気候変動に関するパリ協定から離脱させる計画を発表した。一〇年前のアシュリーはアメリカについてきわめて理想的なイメージを抱いていたが、ワシントンDCで一年間働いていた二〇一四年にそれが変わり始めた。

「醜悪な側面が見えてきたのです」と彼女は言った。アメリカ人の多くがここまでものを知らないのかと愕然とし、アメリカの民主主義の基本的前提に疑問を抱き始めた。つまり、教養を備えた市民が選挙で正しい選択をする、という前提だ。

「人びとに権利を与える場合、愚かさに直面することも覚悟しておかなければなりません。だって、大半の人は無知ですから」。彼女の殺風景な転借アパートの布団に一緒に座っているとき、彼女はそう言った。「ともかくそれが真実です。彼らはいとも簡単に政治家から操作されるのです」

「トランプと選挙民に着目したとき、あなたは民主主義について根本的に考え直したわけだ?」

「そういうことです」と彼女。「もちろんわたしにとって難しいことでした。なぜって、わたしがここに来た最大の理由の一つがこの国の民主主義でしたから。でも過大評価していたんですね」

「過大評価していた部分というのは?」

「民衆は信頼できる、という点。それは嘘でした。みな生まれながらにして平等だとか、平等に扱うべきだという十八世紀の考え方は全部すてきで、とても思いやりを感じますが、現実からは乖離しています。明らかにみな生まれながらにして平等ではないし、物事に対して持つ意見もほとんどが社会的地位によって決まってしまう。みんな自分の運命を自分で決める力を持ってほしいとは思う、けれどもそれは常に正しいわけじゃない。しかしまた、みんなの運命を誰かが決めるというのも正しくない。というわけで、わたしたちはいつだってジレンマのなかにいるのです」

トランプが大統領に選ばれたこと、そして彼が実現しようとしている政策は、アシュリーのアメリカ観を変えつつあり、彼女は民主主義についてさらに疑り深くなる。ここに住もうという計画を変えることになるのかな、とわたしはふと思った。

「それはないと思う」とアシュリーは言った。

そう言ったあと、彼女はしばし考え込んだ。

「でもね、あるかもしれません。中国には戻らないけれど、アメリカではない別の場所へ行くかもしれません」

「どこへ？」

「たぶんヨーロッパかどこか。ここに引っ越してきたとき、ほぼこのまま永住するつもりでした」と、彼女は残念そうに言った。「後戻りはできません、ですがここでは満足できません」

アメリカには、ほかの国から来た学生をはるかに上回る数の中国人学生がいた。何十年も前からアメリカは中国人学生を歓待していて、それは彼らからの授業料収入を期待していただけでなく、彼らが言論の自由、法の支配、民主主義に関するアメリカの価値観を吸収し、中国を変えるためにそれを持ち帰ってもらいたかったからでもある。その戦略の成果はまだ見えない。しかし、トランプが大統領執務室に入ってから、アメリカ的理想を海外へ売ることはますます難しくなってきた。アシュリーのような学生は、アメリカ留学で感銘を受けるのではなく、幻滅し始めていた。

アシュリーが進むべき道は不確かだった。差し当たって祖国には見切りをつけていた。自由の見通しはここ二〇年以上で最低だった。それを痛感させるように、わたしたちがそんな会話を交わしていたさなか、天安門事件のリーダーの一人でアシュリーの大学時代の理想主義にその著作で火をつけた劉暁波が、中国北東部で拘留されたまま死にかけていた。わたしは数年前、労働教養所での体験について劉にインタビューをしたことがあるが、その彼が平和的な民主的改革を推進しようとして拘留されていたのだ。中国政府は劉暁波が治療のために海外へ出ることを許さず、わたしとアシュリーが会話をした数日後、劉は死んだ。ノルウェー・ノーベル委員会の委員長、ベリト・レイス＝アンデルセンは、「中国政府は彼の早すぎる死に対し、重い責任を負っている」と言ったが、それは中国政府が中国の外でよりよい医療を受けることを拒んで彼の死を確実にした、ということを行儀よく表現しただけのことだ。

アメリカで一年間学生生活を送ったあと、アシュリーは自分の祖国にも第二の祖国にも幻滅していた。そして想定外の事実を受け入れ始めていた。「ここへ移住したことですべてが解決するわけではありません」

それから数週間が経ち、ロンドン行きの飛行機に乗ったとき、見覚えのないアカウントから次のようなメールを受け取った。「チャールズです。上司が一カ月の休暇を取るので、ぼくは今日実家に帰省します。ビデオチャットをしたいのですが、のちほど時間を取れますか（たとえば北京時間で午後七時から一〇時のあいだ）？」

何かが起きた。チャールズらしからぬ堅苦しさだ。翌朝、わたしはウィーチャットのビデオで彼を呼び出した。湖北省にある実家のアパートの階段を上りかけているところだった。チャールズはいきなり本題に入った。

「ぼくの上司、あの年寄りのオランダ人ですが、少なくとも二年間にわたって偽の記事を書いていたんです」

一年前、わたしたちが上海で最後のドライブをしたとき、チャールズは職場でのごたごたについてほのめかしたが、具体的にどういう悩みかまでは話したくないようだった。が、今それを説明している。彼の上司オスカーは、中国で記者として一〇年近く働いていた。チャールズが彼の部下として働いていた二年間、二人で練った記事の最終掲載版をオスカーは、チャールズのたび重なるリクエストにもかかわらず、一篇たりとも見せてくれなかった。一緒にやった仕事の成果を見たかったチャールズは、オスカーの新聞のウェブサイトへ行き、ようやく記事を探し当てた。チャールズはオランダ語が読めないので彼はそれをグーグル翻訳にかけてみた。翻訳は完璧ではなかったが、チャールズは細かな事実誤認をいくつか見つけた。だが、それ以上にまだあった。ある日オスカーは、政府によるゴルフコースの取り締まりに関する記事を書くことにした。それは習近平の反腐敗運動の一環だった。ビジネスマンたちは政府関係者をよくゴルフや酒宴に招いて接待していた。多くのゴルフコースは不正な不動産取引で取得したものなので、ゴルフ自体が共産党の不品行のもう一つの象徴になってしまっていた。チャールズとオスカーは上海のあるゴルフコースを訪れたが、オスカーは門前払いをくった。しかし印刷された記事によると、そのクラブのキャディが二〇〇七年に習近平がそこでゴルフをしたとオスカーに語ったと言い、中国の国家主席が偽善者のように見える内容になっている。

「反腐敗運動にからんだゴルフコースの話を生々しくさせるために、彼は最高指導者に関する噂をでっち上げたわけです」とチャールズはわたしに言った。

もしチャールズの言い分が正しいとすれば、これは倫理に反した愚行だ。

次の例は、わたしの体験とじかに重なる生々しいケースだ。

ヤンとわたしは二〇一五年の終わり頃、山西省へ飛んだ。一夜にして活況から没落へと転じた人口三〇〇万以上の都市、呂梁《リュイリアン》市の取材のためだった。産業重視で投資牽引型の経済を、個人消費によって牽引させる経済へ変えようとするとき、中国が直面する課題についての警告だった。つい二〇一〇年まで、呂梁市のＧＤＰ成長率は驚くべき二一パーセントだったが、現地政府は国の旧式産業モデル――石炭産業、インフラ、延々と続くアパート群などへの投資重視――へ倍賭けし続けた。挙げ句の果てに、需要をはるかに上回る供給過剰が生じて地元経済は破綻した。

わたしたちの記事を読んだオスカーは、類似の記事を書こうとして呂梁市訪問の計画を立てた。わたしとしては異存はなかった。しかし、チャールズが指摘したように、オスカーが書いた記事の中身はわたしたちのにいささか似すぎていた。わたしたちはレイ・リーリーという名前の女性にインタビューをした。家庭用電気製品を売っていたけれど、あまりの不景気で、テレビを一台買ってくれる客には冷蔵庫を一台ただで付けてやったという。オスカーは自分の記事のなかに電気製品のセールスウーマンを、それもレイ・リーというほとんど同じ名前の女性を登場させ、同じような嘆きをつぶやかせた。

ヤンとわたしが空港から呂梁市への道を走っていたとき、休眠中のセメント工場に目を留め、調べてみることにした。カオという名の下級の工場管理人が、自室のテレビで北京で行われた軍事パレードの再放送を見ていた。そのプラントは、五〇億ドルの予算をかけ、少なくとも三〇万人を受け入れる予定で呂梁市に新設する新たなビジネス・金融街のためのセメント製造をあてにしていたのだという。ところが、その計画を推進していた市長が汚職で解雇され、政府の資金は枯渇し、新開発地区へ向かうはずだった大通りの行き先はどことも知れぬ場所となった。オスカーの記事もほとんど同じセメント工場の話であり、インタビューの相手もほぼ同じことを語るカオという男だった。ただ一つ問題があった。

「ぼくたちはそこに行っていないんです」と、チャールズがわたしに言った。「作り話です。彼はあなたのレポートから名前を拝借したんです」

倫理的でないだけでなく、情報を捏造し、同業者から仕事を盗み取るとは、とりわけこのデジタル時代にあっては無謀すぎる。この一連の出来事にかかわったチャールズは良心の呵責を感じた。彼は情報提供者を探す手伝いをしたが、最終記事ができたときに記事のリンク先を彼らに送ることはしなかった。あまりに気まずかったからだ。

「彼らはみんなよくしてくれました、友だちみたいに」とチャールズは言う。「なのに彼らに顔向けできません。悪夢です」

上司が退職準備に取りかかっているとき、チャールズは彼のやり口を暴露することに決めた。

「実力のある外国人上司として自信満々、お高くとまったまま立ち去ることは許せなかった。実力なんかないんですから」と言うチャールズは、欧米人上司が中国で振りまく威光のことを言っているのだが、それもここしばらく年々色あせてきていた。

チャールズの義憤で、わたしは彼がベッドの上の壁にテープで貼っていた「剣客」という唐詩のコピーを思い出した。

私はこの剣を十年間磨いてきた
冷たい刃を試したことはまだない
私は今この剣を手にして君に見せる
誰か不当な扱いを受けている者はいないか？

チャールズは単に不正をただそうとしていただけではない。彼は上司に腹を立てていた。上司に虐待されてきたと感じたのである。

「この業界には、あなたとは違うタイプの外国人ジャーナリストが大勢います」と、チャールズは注意深い言い方をした。「すごく居丈高で、中国人の同僚を下に見るんです」

彼の上司はあまり口を利いてくれず、給料に見合うだけの仕事をしないと文句ばかり言っていた、とチャールズは言う。

「おまえはプロじゃない、まじめじゃない、と言われたこともあります」

表立って批判したりすると、今後チャールズは仕事に就けなくなるのではないか、とくに苦境にあるときに、とわたしは心配した。最近父親を失い、義兄には金を貸さなければならなくなり、子育ての余裕があるかどうか不安な状況で第二子が生まれようとしていた。

「この業界全体からボイコットされるかもしれません」とチャールズは言った。

わたしはチャールズに、オスカーの新聞社に連絡をとってこの問題について伝え、彼らにも動く機会を与えるべきだと助言した。それでも無視されるようだったら、そのときに公にすればいい。

「貴重なアドバイス、ありがとう」とチャールズから返事が来た。「その線で慎重に考えてみます。その編集員たちが自己防衛のためにぼくの報告を妨害するんじゃないかとは思いますが。もちろん、おっしゃるとおり、ほかの行動に出る前に踏んでおくべきステップです」

チャールズはわたしのアドバイスを受け入れて、その新聞社の代表メールアドレスへ――オスカーの編集部長のアドレスは見つからなかったという――自分の主張を細かく綴ったメッセージを送った。チャールズの英語は主に独学で習得したものだが、手厳しい内容だった。

「ニュースの取材助手として提案をし、調査を行い、インタビューのアレンジをしたり進行を務め、中国語で書かれた必要資料の翻訳をしてきましたが、自分で記事を書くまでには至らず、自分の署名が（調査協力者としてさえ）出ることもなかったわたしは、記事捏造の黒魔術を習得したなどというつもりはありません」と、彼のメッセージは始まる。「しかし、そうした黒魔術の大家の一人と二年間ともに仕事をし、彼が何度も記事を捏造し、ゆがめ、曲弁する様子を目撃するという幸運に恵まれました」

この調子で綴ったメールをチャールズは日曜日に送った。何の反応もないので、新聞社が自分の主張を闇に葬ろうとしているのではないかと危惧し始め、彼はそれを大っぴらにウィーチャットに投稿したが、これは爆弾投下のようなものだった〔翌月曜日には閲覧数七五〇万を超えた〕。だが、彼のメッセージはすぐにネットから消え、最初は不思議なことが起きたと思った。中国人の取材助手が西洋人ジャーナリストの上司のごまかしを暴くというのは、『グローバル・タイムズ』紙のような外国叩きの新聞にとって垂涎ものだろうと思われた。なぜ彼の投稿が不可解にも消えてしまったのか、そのヒントはウィーチャットの画面にあった遠回しの説明にうかがうことができる。

「本投稿の内容は国家機関、あるいは当局者のイメージと評判を傷つける」という通告が、チャールズの投稿した場所に掲載されていた。

問題の部分とは？　チャールズは、オスカーの記事が習近平はゴルファーであることを強調し、黙示的に習近平が偽善者だとにおわせていると繰り返し書いたのだった。そこでチャールズはゴルフの部分を割愛して再投稿してみた。すると投稿は掲載されたままになった。チャールズは反応を待つ。翌日、彼はオスカーの妻からメッセージを受け取った。

「恥を知れ」とあった。

オランダの新聞、高級紙の一つと位置づけられる『ＮＲＣ』の外信部長がチャールズにメッセージを送ってきた。同紙は彼の申し立てを深刻に受け止めていて、追加証拠を提供してくれないか、というのである。それを追うようにして、このメッセージとは別に、同紙の編集長ピーター・ヴァンダーメールが自身のブログでチャールズの言い分を取り上げ、「中国特派員のジャーナリストとしての誠実さ《インテグリティ》」という見出しで意見した。

「正確には何が起きているのだろう？」とヴァンダーメールは切り出す。

オスカーはチャールズの仕事ぶりとアイデア不足にだんだん不満を募らせていて改善を求めていた、と彼は説明する。オスカーが言うには、チャールズにはジャーナリストとしての基礎がなく、それがゆえに意思疎通が不十分となり、「彼が国家安全部との関係について明らかにせぬために」不信感を抱かざるをえなかった。「オスカーによると、彼がしばしば一人で仕事をした理由の一端はここにある。なぜならば、「チャールズが」中国の国家安全部とはつながっていないと完全に確信することができなかったからだ」

オスカーはチャールズに、自分は早晩退職するが、後任者がチャールズを引き続き雇うかどうかは保障できないと言っておいた、と言う。「オスカーは『わたしは休暇中に助手をすげ替える決断をした』と言う。『明らかに彼はわたしを糾弾しようと決めていたのだ』」

ブログはオスカーの発言を引用する。「中国共産党の機関紙が彼を励まし、彼の主張を熱狂的に支持するさまは驚くほどだ。そのありさまは、外国人記者が前にも増して仕事をしにくくなっているという現在の情勢と渾然一体をなす。尾行され、職務質問を受けたことは数知れない」

オスカーは外国人記者たちが共有する恐怖について書いていた。自分の取材助手が中国政府のスパイとして活動しているのではないかという恐怖だ。わたしが一九九〇年代に北京で働いていたとき、助手の一人が、わたしを監視するために人民解放軍参謀部が彼女を雇い入れようとしていたことを打ち明けてくれた。彼女の家族は人民解放軍とつながっていたのである。また、国家安全部が情報提供と引き換えに、取材助手に贈り物を提供するのはよく知られていた。

『ＮＲＣ』紙上での反論でオスカーは、彼に向けられた言いがかりは、恨みを抱く被雇用者と彼の評判を貶めたい共産党のプロパガンダの共闘ではないかとまでにおわせていた。このオランダ人記者は、中国共産党が民衆に対して外国人記者たちは各国政府の手先にすぎないから信頼できぬというのと同じ策略を、チャールズに対して使った。記事の後半で、オスカーは自分の仕事の自己弁護をしているが、あまり説得力がなかった。

習近平について含みのあることを口にしたゴルフキャディとのインタビューはオスカーのでっち上げだというチャールズの主張についてオスカーは、翌日チャールズを同伴せず単独でインタビューをしたのだという。呂梁市という石炭景気でわいた町の崩壊についてわたしが書いた記事を剽窃したという責めについてオスカーは、彼らは鉄鋼会社とセメント会社六社を実際に往訪しているのに、なぜどこへも行っていないようなことをチャールズが言うのか理解に苦しむと言った。

同紙の編集長は、同記事を次のような言葉で締めた。「『ＮＲＣ』の編集部は、前職員が高名な特派員の名声と弊紙の名声に泥を塗ろうと試みたことを遺憾に思う。可能な範囲において、オスカーは彼の前助手による申し立てをより詳しく反駁するため、過去のノートと記録を整理していく」

二〇一七年の秋、アシュリーはＭＢＡプログラムの一環である短期留学のためパリへ移った。留学先に落ち着いて数週間後、彼女は一七ドルのバスに乗って英仏海峡の下をくぐり、ロンドンへやってきた。そこでわたしはすでに一年近く暮らしていた。わたしたちは地下鉄でバラマーケットへ出かけた。テームズ川の南岸に沿って走る鉄道高架下の屋外食品マーケットだ。ロンドン・ブリッジ駅に着いてから、わたしはアシュリーにザ・シャードへ向かう標識を指して、周囲の位置関係を教えた。ザ・シャードはレンツォ・ピアノ〔イタリア人建築士〕がデザインしたオフィスタワーで、ロンドンの低層の建物が連なるスカイラインから、ガラスのぎざぎざの破片のように突き出ている。

「シャードは西ヨーロッパでいちばん高い高層建築の一つなんだ」と、わたしは新たに住み着いた町に対するプライドを込めて言った。

「わぁ、すごい！」と言うアシュリーは、心底感心したふうだった。

だが待てよ、とわたしは考え直した。わたしは中国人に話しているのだから、期待させすぎないように努めないと。

「でも七〇階とちょっとしかない」とわたしは言った。「まあ、上海の水準からしたらちっぽけさ」

三〇〇メートルを少し超えるだけのシャードは上海の高層ビルの半分くらいの高さしかない。パエリアやプルドポークのにおいがバラマーケットのあたり一面に立ち込めるなか、わたしたちは人の群れと屋台のあいだを縫って歩いていった。パッタイ――アシュリーの選択――で簡単に昼食を済ませてから河岸を歩き、ベンチに座って川を眺めた。少し下流にベルファスト号が停泊している。朝鮮戦争時、韓国の沿岸を砲撃した巡洋艦だ。英国は、中国の強力な支援を受けた北朝鮮を撃退するために、米国などの連合軍に参加した。引き潮時だったので、埠頭がむき出しになり、河岸のれんがに張りついた鮮やかな緑色の苔と黒い砂州があらわになっている。彼女はシカゴで望んでいた仕事に就けなかった。夏のあいだ彼女が働いていた会社〔投資銀行〕の医療部門では新規採用がなかった。彼女はもう少し小規模のファンドに職を求めようかと思ったが、アメリカの投資文化はどちらかというとリスク回避型だという印象を持った。

「ほどほどのリターンで満足するんですね」と彼女は言う。「中国ではそんなことはありません。みんな大きく儲けようとやる気満々です」

アメリカは若い理想に燃える中国人たちにとって一つの指針だったのに、どんどん輝きを失いつつある。多くのアメリカ人と同じく、アシュリーもトランプ疲れでうんざりしていた。何カ月か前に、トランプはツイッター上でNFL（ナショナル・フットボール・リーグ）の選手に、国歌斉唱のときにひざまずいていた彼らは出場停止か解雇されるべきだと言って喧嘩を売り、国連で行った演説では北朝鮮を「完全に破壊する」と脅した。

「彼は馬鹿げてるわ」とアシュリーが言った。「相も変わらず馬鹿げている。彼が言うことはもはやショックですらない。あの発言をまともに取る人なんてもういないと思います」

こうした体験のせいで、アメリカのビジネススクールに入学したときに回答済みだと思っていた問題が、アシュリーにまた突きつけられた。次はどこへ行く？ 彼女の両親は、もっと一般的で安定した人生を送ってもらうべく、娘には中国西部に戻ってきてほしかった。北京大学で修士なり博士号なりを取得すれば——中国の地方ではたいへん貴重な資格——政府系の楽な仕事に就けるうえに昇進も早い。彼女は香港で投資関連の仕事を探した。数十年にわたり東洋と西洋が心地よく融合した場所で、英国の法の支配と言論の自由があり、亜熱帯の海辺とすばらしい点心がある。だが香港は変化していた。それもよい方向へではなく。二〇一四年に香港で民主化デモが起きたあと、中国政府は政治的自由の抑圧に全力を注ぎ、香港を単なる中国南部の大都市にすぎぬものへと変えてしまった。そして香港における言論の自由の余地が狭まっていく一方で、この密集都市の賃借料は上昇し続けた。

「まともとは言えないアパート一室を得るために、生涯働き続けないといけないということになりかねません」と言うアシュリーの口調には、上海のチャールズやセイラなど、出稼ぎ労働者のそれにやや似たところがあった。

アメリカ人とともに時間を過ごせば過ごすほど、トランプが大統領職に就いて時間が経てば経つほど、遠隔の地からかくも長きにわたってあこがれてきた民主主義体制に対し、アシュリーはますます疑問を持ち始めた。数日前、アシュリーはビッグベンから通りを挟んで向かい側のパブに立ち寄ったとき、アメリカ人観光客らと会話を交わした。ナッシュビルから来た人と野球の話に花を咲かせていると、テキサス出身のカップルが英国人の文句を言い始めた。堅物すぎるというのだ。そのあとカップルはアメリカにいる移民たちに怒りを向けた。

「移民の連中はまあ何でもダメにしちゃうのよ」と、テキサスから来たブロンド女性がアシュリーに言った。彼女が指さすのはラテンアメリカ系の移民だ。

「そのあと彼らは、中国人が仕事を全部横取りするって文句を言ったんです」と、アシュリーはそのときのことを話した。

アシュリーは『デスパレートな妻たち』、『グレイズ・アナトミー 恋の解剖学』、『グッド・ワイフ』などを観て磨いた滑らかなアメリカン・アクセントの英語を話す。「どうやらわたしが中国人だと気づかなかったみたい」と彼女は言う。「彼らの言い分を聞いているのはちょっと気詰まりでした」

カップルのそうした態度は、同類ではない人たちと交流しないところに原因がある、とアシュリーは言った。「白人のアメリカ人以外と付き合った経験がないから、わたしに対してどう反応したらいいかわからない」とアシュリー。「だから自動的にわたしのことをアメリカ人だと見なすことにしたわけです」

彼女はアメリカで一年間暮らしたあと、多くのアメリカ人は物事にあまり注意を払っていない、と断定した。「民主的な社会では、誰もが選挙する資格があると大勢の人が思っているけれども、政治や政策を議論する資格だなんてとんでもない」とアシュリーは言う。「連邦政府のある種の政策については、一般人はそもそも投票するべきではないと思います。そんな専門知識を持ち合わせてはいませんから。わたしの専門知識だってそういうものとは違いますし」

それがまさに、さかのぼること一年前、英国でわたしが論じた問題だった。当時首相だったデイビッド・キャメロンが、信じられないほど複雑な設問――欧州連合にとどまるかブレグジット（欧州連合離脱）か――を単なるインかアウトの投票で決めようとした。習近平からＩＭＦ、ＮＡＴＯのかつての五人の事務総長、バラク・オバマに至るまで誰もが、五億人の巨大市場からの退場が、英国経済とその国際的権威を傷つけると考えた。今や悪名高くなってしまったスカイニュースのインタビューで、マイケル・ゴヴ司法相はこう言った。「わたしは国民に、あなた方自身を信じなさいと言いたい。この国の国民には十分な専門知識が備わっている」。投票から二年のあいだに英国の政治は大混乱に陥り、政府の分析によればブレグジット後英国は貧しくなると出た。唯一の疑問はどの程度貧しくなるか。それは英国も米国も、自分たちがその成立に力を貸してきた世界から退くといった歴史的転換点だった。

アシュリーとわたしが川の流れを眺めていたそのそばに、西洋の過去の権力と世界的広がりを示すサインがあった。座っていたベンチと同じ並びにヘイズ・ワーフというかつての埠頭がある。そこは数々の巨大倉庫の本拠地で、一八五〇年代に快速帆船が中国からの茶を荷降ろしした場所だ。それから一〇年以上前に、英国は第一次アヘン戦争で中国海軍〔清〕をやすやすと打ち破って中国との通商の扉をこじ開けていた。南京条約によって香港が英国に割譲され、英国はこれを一九九七年に中国に返還するまでに大繁栄の植民地へと育て上げた。

川向こうには、首都の歴史的金融街であるシティ・オブ・ロンドンの見慣れた風景となったクレーンの乱立とさまざまな形状の高層ビルのなかに、中国興隆のしるしが見て取れる。ブレグジット投票後のポンド安に乗じ、香港を本拠地とする企業が一七億ドルをかけ、ウォーキートーキー〔トランシーバー〕と称される同地で最も目立つ建物の一つを買収した。頭でっかちな三八階建てのこの建築物はくぼんだガラス面を持つために〔凹面鏡効果が生じ〕、晴れた日にはそこで集光される太陽光線によって路上で目玉焼きができるほどだ。同じ年だがこれより先に、別の香港企業が近隣の、チーズおろし器に似たレドンホール・ビルを一五億ドルで買っている。想定していなかった結果として、移民を制限しようとしてブレグジットに投票した年嵩の白人英国人たちは、バーゲン・ハンターの中国企業に、ロンドンの名物建築を買いあさる機会を与えることになったのだ。

米国は中国の独裁体制を何十年間と批判し続けてきた。国家資本主義と個人的自由と政治的弾圧の混滞は長続きしないだろうと確信していたのだ。しかし米国と英国の政治的機能障害のせいで、共産党による中国運営のほうがアシュリーにはますます魅力的に見えてきた。

「正直に言って、今のところ中国の現体制をどの程度褒めたらいいのか、よくわかりません。とても効率的に機能しているし、人びともその点は再考すべきだと思うんです」

アシュリーの言わんとするところは理解できる。彼女は自由の原則を至上と考え共産党を手厳しく批判するけれども、西洋に対する疑念を深めてもいる。アシュリーは中国的システムのよい点を列挙する。政府は破壊的な政策の遂行をはるかに独断的に押し進めることができる。というのも、知識の足りない投票者などは言うに及ばず、国内の批判的意見にすぐさま反応する必要がないからだ。中国の役人が、何百万という家屋を破壊しながらも、新しい高速幹線道路や高速鉄道網、不動産開発をがむしゃらに押し進めることが可能だった理由の一つは、開発の邪魔になる物件の所有者たちには、工事を差し止める法的手段がほとんどないという点だ。それに国家による開発の犠牲になった人たちが公に政府批判をすれば、簡単に始末される。

「非難した者は牢屋に閉じ込めればいい」とアシュリーは言う。「こうして長期目標に専念することができるんです」

政府に楯突くと痛い目に遭う。リーのように苦しむことになる。自宅を取り壊されたことに抗議したせいで、上海の公園内にある黒監獄にしょっちゅう閉じ込められていたあの女性である。あるいは彼女の弁護士だったジョハンナの例もある。仲間の人権派弁護士を支援したせいで、真夜中にホテルの部屋から拉致された女性である。そしてまたコンがいる。子宮から第二子を掻爬された女性だ。

多くの人びとと同じように、アシュリーも民主主義は時間がかかり、面倒で、効率的ではないと指摘した。「意見を持つのはもちろんいいことですが、議論を経て合意を形成するまでに時間がかかります」

と彼女は言った。「アメリカにおける大問題は、もはやあらゆるテーマについていかなる合意も得られなくなってきている、ということだと思うんです。国を発展させる可能性を片目でにらみつつ、もう一方の目でアメリカ内部のありのままの現実を見てみると、何かを達成することがとても難しいことがわかります」

アシュリーは、独裁的権力が持つ経済的利点を説明した。各地の中国人が投票権を持ったならその多くは、中国の国内総生産を押し上げはするが、彼らのコミュニティを汚染する有害工場を妨害するだろう。

「成長の後押しをするために、ときにはある程度の独裁が必要なんです」と彼女は言う。「新古典派のエコノミストの大半が、経済成長はほぼ何にでも効く万能薬だと信じています」

「でも汚染には効果がない」とわたしは言った。

ときどき中国人が主張するのと同じ言い方で、アシュリーは、ロンドンがまだ産業都市でイーストエンドに工場が集まっていた頃、わたしたちが座っているこのあたりはひどく汚染されていたと反論した。わたしたちがいた場所から一キロ半ばかり上流には、その昔バンクサイド発電所があって、一九五〇年のある一カ月に一平方キロメートルあたり九〇トンの粉塵を吐き出していた。その二年後、一九五二年の大スモッグが四日間シティを覆いつくした。霧があまりに分厚いので、バスの車掌はバスの前にランタンをぶら下げて立ち、バスを誘導して歩いたほどだ。霧によって四〇万人以上が死んだので棺桶不足を引き起こし、四年後に英国政府が「大気浄化法」を成立させることになる。中国が、大気汚染に関し方向転換をし始めたかもしれないという兆候がいくつかある。二〇一七年、政府は各地の工場地帯全域を閉鎖し、汚染工場の責任者を投獄することまでやり始めた。北京では、わたしが中国に出入りしていた二〇年のあいだ一度も見たことのない快晴の青空が広がる日々が続いた。その一方で、上海はまだ汚染に悩まされていたが。

「今だって民主主義という制度を持つのはいいことだと思っています」とアシュリーは、完全には納得していないような口調で言った。「でも、中国の制度だって何から何まで悪いわけじゃないと思うんです。いくつかの長所があります」

「外国へ旅立つ前よりも、ある意味で中国が好ましく見えるということかな？」とわたしは尋ねた。

「そうなんです」と、彼女は躊躇せずに答えた。「間違いありません」

第12章 西洋再考

——チャールズ、アシュリー

アメリカの実験、というものに対する信頼をアシュリーは失いつつあり、チャールズは、ともかく彼自身の数年間の体験に鑑《かんが》み、西洋のジャーナリズムは一種の偽善であると考え始めていた。彼の新聞社はチャールズの上司告発に接し、あたかもチャールズが中国側スパイであるかのようなほのめかしでお茶を濁していた。

「ぼくを国家公安に結びつけて非難するとはあまりに下劣です」。チャールズはわたしとの一連の交信のなかでそう書いた。「彼の捏造と国家公安とどう結びつくんですか？ ぼくの敵はずる賢くてしぶとくて、自分の新聞社を味方につけている。腐ったリンゴは一個だけかと思っていましたが、あそこは腐ったリンゴでいっぱいの籠だと気づきました」

中国で働く報道関係者はこのスキャンダルを前にして、多様かつ示唆に富む反応を見せた。取材助手の仲間うちには、チャールズはなぜもっと早い時期にこの捏造に関し懸念表明をしなかったのだろう、と言う者がいた。なぜとっとと職場を去らなかったのか、と言う者もいた。

そうした意見に対するチャールズの反応は、「オスカーが一〇年間中国勤務をしていたあいだ、なぜ誰も彼の深刻な記事捏造を告発しなかったのか？」というものだった。

海外特派員のなかには、チャールズはやはりスパイだったのではないか、と考える者もいた。そうこうするうちに、中国人ジャーナリストたちがツイッター——中国では封鎖されている——の上でチャールズ擁護のために集結してきた。彼らは編集長が、時には危険な任務を、往々にして報われぬ仕事を引き受けていた前従業員に汚名を着せようとしていることに唖然としたのである。

「あなたの助手が国家公安と交流していたのは、まさに彼があなたのようなボンクラのために仕事をしていたからだ」と、FTChinese.com〔『フィナンシャル・タイムズ』のオンライン中国版〕の編集長、王豊《ワンフォン》は書き、中国では大半の取材助手が公安部門と会わずに済ますわけにはいかないことを指摘した。「本件の事実関係は知らない。断じる意図もない。しかし編集長はむきになりすぎていて、卑劣で底意地が悪い。有能な編集長であるならば、告発者の動機の穿鑿《せんさく》から始めたりはしない」

中国本土のニュースウェブサイトのいくつかが、また香港やシンガポールでも、チャールズが上司を告発した事件を報じていた。その一方で西側のニュース組織はこの告発に触れることを避けてきたが、取材助手のなかにはそのような判断を偽善的と見る者もいた。このスキャンダルは国際メディアで働く人びとを、中国人・非中国人の線で二分した。

「もし外国メディアが意固地になってこの不正行為を無視するならば、『グローバル・タイムズ』紙や『人民日報』の力を借りずとも、自分たちの信用を失墜させることになるだろう」とルナ・リンがツイートした。当時彼女は、北京在の『ワシントン・ポスト』紙で助手として働き始めたばかりだった。

国際報道陣のほとんどがこの話題に触れたがらなかった。というのは、この出来事が世界的なブランドとは無関係なところで起きたどろどろした論争だったからだ。それに加えてチャールズの告発は、海外特派員は信頼できず救いがたいほど偏見にまみれているとする中国政府のキャンペーンに武器を与えるようなものだった。チャールズは西側ジャーナリストの意見をもっと聞きたかった。

「彼らは全員沈黙を守って立場を明確にしませんでした」と彼は言う。「馬鹿じゃありませんから。彼らにとって理想というのは他人に説くものであって、自分を律するモットーは実利主義《プラグマティズム》。懸念していたとおりこの業界が闇で偽善的だったとしたら、そんな場所で働かなければならない理由がありますか？」

　事実とジャーナリズムの倫理をめぐる論争にとどまらぬ、何か意義深いものが動き始めていた。チャールズやその他外国メディアで働いている中国人たちが、『ＮＲＣ』紙と国際的ジャーナリズムのコミュニティに攻勢をかけようとする態度は、中国人のなかで育ちつつある西側を批判し挑戦しようという自信の発露の一例だった。長いあいだ取材助手たちは、多事多難をかいくぐって特派員に対し貴重な支援を提供していたのに、報われぬ部下という立場にいた。だが、中国政府が基本的に自国民が外国報道機関の記者として働くことを禁じていたから、助手たちはある程度無名のまませっせと働き、嫌がらせを受けたり、時には留置場にぶち込まれたりしながらも、外国人上司が有能に見えるように花を持たせてきた。中国人助手の協力がなかったら、われわれのほとんどは仕事にならない。政府は助手たちをコントロールするために彼らによる報道を制限しているが、それはまた職場で外国人と中国人のあいだに怨望を生じさせ、両者を離反させる効果をもたらした。共産党は何十年にもわたって、党を批判する者たちを分割し不信の種をまいてきた。海外メディアに対しても同様のアプローチをとったのである。

　二〇年前ならば、チャールズのように自分の上司の不正を公の場で暴露するようなことは、ほとんどの取材助手にとって夢物語だった。その当時、中国社会のなかで海外特派員のステータスははるかに高く、取材助手たちは今よりもずっと世間離れしていて教育程度も高かった。北京勤務の初年度、われわれはまだ外交人員服務局を経由して雇用しなければならなかったが、同局は、やる気がなく、学業成績に見合わぬ仕事しかできない連中を集めた、共産主義時代に典型的な窓際施設のようなものだった。そのうちの何人かは劣悪で、ジャーナリストとしての補助業務は最低限に抑え、上司の密告に精を出すというのが任務らしい連中がいた。今日の取材助手は、現在の中国人一般について言えることだが、はるかに世慣れて洗練されている。わたしの助手、ヤンを見てみよう。彼は交換留学生として一年間ノースカロライナ州の歴史的黒人大学〔HBCU＝Historically Black Colleges and Universities として一一大学がある〕の一つで学び、香港浸会大学でジャーナリズム修士を取得している。外国報道機関で記者として働くことは大幅に禁止されているけれども、ここ数年にわたって何人かの中国人が活路を見出した。その一人が范文欣《ファンウェンシン》だ。彼は『ニューヨーク・タイムズ』紙の取材助手として働き、ハーヴァード大学でニーマンフェロー〔ニーマンジャーナリズム財団の特別研究員〕として一年を過ごし、現在は香港の『ウォールストリート・ジャーナル』紙で働いている。チャールズは范という人物のなかに、一時代前には考えられなかった何かを感じた。傑出した中国人同業者が自分のために立ち上がろうしているのだ。范はオランダ紙〔『NRC』〕に対して、オスカーがチャールズのことを「無能力で、秘密警察と怪しげな結びつきのある人物」と描写したことに疑問を呈した。

これに対し、『NRC』紙の外信部長、エルスケ・シュハウテンが反論してきた。「われわれの観点からも理解していただきたいと思います。誰かが完全に一方的で超重量級の告発を、事前にわれわれの反応を問うこともなく、オンラインに投稿しました。読者に対し、こちら側の言い分を呈示することも本当に必要でした。そして、オスカーと［チャールズ］チャンの関係の説明もその一部でした」

彼女の言うことには一理ある。公表に走る前にチャールズがもっと辛抱強かったらな、とわたしは思った。

「どうしてああせざるを得なかったの?」とわたしは尋ねた。「取材助手のほとんどは、おそらくあんな暴露をしようとは思わないよ」

「ぼくの性格が異質なんですよ」と言うチャールズは、自分が共犯関係にあったことで悩み、眠れなくなる夜もあった。「こういうことに我慢できないんです」

チャールズは、ここの生活の一部になっている虚言癖を憎んでいた。彼が小さいとき、父親がよく何かを買ってくれると約束をしたものの、めったに守られることがなかった、とチャールズは言う。たとえば高校生のとき熱烈なサッカーファンになったチャールズに、父親はアルゼンチン代表のジャージを買ってやると約束をしたが結局空約束だった。彼が中国南東部の父親が働いていたローストダック屋へ行ったとき、近所の店にアルゼンチン代表ジャージがぶら下がっているのを見た。

「中国の親というのはそういうことを平気でやるんです」とチャールズは言う。「ただ、ぼくだけはそれをいつまでも覚えている」

チャールズがオスカーに対する訴えを断固追求する姿勢でいる一方、彼の家族は、そんなことは忘れて新たな道を進んでほしいと願っていた。彼が、仕事を辞めて上司を告発するつもりだと妻に初めて話したとき、彼女は真っ青になり、そんな話はしないでくれと懇願した。チャールズの家族は、彼が抗議者リーのような運命に苦しむのではないかと不安視していた。家屋取り壊しの補償を求めて政府役人に迫ったところ、逆に拘留され肉体的に虐待を受けたあの女性だ。チャールズは家族に、外国人には中国政府のような強権がないから大丈夫だと安心させたが、警戒はしていた。会社から支給されていたラップトップを上海へ送り返したとき、彼は小包のどこにも実家住所が記されぬように用心した。チャールズの妻は、夫の公表決断を支援していたが、彼の母親はジャーナリズムの倫理などという抽象的なことを理由に仕事を棒に振ることが信じられなかった。

「母親と口論になりました」と、ある日チャールズが書いてきた。「夜になって突然母が言ったんです。『もうやめなさい。そして職探しに専念しなさい。あんたが何をたくらんでいるか知ってたら、わたしは止めたよ。彼のもとを黙って去って、ほかの仕事を探せばよかった。なんで表沙汰にするの？』

彼女は息子に、あまりに単刀直入すぎる、「あんたのお父さんによく似てる。あの人も買い物のとき値切ることを知らなかった」と言った。

「ぼくの勇気と正直なところを褒めてくれる人は多いんだ」と、チャールズは母に言った。

「表では褒めるでしょうよ」と母親は言い返す。「でもあんたを雇うかどうかという段になったら、あんたが会社のなかでどんな振る舞いをするか、心配でならないよ。人間の大半はあんたみたいに正直じゃないからね。誰でも秘密を持っている。正直な人間と一緒に働きたがらないのよ」

「たぶん彼女が一〇〇パーセント正しいんです」とチャールズは言った。彼は罪悪感でいっぱいだった。「正義の追求を優先したぼくは、彼女たちの気持ちや家族の経済状況を二の次にしてしまった」チャールズの人生に起きたこのエピソードを、将来息子にどう語るつもりか、と彼に尋ねた。チャールズは、新聞社とのこの闘いに勝って自分の人生が好転した場合にのみ話すと言った。

「でなければ、息子はこう言うでしょう。『だからこんな羽目になったんだね？』」


ある秋の金曜日、パリ郊外のビジネススクールでの短期留学をあと数週間で終えようとしていたアシュリーに、その後の様子を尋ねるべく、わたしはユーロスターに乗ってイギリス海峡の海底を潜った。翌朝、わたしはセーヌ川を渡ってプティ・パレの外にあるウィンストン・チャーチルの銅像の前に出た。何もないときだったら、わたしはその銅像に一瞥をくれただけで通り過ぎただろうが、中国においても西洋においても新時代が始まったように感じられる今、それでは済まされない気がした。ダブルのミリタリーコートのポケットに右手を突っ込み、左手で杖を握ったチャーチルは、前かがみの姿勢で顎を突き出し、前へ踏み出しかけた右足は宙に浮いている。その下の台座には「われわれは決して降伏しない」という、ダンケルク撤退のあとチャーチルが下院で行った演説「われわれは岸辺で戦う」のなかの一節が刻まれている。チャーチルはその演説を、ナチスが英国に侵攻してくるなら国民は「新世界が全力を尽くして旧世界の救助と解放に進み出るまで」戦い続けるであろう、という言葉で締めた。それから七〇年以上が経過し、米国と英国の支援で築き上げられた自由世界の世界秩序が、内外からの脅威を受けてきた。トランプ大統領は米国の伝統的同盟国であるヨーロッパ諸国を非難する一方、独裁者ウラジーミル・プーチンや習近平を褒めたたえる。両者ともアメリカの弱体化を望む人物だ。チャーチルの冷徹な視線を見つめながら、西洋の衰退と東洋の独裁に面と向かい、自由主義に基づく世界的規模の価値のために戦う人物を思い浮かべてみたが、現在の西側のリーダーのなかには見当たらない。それから一年と経たずして英国の首相、テリーザ・メイは、同国が過去数十年のあいだで迎えた最大の政治的危機、ブレグジットのために機能不全の症状を呈し始めた。ドイツではアンゲラ・メルケル首相がキリスト教民主同盟党首の地位を辞任し、フランスではエマニュエル・マクロン大統領が、収入格差をめぐる「黄色いベスト」抗議運動を相手に戦うことになる。

わたしは通りを渡って鋼鉄とガラスでできた丸天井を持つ巨大な展示場、グラン・パレに着き、そこでアシュリーと再会した。彼女は白黒格子縞のジャケットにグレーのスカーフ、黒いパンツとラズベリー色のブーツという粋な格好で登場した。アシュリーはその朝の文化活動として、フランスの高級品ブランド、エルメスのシグネチャー・ハンドバッグ群を中心にしたショーウィンドウ・ディスプレーの展示会を選んでいた〔二〇一七年十一月～十二月に開催されたエルメスのディスプレー・デザイナーだったレイラ・メンチャリの作品展〕。わたしたちが見た最初のディスプレーは、小ぶりな白いハンドバッグを、磁器で作られた砕ける波頭が寄せる白砂の浜辺に置いたもの。アシュリーの解説によると、そのバッグはグレース・ケリーにあやかって「ケリー」と名づけられたもので、一万ドルはするだろうという。

「世界の高級品の少なくとも三分の一は中国人が買っています」とアシュリーが言った。「八〇年代の日本みたいな感じ。みんながルイ・ヴィトンを持っていたり」

たしかに北京と上海の通りはＬＶバッグだらけになり、ずいぶん前に陳腐化してしまっていた。

「エルメスの何か持ってるの？」

「小さなお財布ですが」とアシュリー。二〇〇〇ドルくらいしたと言う。

展示会場をぶらぶら歩いていると、フランス語と標準中国語ばかりが聞こえてくる。とある角を曲がったところで深海をテーマにした展示があった。ピンクのウチワサンゴとそれにマッチしたハンドバッグで埋められ、そのうちの一つはスーパーモデルの靴を全部運べるくらいに大きく、ガイドによると、それはエル・マクファーソン〔オーストラリア出身のモデル〕に捧げた商品なのだという。ガイドはわたしたちがどこから来たか尋ねた。アシュリーは中国だと言い、北京の中国国際貿易センターで働いていると付け加えた。そこにはエルメス・ショップがある。

「わたしは一カ月北京にいたことがあるの」とガイドが言った。「こんなこと言っていいかしら——ごめんなさいね——でも、全然好きになれなくて。スモッグがひどいから。恐ろしくてジョギングもできなかった」

「普通外は走りません」とアシュリーは言った。誰かが馬鹿げたことを言った場合、彼女はけんもほろろだ。

だがそれは、中国の工業発展やその他経済的急成長を遂げる国々に付きものの問題だった。生活水準が急激に上昇する一方で、生活の質のある側面が劣化する。何千ドルもするハンドバッグを買い、パリに旅行に出かけたり留学する金はあるけれど、母国で新鮮な空気を得ようとしても手に届かない。彼らが共産党に非常に批判的であっても、彼らは——アシュリーやレイ、いやチャールズですら——自分たちの親よりもすでに裕福だから、本気で政治的造反に走るわけがない。とりわけ、そんなことをしたら失うものが多すぎる。ふいにそのガイドはわたしたちのほうへ身体を寄せ、まるでノートルダム寺院の身廊にいるかのように声を潜め、彼女が立ち上げたばかりの豪華旅行ビジネスの押し売りを始めた。彼女は、ブルゴーニュ地方に一五〇匹の猟犬と二〇頭の馬を所有していて、そこでハンティング・ツアーを開催しているのだという。彼女はビジネスがうまくいくようまだ尽力中で、どうですかみなさんもツアーに申し込んでみませんか？　というわけなのだった。彼女の図太さに敬意を表して、わたしは名刺を渡しておいた。

「あの人は成功するでしょうね」と、わたしたちが次の展示に移動するとき、アシュリーが言った。

「彼女が誰かに似ていると思ったんだけど、わかる？」とわたしは訊いた。「中国人だよ。中国人というのはいつも好機到来と考える。いつも物事の解決を考えている。いつも友だちをつくろうとする。どういう結果が出るかわからないけれど、それでもいろいろ工夫する」

一九九〇年代の北京にあった、わたしのお気に入りだった中庭付きレストランで働いていた給仕長を思い出した。彼はレストランの経営に関しては素人だったので、外国人客に気に入ってもらうにはどうしたらいいか、秘訣を教えてくれと訊きまくっていた。文化の相違を乗り切るのは一筋縄ではいかない。ある日、彼はレストランでハロウィーン・パーティーを開こうと思っていて、ついてはこんなポスターで外人客、とくにアメリカ人を呼び込もうと思うのだが、とそれを見せてくれた。ポスターで使われていたのは白いフードをかぶったクランズマン〔クー・クラックス・クランの会員〕の写真だった。できる限り穏便に、これは幽霊を表しているのではなく、黒人を虐殺した白人優越主義者の写真なのだと説明した。給仕長はわたしの顔を茫然と見つめ、レストランの入口へ歩いていき、ポスターをはがした。

アメリカ滞在中、アシュリーは、中国ブームの決定的特徴だった精力的な意気込みのようなものが存在しないことを物足りなく思っていたという。彼女は、香港の強力な関係筋で、シカゴ企業での夏期研修に際し、いくつか国際取引の仕事ができるよう熱心に後押ししてくれる人たちを知っていた。だが、そのことをアメリカ人の仲間に得意気に話すと、彼らは無感動な反応しか示さなかったという。

「彼らは、何かにわくわくするということがないんです。そういう態度が、わたしには全然おもしろくなかった」と彼女は言う。「あの人たちのいちばん大きな夢は、ある程度お金を貯めてどこか湖水沿いの家を買い、引退することですから」

次の展示は、磨き抜かれた金属壁をリベットでつなぎ合わせた銀行の金庫内部を模したもので、それにマッチする銀色の鞄がいくつか配置されていた。金属製のスーツケースが床に置かれ、とぐろを巻く太い鎖がその上に載っている。アシュリーは、エルメスのいくつかの製品、たとえば有名なバーキン・バッグなどはどこにでもあって露出過多だと言う。

「たとえば、ヴィクトリア・ベッカムはたしかバーキン・バッグを一三〇個持っています」

「イメルダ・マルコスみたいだな」と言ってみた。

アシュリーは何のことやらという顔をしていた。

「イメルダ・マルコスのこと、覚えてる？」

彼女は知らなかった。アシュリーは一九八九年生まれ、フィリピンのファーストレディが世界的に欲と過剰のシンボルになって三年後のことだ。

「イメルダ・マルコスというのはフィリピンの独裁者、フェルディナンド・マルコスの妻でね」と始めたわたしだが、歴史の先生になったみたいなぎこちなさがあった。「彼が大統領の地位から引きずり下ろされたとき、民衆がマラカニアン宮殿に押し寄せて彼女のクローゼットを開けたところ、そこには一二〇〇足以上の靴があった。それは体制全体の途方もない腐敗の象徴だったんだよ」

アシュリーがショックを受けるかと思っていたが、イメルダ・マルコスに関する情報はどうやらわたしが考えていたよりも古くさいものだったらしい。

「靴一〇〇〇足はそんなにおかしくもないでしょう」と、アシュリーはこともなげに言った。「だって、三〇〇足とか四〇〇足持っている人がいますから」

わたしがショックを受ける番だった。二〇年間にわたって、わたしは北京から上海までの巨富を見てきたけれど、三〇〇足の靴を所有している人など知らなかった。

「そういう人の仕事は？」と、アシュリーの友だちについて尋ねた。「何をしてる人たちなの？」

「わかりません」と彼女は言った。「とにかくお金持ち。中国では、そういうお金がどこから来るのかわからないんです」

「本当は知ってるんじゃないか？」

「ええ。でもそんなこと、質問しません」

「巨富の陰に重罪あり」とわたしは言った。

わたしが引用した一文は、フランス人作家、オノレ・ド・バルザックのものとされることが多い。が、実際に『ゴリオ爺さん』のなかで彼が書いた文章はちょっと違う。「明確な理由なしに築かれた巨万の富、その陰には忘れられた犯罪がある。なぜ忘れられたかと言うと入念に仕組まれた犯罪だったから」。とはいえ、彼のものとされる先の一文のほうが今日の中国にはぴったりくる。というのは、共産党が国の経済を規制すると同時に自らがそのなかで民間企業と競争する立場にあるため、多くの人びとにとって富を得るためには、たとえば超一級不動産に手を伸ばしたり、国家資産を奪い取るためには、役人と何らかの闇取引をする必要があるからだ。先の三〇年間のエコノミックブームは——相当な規模の個人利益の由来は説明されぬまま——ステータスシンボルの序列をも変えてしまった。

「わたしたちが贅沢を感じたのはｉＰｏｄクラシックを手に入れたときでした」とアシュリーが言

う。中国にミュージックプレーヤーが到来したのは彼女が高校生のときだった。今では「贅沢品が高校に侵入し始めています」と言う。

現在海外留学中の中国人の大半は金持ち家庭の出身である。アシュリーには、現在オハイオ州立大学で金融を教えている北京大学出身の友人がいる。その教授は、自分が教える中国人学生たちの常識外れの富に驚かなくなっていたが、ある贅沢品を見て彼女は正気を失った。アシュリーがそのときの会話を話してくれた。

「ＢＭＷには驚かない。ランドローバーでも、どんな鞄でも靴でもまあ平気」と、教授はアシュリーに語った。「でもある日、ゴールドロレックスを着けた教え子を見たとき、こう思ったの。『わたしはここで何してるんだろう？』」

ロレックス社のウェブサイトを見てみると、イエローゴールドのロレックスは三万三〇〇〇ドルくらいから始まる。

わたしたちは展示会場から抜け出し、アレクサンドル三世橋でセーヌを渡った。ボザール様式とアールヌーボー様式の混淆で、半裸のニンフが橋の中央で黄金のパリの紋章を挟んでいる。この橋は、過去一〇年間の平均成長率が一パーセントを切る現在のフランスとは雲泥の差のベルエポック繁栄の時代に建設された。一緒に歩きながら、アシュリーはアメリカへ戻る前にできるだけ欧州文化を吸収しておこうと、週末はヨーロッパのあちこちで過ごしていると言った。数週間前にはアムステルダムのゴッホ美術館を訪れ、子どもの頃に学習した「ジャガイモを食べる人びと」と題された絵を見つけた。ゴッホは、百姓一家が農家のテーブルのまわりに座り、オイルランプの明かりの下で湯気の立つジャガイモを食べ、お茶の準備をしている様子を描いている。家族のメンバーの顔にはしわが刻まれ、目は飛び出し、鼻はスキー場のスロープのように長く、ほとんど漫画と言っていいほどに誇張されている。アシュリーがこの絵画を学んだのは、美術の授業ではなく政治の授業でだった。

「ヨーロッパでの暮らしがどれほど悲惨か、それを教えるために『ジャガイモを食べる人びと』を教材に使ったんです」とアシュリーは説明した。「農民に同情するように教えようとしたんだと思います。世界中の農民は連帯すべきだって」

「社会主義のメッセージなのかな？」

「そうでしょうね」

「効果はあった？」

「いいえ。幼なすぎました。でもはっきり印象に残ってるんです」

アシュリーの先生が、美術を使って世界中の農民に同情せよと彼女に説くあいだ、チャールズの父親を含む何千万という出稼ぎ労働者たちが、もっと給料のいい仕事を求めて中国の農村から沿海部の巨大都市へ怒濤のように押し寄せていたのである。そして料理を作り、家の掃除をし、地元住民の子どもたちの面倒を見、共産党の経済面での優秀さを外国投資家や自国民にひけらかすのにうってつけの近代的高層ビル群も彼らが建てた。だが、出稼ぎ労働者の大多数は、教育と医療を含む基本的政府給付に対する法的権利を完全に得ることはなかった。彼らがそのほとんどを建設した町は、彼らを快く迎え入れてはくれなかった。それどころか、わたしたちがおしゃべりをしながらパリを歩き回っていたそのとき、はるか八〇〇〇キロの東、北京市南部、近隣の衣服工場で働く農村出身者が多い出稼ぎ労働者の蝟集する大興区《ターシンチュイ》の東にある仮設アパートで激しい火災が起きていた〔二〇一七年十一月十八日〕。一九人が焼死したが、そのなかには六歳以下の子どもが七人含まれていた。この事故に衝撃を受けた北京の役人は、潜在的に火災の危険がある建物の見直しを命じた。次いで彼らは何万という出稼ぎ者にすみやかに立ち退きを命じ、夜の気温が氷点下近くまで下がる時期に、多くのホームレスが生じるのを座視した。すぐに重機が運び込まれ、建物群を次から次へとひしゃげたアルミニウム、ベニヤ板、パイプ、鉄線、そしてれんがだらけの荒廃地にしていく――大昔からの中国の首都を改造しようという、長い歴史を持つキャンペーンの最新の戦場がここだった。その地区に住む人びとの多くは、防火対策などというものは、わたしが二〇年前に到着した頃から劇的に増加した移民追放の口実として利用したにすぎないと読んでいた。その当時一二〇〇万人の人口だったのが二〇〇〇万人以上に急増していた。役人は北西の田舎、陝西省からの移民である九カ月の子持ちの黨慧娥《タンホイウァ》に対し、三日以内に立ち退くことを命じた。

「この国に法律はあるんでしょうか?」と黨は、『ニューヨーク・タイムズ』紙で働くわたしの仲間に尋ねた。ネチズンたちが北京の区役所〔五つ以上の区〕から書類を掘り出し、そこには「低端人口《ティートゥアンレンコウ》」〔もとは、低階層産業に従事する者ならびにその被雇用者、という意味の言葉を短縮した表現〕、すなわち「低級人口」を片づけて管理する必要があるという趣旨が記されていることが判明した。一〇〇人以上の中国の知識人が政府に対し強制立ち退き中止を求めて署名した。「北京は北京市民の重労働によってのみ今日ある姿へ発展し得たのではなく、わが国の他地域からやってきた人びとの犠牲と貢献も不可欠であった。それゆえに北京はすべての中国人に対し深い感謝を示す義務がある。そうしたことを忘れ、地方から出てきた人びとに対し傲慢と差別と屈辱の仕打ちで返報するのはもってのほかである」

社会主義を口先だけで称賛する政府は、自らの正統性を維持するためにそうしているだけで、役人たちはしばしば資本家がやるように出稼ぎ労働者を情け容赦なく酷使していた。のちに、上海にいるチャールズに連絡をしたとき、彼は同じ境遇の出稼ぎ者たちの窮状をつぶさに追いかけていると言った。

「最近の北京とかほかの場所でのニュースのせいで、よく眠れません」とチャールズは書いてきた。

「怒りと失望。ずっと忘れていた感情です。強制立ち退きというのは北京だけで集中的に行われているのかもしれませんが、仲間の市民をこんなふうに扱うとは、お話にならないほど非人間的で暴力的です」

上海ではそこまで突然で大々的なことは起きなかったが、新規開発のため、そして出稼ぎ者を追い払うために、古い地区が引き続き取り壊されていった。わたしがロンドンへ転勤してから、チェンが住んでいた川の近くの古い地区は変貌してしまった。彼が住んでいたビルの通りを挟んで反対側の家屋はほぼすべてが、高級不動産開発のために取り壊された。何百という家屋があった場所には、白い建設用壁の背後に閉じ込められた黄色いクレーンが林立し、その壁自体はすでに汚染と泥で薄汚くなっていた。壁には習近平の中国の夢キャンペーンを想起させるプロパガンダのイメージが描かれている。

「国はわが家」と大書されたサインがあり、「国」という漢字が伝統的な中国家屋の戸口の上に重ね合わせてある。「国をあなたの家族にしましょう」というサインもある。

メッセージの意味は明白だ。国は——そして共産党も——文字どおりあなたの家族なのです。あなたの家を取り壊しているにしても。通りの向こうでは、今壊して均《なら》したばかりの出稼ぎ者の住居跡でショベルカーがれんがの山をすくっている。重機が木製の梁を引き裂き、瓦を割る音を立てながら家の残骸の上を動き回るそのまわりに、住民たちが集まっていた。くず拾いがアルミニウムの板をリサイクル業者のところへ持っていこうと、その上で飛び跳ねて平らにしていた。

「道路と地下鉄は全部出稼ぎ労働者が造ったんだよ」と、通りの向こうの椅子の上の、青い上着にワイン色のTシャツを着た上海人が言う。「でも政府からしたらもう用無しさ」

オランダの新聞『NRC』は元上司に対するチャールズの告発を調査すると固い約束をしていた。しかしそれには時間がかかり、チャールズは独りぼっちで、元の雇用先から面子をつぶされて仕事にありつけずにいた。そこでわたしたちは、何が起きたのか独自に調べることにした。わたしはヤンにメッセージを送り、ヤンはレイ・リーリーの名刺を探し出してくれた。わたしたちが呂梁市でインタビューした家庭用電気製品のセールスウーマンで、あのオランダ人ジャーリストが彼女とインタビューしたかのように引用した人物だ。

　ヤンはウィーチャットでレイにコンタクトした。彼女は店も呂梁市もあとにしていた。経済がめちゃめちゃになったからだと言ったが、わたしたちのことは覚えていた。

「あのあと、誰か別の外国人記者と会いましたか？」とウィーチャット上で尋ねてみた。

「いいえ」とレイが答える。「どうかしましたか？」

「一人も？」

「いいえ」と彼女は答えた。

　次にカオを探すことにした。セメント工場の管理人で、オランダ人記者が話を引用した男だが、チャールズに言わせれば自分たちはまったく会っていないという。わたしたちが訪問したとき、工場は死にかけていて放棄されたも同然だった。カオがまだそこにいる可能性は望み薄だった。しかしチャールズは、呂梁市で彼と上司を案内してくれたタクシーの運転手と連絡を保っていた。そこでわたしたちは、その運転手に工場まで行って尋ね回ってくれと頼んだ。数日後、運転者からの報告があり、カオはとうの昔にいなくなっていたが携帯の電話番号を入手したという。カオに連絡すると、彼はウィーチャットで、わたし以外の外国人記者に会ったことはないと確認してくれた。ＮＰＲ〔著者が勤務しているナショナル・パブリック・ラジオ〕からオランダの『ＮＲＣ』紙に手紙が送付される。オスカーの記事はわれわれの二つのレポートに瓜二つで、そのうえ主要登場人物たるカオとレイはいずれもオスカーに会ったことはないと言った、という内容だ。二時間後、同紙の編集長から返事が来た。その文章は、彼がチャールズについて書いたときに選んだ文章とは調子が違っていた。

「メール、ありがとうございました。大いに感謝いたします。添付いただいた資料は本件調査にあたりたいへん貴重なものです」

数日後の午後、雨のベルファストでインタビュー場所に向かっているとき、わたしの携帯にチャールズからのメッセージが届いた。『NRC』紙がオスカーに関するレポートを掲載したという。首席編集長は、オスカーは編集者と読者の信頼を損なう「重大な過ち」を犯した、と書いていた。彼は杜撰なレポート作成をし、われわれの仕事を剽窃し、同紙から去る。六十四歳になるオスカーは編集者に対し、退職の年齢が近づきまだまだ仕事ができることを証明したかったが、中国の独裁体制のもとで働いてきたことが一因である燃え尽き症候群と鬱に悩まされてきた、と言った。『NRC』紙は、オスカーが事実を潤色し、物語の「一部を実際より美しくおもしろいものにした。わたしは実に愚かで……同紙とわたし自身の水準を貶めてしまった」ことを認めたと言った。

『NRC』紙は、問題となった記事には、同紙としてはこれらの記事がジャーナリストとしての誠意を保証するものではないという旨の注を付けると言った。今や同紙の編集次長となったエルスケ・シュハウテンはわたしにこう言った。オスカーは過ちを犯したけれども、慢性的な虚言癖があるわけではない。早期退職の道を選んだオスカーは、わたしにこう言った。チャールズをぞんざいに扱ったことなど一切なく、最初に自分のところへ来てほしかった、と。

「［オスカー］ガルシャーゲンが犯した過ちにかかわりなく、われわれはオスカーを一人の人間として、仲間としてわれわれの心のなかに留めることにしよう」と主筆は結論に至る。「最近の過ちによって、ここ数年間、彼がすぐれた仕事をしてきた事実が覆われてしまってはならない」

チャールズとほかの取材助手たちは失望した。

「オスカーは首にならなかった」とチャールズは言った。「面子を保ったまま退社させてもらえたんだ」

最終的に同紙はチャールズに謝罪し、彼もある程度汚名を晴らすことができた。

「ぼくのことを使えない部下だとオスカーは言いました」。チャールズは言う。「しかし、ぼくが優秀な事実照合役《ファクトチェッカー》だったことは判明しましたね」

チャールズの勝利には終わったけれど、この体験のせいで彼は、国の言いなりになる中国のジャーナリズムよりも優秀だと常に自負してきた国際ジャーナリズムの世界に幻滅してしまった。このエピソードは、ヤンなども含むほかの中国人取材助手たちに苦い後味を残した。

「外国特派員たちがこの件を内々で話しているのを知っていますが、表に出てきて公然と非難する人は誰もいません」とヤンは言った。「まずいですね。この問題について完全に沈黙することで中国にいる海外メディアに資することはありません。ダブルスタンダードと偽善が蔓延している感じです」

ヤンの話は続く。「チャールズの告発にショックを受けたオランダ人記者を知っていますが、彼女は自分が記事にするには『あまりに微妙』だと言いました。中国の報道機関がある種の問題の報道を避けると、政府の圧力に負けたと非難されます。しかしこの件に政府はかかわっていないのに、彼女はあまりに微妙だと判断するわけですか？ ツイッター上で彼「チャールズ」をサポートしている人たちって誰でしょう？ 海外メディアのために働いている中国人の助手か中国人記者ですよ。事実がはっきりしないうちなら慎重になるのも理解できます。だけど今この段階になってもまだ？」

五年間一緒に働いてきたヤンからこういう話を聞くのはつらかったが、理解はできる。公正を期して言っておくと、ＮＰＲだってこのスキャンダルについて書かなかった。『ＮＲＣ』紙はビッグメディアではなかったから、ＮＰＲとしてはオスカーについて暴露するだけでやるべきことはやったと考えていた。

歴史的に中国とアメリカは、惹かれたり幻滅したりを繰り返してきたが、ここ二〇年間は多くの中国人がますますアメリカに幻滅してきたように思われる。わたしが初めて中国にやってきたとき、若い中国人の多くは――チャールズやアシュリーのように――政治的自由と、当時まだまだ中国を凌駕していた豊かさの面でアメリカを高く評価していた。

「なぜアメリカはそんなに金持ちなんですか？」と、わたしの取材助手の一人が尋ねたのは一九九〇年代のことだった。

その頃、アメリカは平和で財政黒字が続き、最大の政治的スキャンダルはビル・クリントンとモニカ・ルインスキーの不倫問題だった。だがその後、若き中国人たちがアメリカを山上の輝かしい町と見なすことは次第になくなり、横柄ないじめっ子という見方が増えてきた。そのような変化を感じたのは一九九九年の春、ユーゴスラビア紛争の際にＮＡＴＯがベオグラードの中国大使館を爆撃したときだった〔一九九九年五月七日〕。アメリカは謝罪し、あれは誤爆だったと言いつのり、不正確な地図に非を転化した。中国政府は故意になされた爆撃だったと主張し、数千人の抗議者に北京のアメリカ大使館へ押しかけるよう促した。大使館は当時のわたしのオフィスのちょうど裏側にあった。当初、国営新聞はクリントン大統領が謝罪したこと、あるいはＮＡＴＯが爆撃は間違いだったと述べたことのいずれにも、ほとんど触れなかった。普通の中国人たちは、無理もないけれど、びっくり仰天だった。

「なぜクリントンは謝らないんだ？」と、抗議者たちは理解できぬというように、大統領がすでに謝罪した翌日、わたしに迫った。

『北京青年報』という新聞は、世界中のジャーナリスト――アメリカだけを除いて――がデモのイメージを母国に送っているという記事を載せた。ＣＮＮで働いているわたしの同僚、レベッカ・マッキノンにとって、これは初耳だった。彼女はデモ現場から報道している最中に抗議者から頭を殴られていたのだから。ハリウッド映画を観て育ち、アメリカの大学院に通うことを夢見ていた中国人の若い学生たちが、歩道からはがしたコンクリートをアメリカ大使館に投げつけて行進し、赤と白と青のペンキ爆弾が正面玄関に飛散した。ある抗議者は、星をかぎ十字で、赤い横線からは血をしたたらせた偽のアメリカ国旗を掲げていた。それは、文化大革命以降最大規模の反西洋デモであり、中国が被ってきた一世紀にわたる屈辱というのが単なる歴史ではなく、多くの人びとにとっては薄皮一枚に覆われたひりひりする神経なのだった。抗議者たちは、西洋人と見れば国籍を詰問しながら通りを練り歩いた。米国人と英国人の大半はオーストラリア人だとごまかしたが、自分たちのアクセントがばれなければいいがと気が気でなかった。

　一九八九年に起きた天安門広場民主化運動の弾圧以来ずっと、中国政府は国をまとめる方法を探し求めてきた。「過去においてはマルクス主義、毛沢東の思想、鄧小平の思想を使ってきたが、もう機能しない」と、北京在住の作家・批評家である李明《リーミン》が中国大使館爆撃時に言った。「ＮＡＴＯとアメリカがやったことは、中国にとってナショナリズムを使って国民を団結させるための恩寵だった」

　それからほぼ二〇年が経ち、習主席は党の人心把握がさらにゆるんできたことを理解していた。国民団結のための一つの方法は、中国に対する尊敬を世界に求めるという大義の共有だった。南シナ海への中国の領土拡大も、宿敵日本と世界の勝者アメリカに対する挑戦も、中国が世界舞台で新たな役割を果たしていき、いかなる国にも服従しないという意志表明なのだ。党は中国人にメッセージを送っている。中国はもはや台頭しつつあるのではない。中国は台頭したのである。

第13章 アシュリーのジレンマ

――アシュリー

アシュリーとわたしは引き続きパリを歩き回った。ロダン美術館にたどり着き、「考える人」の前の木製ベンチに腰を下ろす。エッフェル塔のてっぺんから雲が失せ、太陽が顔を出して廃兵院の黄金色のドームをきらきら照らしていた。わたしは、以前彼女と交わした天安門の弾圧に関する会話の続きをたどった。その当時アシュリーはまだ生まれておらず、彼女が初めて大虐殺について知ったのは、二〇〇〇年代中頃の高校生のときで、中国でもインターネットが急成長した時期だが、政府によるコンテンツ制限と運用ルール規制を目的として構築した防火長城《グレートファイアウォール》はまだ開発途中の時代だった〔一九九八年、運用開始〕。アシュリーは自宅で関連するリンクをクリックしながらウェブ上を転々としていたとき、戦車の前に立ちはだかる男のイメージに行き着いた。そして路上に横たわるいくつもの血まみれの死体のイメージへ。

「それはもう『わあ！』としか」と、アシュリーは写真を見たときの反応を語った。その瞬間学んだのは、とアシュリーは言う。「わたしが生きている世界には別の面がある。中国政府は、わたしたちにずっと教えてきたような正しいことだけをしているわけではない。その先をもっと探れというドアが開いた、と言っていいと思います」

インターネットがおおむね無制限だったその時期は、普通の人びとにとって彼らの歴史、彼らを支配している共産党の本質などを検討してみることのできた一時的に開いた窓であったことがわかる。チャールズが『墓碑——中国六十年代大飢荒紀実』を読み、毛沢東によってもたらされた飢饉についての真実を知ったのが、だいたいこの時期であったのも偶然ではない。一九八九年以降の数年間、政府は天安門の歴史を抹消するという見事な仕事をした。国営テレビは虐殺が起きたあと「戦車男《タンクマン》」のビデオを一度だけ放送した。一人の男性が戦車の行く手を何度も遮り、戦車のほうは彼を迂回しようと旋回する様子が写っている。ニュースキャスターはこの対決を、ダビデが独裁的なゴリアテに立ち向かう図としては扱わず、人民解放軍の驚くべき自制心の見本として示した。わたしが新聞社の特派員として北京に到着した一九九七年、それは天安門事件の八年後だったが、すでにその記憶は消えつつあった。北京で暮らし始めた何日目かの夜、フランクズ・プレースへ出かけた。北京で最初に開店した西洋バーである。わたしは戸外のテーブルで、日本から飛んできたばかりの若いアメリカ人数人の輪に加わり、ハンバーガーを食べ、ビールを飲みながら、彼らが三人の中国人女性会社員とたわむれているのを眺めていた。二十代前半とおぼしき男性たちは若き女性専門職にすっかり心を奪われている様子だ。彼女らは新しく、開放的な、資本主義の中国を象徴しているように見えた。男性の一人がアメリカ人と中国人の類似点——彼が思っていたよりも少なかったのだが——を称賛した。

「戦車の正面に一人の男が立ちはだかってるのを見たことがある。政府に立ち向かうとはすごいなと見惚れたよ」と彼は言った。「まさにアメリカ人ならやりそうなことだ」

「まったくさ！」と仲間が同意する。

わたしたちが座っていたのは、あの対峙の場所から六キロばかり離れたところだった。女性たちは男性陣をぽかんとして見つめ、そのあと互いの顔を見合った。

「どの男？」と女性の一人が訊く。「何なの戦車って？」

わたしが中国へ戻ってきた二〇一一年の段階で、政府はインターネットの一定のコンテンツについてきわめて効果的に遮断できるようになっていて、若者の多くが天安門の歴史についてほとんど知らないという状況を生んだ。当時のNPRで同僚だったルイザ・リムが北京大学——アシュリーの母校であり、天安門抗議を率いた何人かのリーダーの出身校——へ出向き、彼女が執筆中だった本、『記憶喪失人民共和国——天安門再訪』〔二〇一四年〕のための調査の一環として戦車男の写真を一〇〇人の学生に見せた。

それが何の写真かわかったのは一五人だけだった。

暮らしの変化がとても早く、五年間で一つの時代ができ上がってしまうような国で、あの殺戮は古代史のようなものなのだ。

「もうあれにはショックを受けません」と、アシュリーは虐殺について言った。「自然の成り行きみたいに思えるのです。それが起きてしまっただけのこと」

ここ数年、中国人のなかには、党を団結させるため、国の経済を軌道に乗せるために、流血は必要だったと述べる人が現れてきている。二〇一二年の『ニューヨーク・タイムズ』紙に掲載され、話題になった意見記事のなかで、エリック・X・リーというベンチャーキャピタリストでわたしの上海における知人が、あの弾圧は残酷だったが必要だったと書いている。「中国国民はあの暴力的事件で甚大な代償を払ったが、暴力を使わない選択肢ははるかに悪い事態を招いただろう。結果として得られた安定は、成長と繁栄の時代を招き入れ、それが中国経済を世界第二位の規模という地位へ押し上げることになった」

アシュリーはこの見解に同意せず、中国の繁栄は経済原則に則したものであって、政治的弾圧とは無関係だと考える。

「民主主義なのか独裁体制なのか、ということとは関連性がありません」と彼女は言う。中国の目覚ましい経済成長は「基本的に、資本の蓄積と開放的な貿易政策の結果なんです。東アジア大衆の貯蓄率は驚くべき高さです。中央政府は資源の有効活用ができたのです」。ということはつまり、地方から安い労働力を無限に呼ぶことができたということだ。「それはいたるところで起きました。韓国、日本、台湾で」

中国人と会話をする楽しみの一つは、彼らが経済問題と自国のビジネスモデルに大いに関心を持っている点だ。何十年ものあいだ貧困を生きてきた彼らは、繁栄を当たり前のこととは受け止めなかった。

パリは十一月末で、気温は五度以下だった。わたしたちはベンチに座り、アシュリーはぬくもりを得るために両手をこすり合わせていた。天安門での抗議運動が成功していたら何が起きていたろう、中国は今とどう違っていたろう、と彼女に尋ねてみた。

「おそらく政治改革を迫っていたでしょうね」と彼女は言った。「党はもっとリベラルになっていたかもしれません」

「でも一党独裁国のまま？」

「と思います。ひょっとすると複数政党体制になっていたか、それとも共産党が分裂していたか。とは言ってもアメリカ的な民主主義になっていたとは思いません。仮に複数政党体制になっていたとしても、政府は依然としてきわめて強力なままだと思います。西側のシステムよりはるかに強い政府です」

「彼らには成功してほしかった」と続けるアシュリーが言及しているのは、天安門の抗議者たちだ。「少なくともあの当時は」と、アシュリーは皮肉っぽく言い添えた。「ＶＰＮを使う必要はなかったし」。ＶＰＮとは仮想プライベートネットワークという意味で、このアプリケーションを使うと、グレートファイアウォールを飛び越えて政府によって禁止されているウェブサイトへアクセスすることができる。この一年、共産党は、中国の外部世界にとっては情報の生命線、党にとっては政治的脅威であるＶＰＮに対する攻撃の度を増した。二〇一七年の夏、党は思いもよらぬ会社から協力を得た。アップル社である。同社は中国のアップ・ストアで販売していたＶＰＮアプリケーションをすべて削除した。アップル社の言い分は、中国法に従ったまでで、アプリケーション制作のためには中国政府の許可が必要だから、というものだった。グレートファイアウォールは穴だらけだったが、それをすり抜けて通るやり方はだんだん難しくなってきた。わたしの同僚の一人は、政治的に慎重を要する時期、たとえば全国人民代表大会の時期などには、ウェブサイトへのアクセスにえらい苦労をしなければならないので、インターネットを使うために自宅の庭に衛星送信機を設置する羽目になった。わたしもスーダンの奥地でソマリア内戦をカバーしていたときに類似の技術を使ったことがあるが、そのときは検閲の問題ではなくインフラが整備されていなかったからだ。

　さらには、西側のわれわれの多くが思っているほどＶＰＮが情報収集の特効薬というわけではないことを示すサインがいくつかある。北京の二大学で一八〇〇人以上の学生を対象に行った二〇一七年の調査によると、ＶＰＮを使ったことのある学生は五人に一人しかいなかった。一般大衆の利用率はさらに低い。ファイアウォールを回避するためのツールを常時購入している中国人インターネットユーザーは、八パーセント未満だ。研究者たちがある学生グループにインターネットへ無料でアクセスできるＶＰＮを配布したところ、半数近くは利用しなかった。つまり、グーグル、フェイスブック、ツイッター、インスタグラム、タンブラー、ドロップボックス、ヴィメオ、『ニューヨーク・タイムズ』紙、『ウォールストリート・ジャーナル』紙、ロイターなどの禁制サイトへただでアクセスできる機会を与えられても、試してみようとすらしないのだ。

「中国での検閲が効果的なのは、政府が機密情報へのアクセスを難しくしているからだけではない」

と、北京大学とハーヴァード大学の研究員たちが書いている。「それだけでなく、そもそも市民がそのような情報を求めないのは普通、という環境を育むからである」

なぜ要望がなくなるのか？　研究者はグレートファイアウォールの効き目だろうと言う。人びとは非常に長いあいだ、相当な数のサイトから締め出されていたので、もう自分たちに何が欠けているのかわからなくなっているし、中国企業は大衆の大多数が必要とする基本情報だけを載せた、中国人に便利なサイトを構築した（西側では、無制限のインターネットが万能の方策ではないことが判明してしまった。二〇一六年の米国大統領選挙の期間中、アメリカ人の多くは信頼できるニュースとプロパガンダを区別するのに苦労した。プロパガンダのなかには、混乱と対立を引き起こすためにロシアが工作したものがある）。

北京の大学におけるＶＰＮのこれほどまでの低使用率は、中国と世界に関する正確で無検閲の報道が学生人口のなかに浸透せず、大きな影響が生じることを意味している。研究者たちが突き止めたのは、機会提供を受け入れて実際にＶＰＮを使用した学生は、時事問題に通じていて、中国の経済成長について悲観的、中国政府については懐疑的、そして変化を誘発する行動に出る可能性が高い、ということだった。「翻牆《ファンチアン》」しなかった人びと、すなわち「壁を乗り越え」なかった人びとは比較的知識に乏しい。わたしもこれと同じことを、わたしのタクシーを利用した人たちとの会話を通じて体験していた。ＶＰＮを利用し、海外旅行をしたことのある人たち――カウンセラーのフィフィ（夏ごとにパリで過ごしていた）、人権派弁護士のジョハンナ（スウェーデンに留学）、アシュリーとチャールズ――は、政府の作り話にはるかに批判的であり、疑義を抱いていた。党の支援に熱心であったり習近平下での中国の将来に楽観的な人びとは、だいたいがファイアウォールの内側に閉じこもっている人たちで、たとえばわたしが引っ越しを手伝ったセイラとか、引きこもり老人に無料散髪をしているマックスなどがそうだ。中国のいわばイントラネット的な世界の向こうに思い切って乗り出したら、動揺するだろう。大多数の中国人の心に大きなプライドを植えつけた中国の隆盛、その背後にある暗黒面のいくつかを直視することになるからだ。

「ときには」とチャールズが言う。「壁の内側にこもっているほうが快適なこともあります」

共産党はオンラインにおいてのみグレートファイアウォールを築いたのではなく、情報メディアを含む西洋の評判を落とすことを目的とした作戦を通じ、多くの市民の心のなかにもグレートファイアウォールを築こうとしていた。二〇一四年の最初の一〇カ月、『人民日報』は国内問題の原因を敵意ある「西洋」「外国」、あるいは「海外」の影響力のせいだと非難し続けた、と『クリスチャン・サイエンス・モニター』紙が報じている。二〇一七年には上海外国語大学の学者が、外国人記者は中国を貶める動きの一部を担っていると書いた。「西洋メディアは『中国脅威』論を彼らのプロパガンダとして使っていた頃、彼らは中国がこんなに早く躍り出るとは考えていなかったのだ」と姜峰《チアンフォン》は書いた。「しかし彼らは今、日増しに力を増して超大国入りの敷居を越え、政治、経済、技術、文化など多くの局面で西側をしのぎつつある中国を目撃している」

トランプの大統領選以降、中国の国営メディアは、共産党と米国大統領は虚偽を語り党派制を帯びたアメリカのニュースメディアの犠牲者である、とするトランプの批判を歓迎した。『人民日報』のオプエドは、米国メディアを「アメリカ国民の敵」と評したトランプの表現に飛びついた。

「彼の言葉は、『ニューヨーク・タイムズ』紙やＣＮＮなどを含む主要米国メディアが悪意に満ちた不穏な組織であることを示唆している」と『人民日報』は報じた。「世界的に最も重要な民主主義的政府のリーダーが西側メディアを信頼することができないなら、ほかの世界もこれらメディアをどうして信頼することができようか？」

だからといって、壁の外側で知的生活を送っている人びとが西側による中国報道を額面どおりに信じていたという意味ではない。まったくそんなことはなかった。チャールズのように、アシュリーも海外の報道機関にますます懐疑的になっていて、中国に関する報道のなかに煽情的だったり悲観的すぎるものがあることに気づいていた。何年ものあいだ、外国人記者の一部には、党内の指導者層のなかに政治的にリベラルな風穴をあける隠れ改革者が現れるのを心待ちにする者がいたが、これまでのところ、それはない物ねだりでしかないことが明らかだ。また別の記者は中国の崩壊を予告する記事や本を書いたが、党はそれが間違いであることを繰り返し証明してきた。

「かなり長いあいだＷＳＪ（『ウォールストリート・ジャーナル』紙）と『ニューヨーク・タイムズ』紙の購読者でした」とアシュリーが言った。「彼らの予想というのはほとんど当たりません。中国で何かが起きると、彼らはすぐに体制崩壊を予言する。この国は巨大だから一夜にして倒れるなんてことはありえません」

またアシュリーは、西側の記者は習近平を批判しすぎると思っていた。われわれがパリで会った数週間前〔二〇一七年十月の中国共産党第一九回全国代表大会〕、基本的に国の最高指導部である中国共産党中央政治局常務委員会が、北京の人民大会堂の赤絨毯を闊歩し、明らかに全権掌握をした体の習近平を中心にして並んだ。過去にはなかったことだが、後継者の姿が見えない。会議最終日、党大会は憲法に「習近平思想」——正式には「習近平の新時代の中国の特色ある社会主義思想〔習近平新時代中国特色社会主義思想〕」として知られるもの——を明記することを決定し、憲法上、毛沢東思想と同じ政治理念としての地位が授けられた。習近平の威信の高まりと後継者の不在は、彼が伝統と決別し五年二期の任期を超えようとしていることの表れかと多くが考えた。そうであれば、重大な変化を迎えることになる。党は、最高指導者たちが無期限に居残って毛沢東がやったように国の荒廃を招かぬよう、彼らの任期に制限を設けていたのだから。

「習近平、党大会で皇帝のように振る舞う」という見出しが『ニューヨーカー』誌に載った。アシュリーが愛読し高く評価していた雑誌である。

党内でのこうした展開をアシュリーは警戒していたが、過度に心配していたわけではない。

「許可された任期以上に権力の座にとどまるのは非常によくないけれど、国を牛耳る暴君が突然登場した、というわけじゃないですから」と彼女は言った。ジャーナリストは『独裁政権』という言葉を振りかざして、読者を突然古代ローマに引き戻されたか、目の前に［新］スターリンがいるかのような気にさせます。でもそれは正しくありません。

ＷＳＪが中国について書いたものを、今ではもう読むことすらありません。まるで中国には世界を共産主義のもとに統一しようという陰謀があり、中国がやっていることはすべてそのゴールに到達するため、というような感じですからね」

「世界制覇が目的だと？」とわたしは尋ねた。

「そういうことです」

アメリカの新聞稼業に関する古い表現がある。新聞記者は「安穏《あんのん》としている者を悩まし、悩める者を慰めよ」。アシュリーは、中国にいる西側の記者は中国の独裁システムで苦しむ者に焦点を当てすぎていて、そのシステムを享受し成功した者にはあまり関心を持たないのではないかと感じている。

「中国で出会った人たちを公平に紹介したいと思うでしょう」と彼女は言う。「あなたが貧困ライン以下で暮らしている人たちを大勢見たことは間違いありません。でもわたしのような人間にも大勢出会っていますよね」

彼女は、エルメスの展示会で出会ったフランス人ガイドを引き合いに出した。ブルゴーニュ地方で立ち上げたばかりのハンティング・ツアーをわたしたちに売り込もうとし、上海や多くの中国の都市を特徴づける精力的な活気をわたしたちに想起させたあの女性だ。

「あれが基本的に、現在の中国人の大部分から伝わってくる向上心だと思うんです。本当に現在の中国がどういう国なのかをより忠実に表しているのは、ああした向上心です」とアシュリーは言った。「中国で感じるはずのああいう部分を、多くの記者はとらえきれていないのか、それとも意図的に無視しているのかなと思うんです」

昼食後、アシュリーとわたしはわたしが泊まっていたホテルのロビーに移動し、彼女はカウチに座り、わたしは偽のルイ十四世風椅子に腰を下ろしてコーヒーをすすった。

彼女の最終学期が迫ってきていたこともあり、このあとはどこへ行くつもりかとアシュリーに訊いた。ニューヨークにある小規模な投資銀行へ入ることを考えていたが、単調でつまらない金勘定になりそうな仕事には興味がなかった。彼女は香港の違う種類の小型投資会社での仕事に目をつけていた。

「中国本土へ戻る可能性は？」とわたしは尋ねた。

「必要がない限りは行きません」

「なぜ？」

「中国は筋道立てた話が通じる場所ではないからです」と彼女は言った。「常に強勢を誇ってないといけない。誰もがビリオネアになりたがっている。すごく殺伐としたありかたです」

アシュリーのように裕福で社会的地位があっても、中国での毎日の暮らしの速さとダーウィン的生存競争にさらされないわけにはいかない。

中国で「わたしはすでに特権階級ですから」と言うアシュリー。「人の神経を逆なでしない、というのがわたしにできるいちばんいいことなんです。何かで犠牲者になってしまっても、支援するとか手を差し伸べるというシステムはありません。両親に頼るか誰かを買収するしかないんです。安らかな暮らしをするのに理想的な方法じゃないですよね」

「中国の有名な作家に魯迅という人がいます」とアシュリー。

魯迅は中国の著名な社会批評家の一人。彼の作品をいくつか読んだことがあるが、いちばんよく知られているのが『阿Q正伝』という小説だ。阿Qは教育のない田舎の百姓で利己心を追求し、自己欺瞞に汲々としてばかりいる。自分より高い地位の者を恐れ、下の者だといじめる。彼は本質的に、国民性の最悪部分を表した人間、と魯迅が見なした存在なのだ。チャールズの村の狭い道でタクシー運転手と対決したあと、あの運転手は阿Qを思い出させるな、とわたしは感じたものだった。

「彼はとても有名な言葉を残しています」と、魯迅についてアシュリーは続ける。「『中国人の最悪部分ばかりを見る』。真実を突いていると思います。だってこの世界って、自分のことはいつも防御し、他人が悪いと決めてかかるでしょう」

それはまさにフィフィが濡れた道路で転び、二五分間座り込んでいたあいだ、彼女を助けるべく立ち止まる人は誰もいなかった、という経験を通じて理解したこと。それはまたあの網師のリー、誰かが川に逃がしたばかりの魚をすいく上げていた彼の哲学でもあった。「より賢いペテン師が頭の弱いやつらを騙すだけのこと」。長いあいだアメリカは——長所も短所もありながら——魅力的な代替案を差し伸べ、法の支配、宗教の自由、そして人間の悪質な衝動を緩和し、そこから人びとを保護する市民社会を提供してくれた。そうしたことの一つが、チェンとその妻コンをロサンジェルスへ引き寄せた。そこならば真夜中にドアをノックされる心配をすることもない。ところが、イラク戦争、世界金融危機を経、そして今やトランプ時代、新たな選択肢としてのアメリカの魅力はかすみ続ける。

「八〇年代に生まれた人たちはだいたい常識があって、民主主義はよいものだと思っています」とアシュリー。「でも若い世代はもうそんなふうには考えないと思います。西洋文化がいいとは思わない。

現在のアメリカを見なさい。フランスがだめになったのを見てごらん。彼ら［若い中国人］はパリが嫌いです。彼らからしたら落伍した町に見えるから」

　実際に訪れたパリが映画で見たパリとは違う、と中国人が不満を漏らすのをよく耳にする。汚いし、怠け者が多いし、店員は無礼で、歩道には犬の糞がこびりついている。

「彼らは必ずしも自由を必要としていません」と、アシュリーは話を続ける。彼女の後輩に当たり、その数を増す大卒者たちのことを言っている。「自由と民主主義というのは、実際には機能しない空っぽな観念だと考えているんです」

　彼女がビジネスを勉強中のパリ郊外の学校で、アシュリーは自動販売機を使うために同胞の中国人学生からときどきコインを借りる。彼は二十三歳で彼女より五歳だけ若い。最近彼はウィーチャットに、二〇一四年に香港で起きた民主化を求めての占拠運動〔「雨傘革命」〕は無分別で愚か、そして抗議活動家は人間のクズだと投稿した。より若い中国人のなかには同じような考えの人たちがかなりいる。国境の向こうで、北京の独裁的指導者たちに歯向かう旧英国植民地の中国人同胞と連帯する気はない。むしろ、本土の中国人は、香港の活動家たちを甘やかされて野心を抱いた英国野郎と見ている。

「香港も台湾も独立の道を追求するのは、たぶんとても非現実的だと思うけれど、彼らに同情はしているんです」とアシュリーは、彼女たちの世代の気持ちを代弁した。だが、フランスにいる仲間の中国人学生たちの反応を見て、若い世代の多くが自分とは相当違った意見を持っていることを知り、もし中国本土で働くことになったとしたら、その相違がよい方向には働かないだろうと彼女は思うのだった。

「たとえばチームをまとめたいと思っても、わたしは彼らのことを理解できないだろうと思うんです」とアシュリーは言った。「基本的に彼らとは意見が合わないでしょうから。わたしの個人的価値観とぶつかるだろうし、わたしのほうでそれを変えるわけにはいきませんしね」

ホテルの音響装置から「サマータイム」が流れ、サックスの物悲しい音色がロビーを浸した。

「その子たちがそうなったと理由は？」

「両親が生活の隅々まで管理《マイクロ・マネージメント》するからです」とアシュリーは言ったが、彼女が子どもの頃は両親が自分たちの時間を持つことを許し、探検し、実験し、間違いを犯すことが可能だったという。

「ところが今は、子どもたちは両親と［宿題とで］完全に生き埋めにされています。何かをやろうという自由はほとんどありません」。アシュリーは中国が近い将来もっと開放的な社会になるとは期待していないし、彼女の両親世代があと一〇年、二〇年は国を牛耳っていくのだろうと思っている。でもそのあとは？

「正直に言うと、わたしの世代のいちばん優秀な層は、みんなアメリカにいます」と言うアシュリーによると、北京大学の同級生の四分の一がアメリカで暮らしている。「希望があるとすれば、それは八〇年代生まれの人たちですが、彼らはもういなくなってしまいました」。中国人の大部分は習主席を愛し、彼の国内での反腐敗運動と、国外に対する自信満々の態度を評価しているけれど、アシュリーは彼の経済の運営能力に疑念を抱いている。

「中国はどういう方向に進むと思う？」

「概してわたしは悲観的です」と彼女は言う。ずっと長いあいだ、中国が経済成長のよりどころにしていたのは製造、投資、輸出だったが、それもしばらく前に一巡し、現在政府は未来の鍵となる産業、たとえば自動運転車、人工知能、コンピュータチップなどの分野で支配力を持つべく、新しいビジネスモデルを開発しようとしていた。「彼ら［中国の政治指導者］は進歩しなくなってから、ずっと保守的になりました」

アシュリーはトランプ大統領のもとでのアメリカについては、さらに悲観的だ。彼女はアメリカにいた頃、レストランで年長者たちと交わしたおしゃべりを通じ、彼らの米国大統領に対する考えをこうまとめた。「個人的には彼を好きではない。彼はろくでなしだけれども、もっともな点もある。そこらじゅうにいる移民、彼らはこの社会を台無しにし、無作法で教育に欠けている」

「ちょっと話をしただけで、彼らが状況を理解していないことがわかります」とアシュリー。「移民は地方経済にポジティブな効果をもたらすことが証明されています。たくさんのメキシコ人移民がいますが、彼らは不法移民になりに来ているのではなく、南部の州に低廉労働力の巨大需要があるからやってきたのです」

　アシュリーはオバマ政権末期に、人生構築の場としてアメリカに移住した。しかし今、彼女は二つの世界のあいだで進退窮まっていた。そのいずれもが彼女にとって魅力を失っていた。アメリカは自由だけれど欠陥がある。中国は機会に溢れているけれど道徳的妥協が必要だ。左岸に夕闇が寄せてきた。共産党はおそらく長期間の統治が可能だろうが、中国がその潜在力を引き出せるか、念じてやまぬ世界的影響力を押し進めることができるか、わたしには疑問だと言った。党はソフトパワーを渇望していた。威嚇や威力によってではなく、文化や政策的価値観によって他国を魅了して取り込もうとするやり方である。しかし海外でますます目立つ強引さと国内で強まる弾圧からすると、ソフトパワーの創造は遠い夢のように思われる。習近平は国内では幅広い人気を享受しているが、アジア太平洋地域で彼に対して「かなり」ないし「ある程度」の信頼を寄せていると答えた人はわずか三四パーセント、というのが二〇一六年秋にピュー研究所が行った世論調査の結果だった。

「でも世界全体が、中国に有利なようにソフトパワーの評価基準を変えたらどうなるでしょう？」とアシュリーが言う。「価値体系が中国有利へと変わるわけです。中国がその方向へ持っていこうとしている兆候はいくつかあるんです」

アシュリーの言うことには一理ある。中国政府は、これまでは見せることのなかった攻撃性のにじむ権威主義的な言い分の、少なくとも一部分を世界に承諾させようとしてきた。わたしたちのパリでのおしゃべりから数カ月後、中国大使館〔在ロンドン〕の役人がイギリスのダラム大学のディベート・クラブに電話をし、西側にとって中国は脅威かというテーマでの討論に、ある発言者を出席させぬよう圧力をかけてきた。その役人は、アナスタシア・リン〔林耶凡〕の参加に抗議したのである。彼女は元ミス・ワールドのカナダ代表で、中国の人権問題を痛烈に批判し、中国政府が禁止し邪悪なカルト集団であるとレッテルを貼った法輪功の実践者だった。その当時ディベート・クラブの会長だったトム・ハーウッド〔現在は右翼ジャーナリスト〕は、わたしにこう語った。「中国人の役人は、われわれがその人物を討論に参加させたら、英国と中国の貿易関係が損なわれると脅してきたのです」

討論は予定どおり行われ、リンもスピーチをした。

その秋に開催された共産党全国代表大会〔第一九回〕で、習主席は三時間半に及ぶ演説を行い、そこで中国が新時代に入ったことだけでなく、「独立を維持したまま開発の加速を望む国々と民族に対し、新しい選択肢」を提供することを強調した。習近平は「中国方案」についても語った〔中国が国際問題により積極的に参加し、国際社会に貢献するために中国の知恵を提供する、という趣旨〕。国際的模範として自国を押し出し、世界の中心舞台に打って出ようという中国の大胆なスピーチは、五年前なら考えられなかった。それは鄧小平の外交政策だった「韜光養晦《タオクアンイアンハイ》」（才能を隠して蓄え時機を待つ）や、習近平の前任者、胡錦濤が約束した「和平崛起《ホーピンチュエチー》」（平和的台頭）とはたいへんな違いである。習近平が世界と中国――「真ん中の国」という意味――に対して送っていたメッセージは、彼の国を国際情勢の中心のしかるべき場所に復活させるというものなのだ。

新時代が具体的にどのような姿になるのかは不明だが、その兆候はアメリカや中国の近隣諸国の大半にとって望みが持てるようなものではない。国連海洋法条約に基づきハーグで行われた仲裁裁判で、北京の南シナ海ほぼ全域に対する北京の領有権の主張が認められなかったあと、中国政府は、まさしくチャールズが言っていたとおり、この判断を無視した。しかし、太平洋での勢力変化《パワーシフト》を感じ取ったフィリピンの大統領、ロドリゴ・ドゥテルテは、この問題をそれ以上追求しないことに決め、その代わりにアメリカとの共同軍事演習をキャンセルした。これに対する返報として中国は、何十億ドルというインフラ投資を提供し、フィリピン軍に五億ドルのローンを供与した。

　フランスの首都が宵闇に包まれ、アシュリーはキャンパスへ戻らなければならなかった。わたしたちは照明のついたセーヌ川まで歩き、照らし出されたノートルダムの二棟の鐘塔が、セーヌの川面に白々と反射しているのを眺めた。緑色の木箱に古本を並べた露天本屋が川沿いでまだ商い中だが、客はほとんどいない。わたしはアシュリーを抱き締めて別れを告げ、彼女は階段を下りて姿を消し地下鉄へ向かった。

第14章 生涯国家主席？

——フィフィ、レイ、セイラ、マックス、アシュリー

何かがやってくると察することはできるけれど、それがもたらす衝撃を受け止め、その意味合いを咀嚼する準備はまだできていないということがある。二〇一八年に中国共産党中央委員会が憲法の改正と、国家主席の任期制限の撤廃を提案したとき、大多数の人びとはそんなふうに感じた。習近平には二期目五年間の任期後、つまりは二〇二二年以降も引退する意図のないことが明らかにされたのだ。理屈としては、毛沢東が悲惨な結果を引き起こしたように、彼は死ぬまで統治することができる。政府はこのニュースを国営新聞の内部だけに収めようとしていたが、新華社の誰かが、うっかりなのか計画的だったのかは不明だが、それを英語で発表してしまった。その見出しを読んだあと、わたしはタクシーの客や中国人の友人たちにコンタクトしてみたが、この不気味に迫る変化に気づいていない者も何人かいた。わたしが、八時間の時差があるロンドンからわざわざ彼ら自身の国に関する歴史的ニュースを報じるということ自体が、現在の中国での情報管理について何事かを物語っている。中国人の友人の多くが共通の恐れを分かち合っていた。

「ショックだった!」と書いた人がいる。「そういう噂は昔からあったけれど、信じがたいし恐怖でもある」

「何が怖い？」とわたしは訊き返した。

「過去に戻ること、毛沢東の時代へ。わたしのような性格の人間はああいう時代には生きられない。これはまさしく『新時代』だ。何であれ、発言には気をつけなければならない。ぞっとするよ」

　事実、それは古い中央集権の時代への逆行のように思われた。それも独裁支配と社会を管理するための新しい道具を備えた時代で、その道具には人工知能、一億七〇〇〇万台以上の監視カメラ、そして顔認識システム技術などが含まれるのだ。別の友人が風刺漫画にされた習近平の肖像画を送ってきた。部分的に裂けた顔の下から毛沢東の顔がのぞいている。そしてトランプ大統領がしたり顔でうなずき、金正恩が拍手をし、毛沢東がニヤニヤしたり笑ったりしているＧＩＦが送られてきた。中国のソーシャルメディアでは、同様の懸念を表明する何千という声が飛び交った——検閲で抹消されるまでは。

「われわれの皇帝は天命を授かった。ひざまずいて迎え入れなければならない」とウェイボーに投稿した人がいた。

「わたしのママが、習おじさんの任期中に結婚しなければ、と言ってたの」と書く人がいた。「それで今、ほっとして長いため息をつきました」

　クマのプーさんの画像の投稿もあった。丸々とした中国のリーダーに似たところがあるので、ここ数年、インターネット上で彼の不届きなドッペルゲンガーとして使われている。プーさんが王冠をかぶって王侯の赤いケープをまとったイメージだとか、大きなハチミツ壺を抱えて、こんな吹き出しがついたイメージ。「好物を見つけたら最後、絶対離さない」。検閲によってこうしたコメントやイメージは一掃されたが、その意味するところは、習近平が大胆な強圧的政策に取りかかっているあいだ、大衆が彼に対して持つ一般的イメージを党は気にしているということだ。すぐに検閲に走るというのは、いつの世でも同じことだが、強さではなく弱さの証明である。中国の国営メディアは、習近平が自らを中国の新皇帝の座に就けたという見方を打ち消した。常に頼もしい『グローバル・タイムズ』紙は話題を変えようと努め、トランプのアメリカに体現された西側民主主義の弱点を突くことに大忙しだった。

「現在の世界で最も影響力のある価値体系は、米国とヨーロッパによって築かれた西洋の価値体系である」と社説は述べる。「それは相当数の中国人の考え方を形成し、またそれに影響を与えてきた。しかし西洋価値体系のいくつかの部分が崩れつつある。民主主義は何百年にもわたって西洋世界で探究され実践されてきたわけだが、腐敗しつつある」

『グローバル・タイムズ』紙は、一人のリーダーに権力を集中させることで中国が経済改革と海外への果敢な進出を突き進めることができ、それはいずれ証明される、と述べた。

「中国は立ち止まったり休憩することはできない」と同紙は言う。「わが国はこのチャンスをつかまなければならない」

中国へ初めて来たとき、わたしは共産党に対して敬意を抱くようになっていった。一九七六年の毛沢東の逝去以来、党は自分たちの過ちから学び、大きな改革を果たした。まず彼らは失敗した社会主義政策を捨てて経済をつくり変え、何億という中国人の――わたしのフリータクシーで出会った乗客も含め――暮らしを変貌させる機会を創出したのである。党はまた、暴君を生み出してしまったシステムを変えなければならないことも認識していた。毛沢東が権力の座に座り続けた二七年間のあと、政治家と法律の専門家は中華人民共和国憲法のなかに任期制限を正式に書き入れた。結果的にこの縛りが全会一致の原則を導くことになり、共産党中央委員会総書記は同輩中の首席という位置づけになった。このスタイルの統治は迅速性を欠いてまだるっこしいものになるけれども、中国を荒廃させた危険な政策のようなものを抑制する効果がある。だが今、習近平と共産党はその制限を外してしまったのだ。

任期制限撤廃は単に習近平の権力集中の完成だけでなく、すでにここ数年、言論の自由と海外からの影響の余地を狭めてきた抑圧をさらに強化するものだった。任期制限に関する声明が出されたあとの数カ月後、フィフィとの会話のなかで何気なく、中国最大のオンライン・ショップ、京東商城《チントンシャンチョン》（JD.com）、淘宝《タオバオ》、アマゾンなどから聖書が消えたという話をした。

「何ですって？」と驚くフィフィは、それについて何も読んでいなかった。

わたしが消費するニュースとわたしのタクシー客が——あのファイアウォールの外に住む者であっても——消費するニュースの断絶がますます顕著になっていた。

「こんなふうにして管理するんだわ」と、中国内で姿を消した聖書についての報道がほとんどなされないことについて、フィフィが言った。「何かが変化している。なのに誰もそれについて話さない。中国だけのことだと思う？　それとも世界中で？」

異なるシステムの機能の違いの問題だと思う、とわたしは言った。アメリカならば、政府のコントロールを受けない報道機関が、リーダーに対して国民を前に自ら説明しなければならないように万全の働きかけをする。

「独裁システムだと説明をしなくてもいい、部分的にしかしなかったり全然しなくてもね。なぜかと言うと、それに注文をつける手段がないから」とわたしは言った。

政府はある程度の説明をした。抜け道を防ぐためだと。法律上、聖書は教会の書店でしか買えないことになっているのに、オンラインで売る抜け道があってはならない。ところが実際には、外国宗教とそれがはらむ潜在的脅威の弾圧なのだ。

「中国の雰囲気は今、本当に少しおかしくなっている」とフィフィが続ける。「テレビを見てるとわかるけど、プログラムがどんどん『赤』くなってるのがわかる」という意味は、どんどんナショナリスティックでかつ共産主義化しているということで、まさにわたしが学芸会で目撃したのと同じ状況を呈しているということだ。「学校で働いている友だちや警官のような公務員の友だちがいるけれど、訓練集会にたくさん出席しなければならない。その実態は洗脳によってコントロールするツールなんです。もっと『正しい』態度を身につけるよう助けてやる、というもの。こんなの、聞いたことありますか？」

　聞いたことがあった。文化大革命時、毛沢東の支配下で行われた政治的教化に多少似ている。権力の座に就いて以来、習近平は党が「西洋的価値」と称するものを批判する宣伝攻勢を推し進めてきたが、その批判の対象には真の民主主義や法の支配が含まれていた。その一方で、彼は共産党の中心的役割と、儒教や漢方医学といった伝統的な中華思想と文化を強調した。フィフィとわたしがチャットを始めて三〇分程度しか経っていなかったが、わたしたちはすでに遠回しの語句を使い始めていた。日増しに敏感になってきた政治的環境を懸念してのことだ。

「最近新しい映画が封切りになったんだけど、あの人についての映画」と言うフィフィは、あの人「習」の名前を出すことを避けた。

　その映画は『アメイジング・チャイナ』（『厲害了，我的國』（すばらしい、われわれの国））という九〇分の、国がスポンサーになった映画で、習近平第一期目における政府の偉業を誇示するものだ。長さ数キロの橋、巨大な電波望遠鏡、高速鉄道、自国製ジェット機Ｃ９１９、南シナ海で掘削中の世界最大の沖合油田開発プラットフォームなどのイメージが目玉になっている。政府は公務員を対象に試写会を組織した。新華社はその映画を史上最高の興行収益を挙げた「ドキュメンタリー」と評した。

「映画のなかに出てくるリーダーは一人だけで、ほかの人たちは出てこないっていうその意味はわかるでしょう」と言うフィフィの声は徐々に小さくなり、物思いにふけるふうだった。「とても奇妙な雰囲気の映画」

フィフィによると、その映画はオンライン視聴者から一〇点満点で九・六点を獲得したという。

『タイタニック』だって九・六点も取らないわ」と、笑いながらフィフィが言う。

中国での言論の自由が狭まってくるにつれ、フランスと上海に二分されたフィフィの暮らしはコントラストが一段と鮮明になっていった。

「わたしにとってはすごく難しい、と言うのはフランスに行けばしゃべりまくるチャンスがいっぱいある。で、帰ってきたからってすぐには止まらないから、最初の数日は自分を危険にさらす羽目になるの」

最初の数日が過ぎたあとは？

「口を閉じます」と彼女は言った。「ただ黙るんです。だって話しかけてくる人なんていませんから」

フィフィは緊密な友人の輪を頼りにしていた。そこには腹蔵なく話し合うことのできる、香港で育ちアメリカで学んだ同僚たちがいる。そして教職時代からの仲間である五人組もいたが、彼ら彼女らと政治について語る機会はずっと減ってしまった。というのは、会話のネタであり養分だったニュースや情報を、政府の検閲機関が奪い取ってしまったからだ。一〇年前なら、はるかに独立性を保っていた中国のニュースソースが、中国国営メディアと中国外の世界とのあいだに橋渡しをしてくれていたが、今や、フィフィに言わせれば橋は落ちた。

「自分の意識が、小さな世界に引きこもってしまった感じ」と彼女は言う。「外の世界に意識をたくさん集中させていると、すごく疲れるし欲求不満になるから。わたしのこういう感覚が、多くの中国人が感じていることを代表していると思います。わたしのクライアントのなかには政治的なことや社会問題について話すことのできる人もいるけれど、いつもため息で終わってしまうの」

二年前、フィフィを乗せて彼女のクライアントのところへ連れていった頃よりも彼女は悲観的な言葉を吐く。

「気持ちが悪いんです」と彼女は言う。「子どもの頃に退行していくようで。どういうことかと言うと、わたしには大人だった時期があり、自分で結論を出すためにたくさんの情報を利用することができた、なのに今では誰かが教えてくれるのを待っていて、運がよければ本当のことを教えてもらえる、という感じ」

共産党は中国を世界最大の経済圏へとつくり上げてきた。彼らは自分たちの国を、革新の権化としての世界の大国、他国に対して範を垂れることができるような国に変えたかったのである。しかしながら、彼らは権力維持のために、中国人を幼児化し、より密着監視できるように仕組んだ政策を推し進めた。素行改善のため、そして社会不信――車道でのフィフィの体験が物語るように、いまだに大きな問題――を撲滅するために、地方政府は民衆を多種多様の要因で格付けする社会信用システムの試験的稼働を始めた。市民は、マックスのように慈善活動をしたり献血をすることでポイントを稼げるが、信号無視して横断歩道を渡ったり、公共事業料金の未払い、リードをつけないで犬を散歩させたりするとポイントを失う。二〇一八年の五月までですでに、不品行を理由として一一〇〇万件以上の旅客機搭乗拒否、四〇〇万件以上の高速鉄道乗車拒否が起きていた。共産党のことをオーウェルの〔『一九八四年』に出てくる〕ビッグブラザーのようだと見なす人もいるが、中国の各地のシステムがばらばらで統合されず、これまでこのシステムで罰せられた人数は人口の一パーセントしかいないことを指摘する人もいる。わたしのリベラルな友人ですら、社会信用格付けシステムの考え方を支持している。彼らの善良な素行が報われ、不品行な者たちが罰せられるのは喜ばしいというのだ。

理屈のうえでは、より多くの人びとに法を厳守させ、信頼できる市民になるよう促すことには賛成だ。たとえば二〇一八年に上海へ戻ったとき、車は歩行者のために横断歩道で停車しなければいけないという決まりを政府が厳守させていることを発見し、わたしは大喜びした。当たり前なことのようだけれど、わたしが以前中国で暮らしたときには最初から最後まで一度も見たことがなかった。ある雨の日の午後、わたしが横断歩道を渡ろうとしたとき、銀色のベンツが交差点に飛び込んできた。わたしが交通巡査のように手のひらで制止し運転手をにらみつけると、奇跡的に彼は停車した。しかし、抑制の利かない権力と結びついた場合には、社会信用システムが権力濫用の機会を創出してしまうだろうことは容易に想像できるし、わたしは中国暮らしが長くなればなるほど、自分たちがどれほど監視されているかひしひしと感じるようになった。わたしがいた頃すでに、監視カメラの数が爆発的に増加した。わたしのアパート団地のカメラは、わたしがギターを置き忘れたタクシーのナンバープレートを写していたので、ギターをすみやかに取り戻すことができた。だが別の使われ方をするような場合があれば心配だった。二〇一三年、わたしは上海南部の浙江省で、三人の医者が怒れる患者に刺され、病院が勤務者の安全を守る義務を怠ったと不平をつのらせる医局員たちの抗議行動に火がつく、という事件を追っていた。タクシーの後部座席に座っていたわたしは、地方政府がわたしの動きを追って拘留しようとしていることを知った。顔を上げるとビデオカメラがわたしの顔のほうを向いている。わたしは反射的にブルーのジャケットを頭からかぶった——顔をジャケットで覆っている乗客のほうが、ずっと怪しげだろうとまでは頭が回らぬまま。その不安は取り越し苦労だった。監視産業アナリストが後日話してくれたところによると、顔認識技術は当時そこまで進歩しておらず、まだまだ時間がかかるという。だがもちろん、ほとんどの技術と同様、どんどんよくなっていくに違いない。

　上海での週末、時たま公園の静かな片隅をぶらぶらすることがあった。そこでは、中国のほかの場所では見ることのできない出来事が催されていた。政治的討論である。六十代から七十代の男たちが肩を並べて、だいたいみんなが好き勝手なことを話している。蔓棚の下に立ち、政府の腐敗、中国の村落部における選挙の「インチキ」システム、一九四九年の共産党の権力奪取時に起源を持つ「洗脳」、などについて文句を吐いてはうっぷんを晴らす。数年前に出かけたときには、眼鏡をかけた赤ら顔の男が、香港の民主化運動を熱狂的に褒めたたえる勢い余って、一・五メートルばかり離れたところにいたわたしに彼の唾が飛んできた。だが、最後に出かけてみたときには、様子が変化していた。可動式を含めた監視カメラが五つもある。あれは使われているのだろうか？ それとも単なるカカシなのか？ 真相はわからないけれども、監視する気ならできるんだぞ、という忠告としては有効である。

同じ国のなかでも本物の反対勢力がいる場所では、監視体制がはるかに厳しかった。中国北西部の新疆ウイグル自治区では、イスラム過激派による襲撃があり、警察が検問所で携帯電話の中身をチェックしている。政府は再教育キャンプという強制収容所を建設し、そこにウイグル人たち――チュルク語系で大半がイスラム系民族――が洗脳と、被収容者の弁によれば実質的には信仰放棄のために送り込まれている。何カ月にもわたって中央政府はキャンプの存在を否認してきたが、反過激派教育を行う職業訓練施設であると、その存在をようやく認めた。政府は監禁している人数を明らかにすることを拒否しているが、研究者は一〇〇万人程度が複数の収容所に監禁されているだろうと推測している。アメリカ副大統領マイク・ペンスは「二四時間ぶっ通しの洗脳」を行っていると北京を非難し、アメリカ議会行政中国問題委員会はこれを「現在、世界最大規模の少数民族大量監禁所」と呼んだ。このキャンプについて多くを知る中国人はほとんどおらず、北京政府はそれを中近東でＩＳＩＳなど、イスラム過激派と戦うアメリカの奮闘になぞらえた。在米中国大使の崔天凱《ツイティエンカイ》は、アメリカはテロリストを殺すためにドローンを使っているが、中国はもっと人道的なやり方をとっている、とロイターに語った。「われわれは彼らの大半を再教育することに努め、通常の暮らしに戻れるような普通の人間へとつくり変えているのだ」

国際的な圧力を受け、また管理費の増大もあって、中国政府はようやく収容所のいくつかを閉鎖し、路上のチェックポイントを廃止したが、政府関連の建物や居住地区におけるチェックは継続している。

西側諸国は共産党の一段と強まる抑圧を批判したが、国内での習主席の人気は上々のままだった。フィフィと違って、レイは主席の大ファンになった。それも正当な理由があってのことだ。習近平は約束したことの大半を履行した。最初の数年で彼は経済を安定化させ、成長率は目立って鈍化しているが、収入は増加を続けている。二〇一八年の上海再訪時、マグレブ列車は今世紀当初に比べるとずっと混雑していた。習近平は一兆ドルのインフラ需要を生む「一帯一路」構想にて、アジアとヨーロッパの通商拡大を計っている。そして最も重要なことは、数億の中国人同胞は彼の反腐敗運動に感謝していたのだ。

「国民は政府に対する信頼をほとんど失っていました。もう汚職だらけだったんですから」とレイは言う。「役人の多くが自分たちの仕事を国民の公僕としての任務だと、まじめに考えてはいませんでした。金儲けの手段だとしか。それが今、ずいぶん変わりました」

レイは、必要なときには党批判をためらわないが、「ＧＤＰ中毒」〔ＧＤＰ至上主義〕を断ち、環境重視をいっそう強調し始めた政府を称賛した。そしてまた彼は、習近平が中国の農村部へ入って貧困を削減し、国内の収入格差を減らそうと取り組んでいることも評価した。

「彼は、中国は上海や北京みたいな大都市だけでできているとは見ていません」とレイが言う。「彼は村の生活を知っています。田舎を知っています」

憲法改正についてはどう思うかとレイに訊くと、彼はそれについては話したくないと言った。国家権力の頂点にかかわることで、あまりにも微妙な問題だから。彼と知り合ってからの長い月日のなかで、あるテーマについての会話をはなから拒否されるという、それが初めての体験だった。後日、合衆国憲法について話し始めたとき、レイはそれを理想的な三権分立だと褒めた。三権――司法権、立法権、行政権――が相互にチェックする。レイは、すべてのアメリカ人は彼がイリノイ州で修士を取ったときのような憲法の授業を取るべきだ思うと言った。

「アメリカ人であることは痛快でしょう、あの建国の父たちを誇りに思うことができて」とレイが言った。「あの人たちは偉大でした。人類のなかの最高水準の人たちでした。ワシントンほどの人でさえ、〔二期〕八年で辞めました。すばらしいことだ」

　配慮が必要な政治的な話題を語るとき、中国人は婉曲的な言い方をするだけでなく、歴史的な喩え話を使う。それは一定のメッセージの表明であると同時に、もっともらしい否認《プローザブル・ディナイアビリティ》〔万一の場合、そんなことを言った証拠はないと否認できるような仕掛け〕なのである。任期制限撤廃をめぐる会話のなかで、ジョージ・ワシントンの名前が引き合いに出されるのを聞いたのは、これが初めてではなかった。もう一人の中国人の友人が、共産党の顧問が担当する授業に出たときの話を教えてくれた。その男性は、二期だけで大統領職を手放したワシントンの知恵を称賛してから授業を始めたという。

「八十代とか九十代になった男が、どうやって国を治めることができましょうか？」と言う講師は明らかに、毛沢東の前例のように、習近平が終身主席をやりかねないことに対する恐れを表明していた。「馬鹿げています」

　とはいえ、上海の多くの住人たちはまだ経済状況に満足していて、政府は国民にとって重要な問題に取り組んでくれていると感じ、習近平には長くやってもらったほうがよいと判断していた。わたしが憂鬱なアパートからの引っ越しの手伝いをしたセイラは、政府が両親の住む田舎での医療を改善したこと、そして大学入試のうち英語の試験については複数回受けることを許し、学生のストレスを緩和すると同時にチャンスを増やした点を評価していた。彼女はまた、共産党の指導下、国が繁栄を享受してきたことに感謝していた。わたしが最初にセイラに会ったとき、彼女は何をしたらいいのかわからず、どういう職業に就くべきか、上海で満足に生きていけるかどうか自信がなかった。それから数年後、彼女は心理学の修士課程に登録し、そのおかげで上海市の諸給付を満額受けることができるようになった。一九六〇年代から七〇年代を過ごしたアメリカン・キッズの多分にもれず、わたしも両親から、中国には飢えた子どもたちがいるんだからお皿の上のものは全部食べなさい、と言われた。それから四〇年後の今、二十六歳になるセイラは繁栄しか知らず、発展途上国のことはその昔アメリカ人が中国を見たような目で見ている。

「世界を見回すと、たくさんの人びとが食べ物にありつけず、飲み水もないという状態ですから、わたしたちはありがたい」と彼女は言った。中国の将来はどうなると思うか、とセイラに訊くと、彼女は「越來越好《ユエライユエハオ》」と言った。「どんどんよくなる」というのだ。ロッキーと、あの理髪屋マックスも、同じ返事をしていた。二人は党を引き立てているわけではなく、自分自身の実体験だからこそ本気でそう信じているのだ。

セイラに任期の変更についてずばり尋ねてみると、彼女はどぎまぎしながら手のひらで太ももをぺたぺた叩き始めた。

「それに答えるのにふさわしい人間じゃないし」と彼女は言った。

でもそのあと、回答らしきことを口にした。

「任期のことを聞いたとき、ちょっぴり心配でした」とセイラは言う。「彼はとてもいいリーダーですが、習近平が辞めたあと次にくる人がそれほどでもない人だったら、どうなります？」

セイラは、憲法改正が国外でどれほどの懸念を呼んだか、気づいていないようだった。彼女はＶＰＮを持っていたけれども、北京の二大学で行った調査に加わった学生の大半と同様、ほとんどそれを利用しなかった。

「ほかにすることが山ほどあるので」と彼女は言った。

マックスも任期制限撤廃については話したがらなかった。「その話題は危なすぎる」と、彼は自分が経営する新しい理髪店の一つでわたしに茶を注ぎながら言った。店の家具はベルサイユ宮殿から持ってきたような感じだ。

マックスは泥れんがの小屋で育ったが、今や彼の商売は上海で急成長してきたからあまり不満はない。マックスは中学校からドロップアウトした口だが、アメリカ在住の裕福な顧客が、アメリカに住む中国人教授、作家、知識人らを含むプライベートなウィーチャット・グループに彼を招き入れた。そこでの会話に彼は困惑した。

「中国はよくないって彼らは言うんですよ」わけがわからないという感じで彼は言う。「ロシアと中国の政策は同じで、自国民を騙していると言うんです」

こうした海外居住中国人はあまりに急進的だ、とマックスは思う。

「彼らを見ていると、中国にいた怒れる若者を思い出します」と、マックスは一九九〇年代に現れた超国家主義的な若き中国人たちのことを言った。アメリカと日本を舌鋒鋭く批判した連中だ。

アメリカのほとんどの政治家は共産党による任期制限撤廃に狼狽したが、ある人物だけは公然と称賛した。合衆国大統領である。その動きがあった直後、彼はフロリダの私邸で開催した集会にやってきた献金者に対して、習主席を高く評価し、その口調は習近平の無限の支配権をいくぶんうらやむふうだった。

「彼は今や終身主席だ、終身主席だよ。すばらしい人物だ」。非公開の資金集めパーティーでの録音によると、トランプはそう話している。「すばらしいことだね。いずれわれわれも一発やってみる必要があるかもしれない」と、献金者たちが声援を送り拍手をするなか、トランプは締めくくった。

その後、ホワイトハウスは、トランプは冗談を言ったのだという声明を発表した。

「トランプの観点からしたら、理にかなったことを言ったまででしょう」とアシュリーは言った。「彼は皇帝みたいになりたいんだから。彼がプーチンのファンであることは明々白々で、習近平の動きというのはプーチンがやってきたことの物真似だから。彼が言ったとされる言葉を見たら、単に［習近平を］称賛しているだけでなく明らかに彼に嫉妬している。彼の発言は『オーマイゴッド！　やつみたいになれたらな』ということでしょう」

故郷中国にいる多くのリベラルと違って、アシュリーは任期制限撤廃をそれほど警戒していなかった。「そんなにがっかりしてませんよ」と彼女は言う。「彼は、プーチンが二度目に再選されたときほど若くはないし。これからの世界では戦いを交えるなどということは不可能だと思うし」

アシュリーは、習近平、プーチン、トランプ、そしてフィリピンのドゥテルテに至るまでの各国トップの隆盛を、政治体制がリベラルな民主主義から、より権威主義的なやり方に変わりつつある世界的変化と見たが、この潮流を逆流させる明確な方法は見えない。明るい側面は、延びた任期のおかげで、習近平は中国経済が依然として直面している成否をかけた挑戦に取り組む時間的余裕を持てるだろうという点だ。二桁成長を可能にはしたが、輸出と政府の莫大な投資に依存した中国の古い手法はもはや有効ではない。中国北東や西部のいくつかの都市、たとえば呂梁市などは、小型空港や行き先のない道路といった無用な公共事業に金を投じることでＧＤＰをつり上げようとしたが、痛々しい結果に終わった。高所得経済を創造するために、中国政府は経済がはるかに効率よく回るようにしなければならなかった。つまり、債務を大幅に削減し、多くの国営企業の改革を行い、そして——最終的に——革新を通じて高価値製品と高価値サービスを開発していく。

習近平は「経済改革にそれほどエネルギーを注いできませんでした」とアシュリーは言う。「敵の粛清にばかり時間を使っていました。五年では獲得物を不動なものにするには短すぎる、すべて手中から抜け落ちていってしまう、と彼は懸念したんだと思います」

習近平は二〇〇〇万人の鉄鋼・石炭関連労働者の解雇を監督し、ある程度の進捗を見せたが、中国の成長モデルを立て直す好機が次第に失われていき、それに失敗すると景気後退を引き起こすか——目覚ましい成長率が当然になってしまった国で——あるいは金融危機となる可能性がある。いずれの結果であっても、国民は共産党と結んだあの一括妥結は何だったのか、と考え直すことになるかもしれない——繁栄継続の約束と引き換えに、彼らは政治的権利、および被支配形態についての発言権を引き渡したわけなのに。

「誰が満足するかな?」と、ある日の夜、上海でビールを飲み交わしていた中国人友人の一人が言った。「経済を立て直してくれるんならいいよ。でも生活水準を上げてくれないとなると、みんなこう言うよ。『なんでまだ責任者の椅子に座ってるの?』」

習近平は、中国経済を順調な軌道に乗せ、また最初の五年間でうずたかく積み上げた大勢の敵から身を守る、という大博打で、自分がうまくやり遂げるほうにすべてを賭けたのだ。

「スケジュールどおりに退任したら、自分の計画がつぶされてしまうのではないか、と彼は恐れているのだと思います」とアシュリーは言う。「彼に不満を抱いている人は山ほどいます。彼が過去五年間にやったことで」——というのは公務員汚職者の集団投獄を指す——「彼は二〇〇〇回殺されてもいいような恨みを買っています。彼は間違いなくその深刻さに気づいています。今は誰も彼に挑戦しませんが、彼がしくじったりすれば、非常にむごたらしいことになるでしょう」

エピローグ

わたしはフリータクシーの運転を二〇一四年の夏の夜、上海のど真ん中で始めた。その後に起きたことは波乱の旅。その旅はわたしを、中国中央部の奥深く、ヨーロッパからアメリカへ、そして乗客の生活のなかへ、その友人、その家族へと導いていった。誰にでもゴールがあり夢がある——習主席が描くチャイニーズ・ドリームではなく個人的な夢が。マックスのように自分のビジネスを興したい人がいたり、クリスタル、フィフィ、チャールズのように家庭に専念したい人たちがいたり。彼らと付き合っているあいだに、何人かは夢を達成し、何人かはやり損なったけれど、諦めなかった。そして夢に到達することはかなわない——今だけなのか、それとも永遠なのか——と気づいて、現実と折り合いをつけた。

チェンと彼の家族はロサンジェルス郊外に住み始めてもう数年になり、上海の川に近い、彼が礼拝の場として地下教会を組織していたあの古いアパートは、すでに遠い記憶のようだ。彼らは二人目の子どもをもうけるため、そして打擲が禁じられているにもかかわらず虐待に耐えてきた長女ジアリを中国の教育システムから救い出すために、アメリカへやってきた。ジアリが高校の最終学年に近づくにつれ、祖国中国の厳しいシステムよりも、アメリカのゆとりあるシステムのほうがはるかに適していると一家は気がついた。

「生徒が言うことを聞かなくても教師は殴ることができないんですよ」と言うチェンは、何やら啓示に打たれたようだった。

ある春の日、彼のアパートの居間でおしゃべりをしていたとき、チェンは、相違を許容するアメリカの度量の広さ――少なくとも大ロサンジェルス圏では――と、中国に比べて競争環境がゆるやかな点をありがたいと思うようになったという。そうした環境のなかで、ジアリ――父親に似て内向的――には、多くのチャンスを見つけてもらいたい、と彼は期待している。

「中国では求人が一〇件あったら応募は一〇〇〇件」とチェンは言った。「ここだったら、たとえばマクドナルドではあらゆる体型とサイズの人が働いています。仕事を得るのに有名大学なんか出なくたっていいんです」

ジーンズに青いフーディ〔フード付スウエットシャツ〕、そしてアディダスをはいたジアリは典型的なアメリカン・ガールに見え、まだ引っ込み思案ではあるけれど、上海で学校に通っていた頃に比べるとずいぶん元気なようだ。彼女は陸上八〇〇メートル走の選手で、学校のオーケストラでは第二バイオリンを弾いている。アメリカの学校は中国よりずっと簡単だったが、彼女のGPAは3・2に下がってしまった。最後に話したとき、彼女は最終学年の前半で一気に挽回し、予定どおりカリフォルニア大学システムのいずれかに志願するつもりでいた。

チェンとコンは強制中絶で子どもを一人失っていたが、インインを授かった。五歳になったインインはアメリカの暮らししか知らない。彼女は芽生えたばかりのカリフォルニアン・ガールで、まるで違う家族のメンバーのようだ。が、ある意味それは正しい。チェンとコンは彼らの行きつけのアジアン・ビュッフェで串焼きや焼き餃子を食べるが、インインはピッツァやハンバーガーのほうが好きだ。インインは一家のアパートの床の上、居間のカーテンの陰に収まったジアリのベッドのそばで笑ったり遊んだりして過ごす。夫婦はインインを溺愛し――一緒に外食に出たときに、彼女がまるで子犬のようにボックス席のわたしたちのテーブルに這い上がったり這い回るのを許していた――この末娘には特別の期待をかけているようだ。外向的な性格に恵まれ、心の傷の問題もなく、より開放的な社会で成長できる可能性があるのだから。

ある日の午後、わたしは一家を、彼女らが一度も行ったことがないというサンタモニカ・ピアの西のほうまで、小一時間のドライブに連れ出した。明るく天気のいい日で、沿岸へ向かうジェット機の飛行機雲を除けば、空は染み一つないブルーのキャンバスだった。桟橋の上で、赤い上着に柔らかな白いビーチハットをかぶった中国人男性がスツールに腰かけ、二弦だけの中国式バイオリン、二胡で、とびきり悲しげな解釈の「スカボローフェア」を弾いている。黒のタイツとピンクと黒の服を着たインインは、海辺に立つとそのまま、ためらうことなく冷たい太平洋の海のなかへぐんぐんと入っていった。わたしは彼女の母親、コンの順応力と粘り強さについて思いをはせた。赤ん坊を失い、英語などわからぬまま渡米、自分の家庭のために新しい生活を築いた。チェンはズボンの裾をまくり上げて娘と一緒に海のなかへ歩いてゆき、波が来れば彼女を抱き上げてやり過ごし、小さな足を海の上でぶらぶらさせた。チェンの顔はいつも無表情で、それを読み解くのはほぼ不可能だったけれど、波のあいだでインインと遊ぶ彼はにこやかに笑っていた。彼と知り合ってからこれまでの年月で、そんなに満足そうな彼を見たことは一度もなかった。

わたしはロンドンへ越したあと、フィフィとは夏のパリで再会している。彼女が夫のレミに会いに来たときだ。わたしがパリに着いた次の朝、フィフィは診療所へ行く用事があったので、わたしたちは角のカフェで昼食を共にした。フィフィは元気そうだった。いつもの大きな眼鏡をかけ、青と白の縞模様のブラウス、白のカプリパンツと同色のサンダル。外見とは反対に、大変な年だったと彼女は言った。レミは六十一歳になってふさぎがちになり、教職からあと四年で引退する自分の未来にあまり希望が持てないという。その朝、フィフィが診療所に行くと言ったとき、わたしは彼女がパリで心理カウンセラーとしての仕事を探していて、やっとのことで彼女とレミは一緒に住むことができるのかと期待したのだった。それはともかく、彼女が出かけたのは精神科診療所ではなくて不妊治療院なのだった。

「赤ちゃんが欲しいんです」と彼女は言った。

フィフィは上海で独立しているプロフェッショナルの女性で、それまで子どもについて語ることはなかったけれども、振り返ってみると、彼女の選択には納得がいった。フィフィは一七年間学生を育て、次の四年間はカウンセラーとして縁もゆかりもない人たちの心の健康を世話してきた。彼女のスキルとエネルギーを、自分の家庭をつくることで、もっと大事な個人的目的に捧げてもいいではないか？　だが、レミは気が進まなかった。彼にはすでに前の結婚でもうけた二人の成人した子どもがいたし、新たに子どもが生まれたら、その子が高校を卒業する頃、レミは八十歳になっているだろう。今四十三歳のフィフィは、時間のほうで待ってくれないと感じている。ここ数年のぼせることがあり、医者は彼女が早期更年期障害を迎えるかもしれないとほのめかした。

わたしたちがパリで会ってから数週間後、フィフィとレミはピレネー山脈へハイキングに出かけた。岩だらけの道を登り、湖と松の木立を過ぎると、子どもを連れた複数の家族が二人のそばを通り過ぎ、フィフィはすっかり落ち込んでしまった。一三年前、彼女とレミは同じ山でレミの息子を連れてハイキングをした。当時彼は十七歳だった。あれから長い時が経過し、レミの息子には自分の息子がいて、レミはおじいさんになっていた。

「わたしはどうなるの？　フィフィ？　わたしにはなんにも起きない」とフィフィは言った。「何もかもやり損なったという気分に襲われたの。人生を無駄にしてしまったという」

フィフィとレミは大きな岩に腰かけ、フィフィがティッシュで目を押さえるあいだ向き合っていた。二人が子どもをつくる件について話し合うそばを、ハイキング同好者たちがどんどん歩き去る。

「今から一三年後、わたしと一緒に山歩きをしてくれる息子か娘が欲しいの」とフィフィが言った。「だって、どんな未来が待っているかわからないんだもの。子どもが欲しい」

フィフィは妊娠の可能性を追求し続け、レミはそれに協力的だった。その一年後待ち合わせたときに聞いたニュースはよくなかった。彼女は受胎することができず、暗い冬の上海で鬱に陥り、精神向上のためにサンランプ〔光療法用の高輝度ランプ〕を買った。

「昨年は絶望的でした」と、ダイニングテーブル越しにフィフィが言う。彼女とレミが中国国内や世界中を旅した際に集めたエキゾチックな調度品がテーブルを取り囲んでいる。「わたし、四十四歳なんです」と言う彼女には諦念が漂う。「子どものためにはよくないのかもしれません」

彼女の生理は不規則になってきて、もう子どもを持つことはできないかもしれないという事実を甘受しつつあった。意志強固で自立心の強い女性であるフィフィは、中国社会の期待に背いて、遠い異国に住むずっと年上の外国人と結婚した。その仕組みは、彼女の望みどおり上海での暮らしを続けることを可能にしたが、年を取るにつれて彼女の優先事項が変化し、母親になるのもだんだん難しくなってきた。彼女はレミにこう語った。彼の成人した子どもたちが自分の子どものように感じると。彼女は白い石でこしらえた小さな仏像を取り出し、それをタバコと一緒に紫色の布で包んだ。彼女の心痛を煙が浄めてくれるというシンボルだった。そのあと、彼女はそれを赤いリボンで結び、財布のなかへ収めた。夫から離れて暮らす寂しさ、子どもを授かることのできない寂しさを表す形見として。

「これはわたしが直面しなければいけない悲哀」と彼女は言った。「それをわたしは毎日持ち歩くの」

クリスタルは妹ウィニーの不運に対する悲哀を持ち歩いていた。ウィニーの失踪はずっと彼女を悩ませていた。わたしたちが共にしたラオス国境までの旅を通じて、彼女はウィニーが永遠に戻ってこないことを覚悟した。中国の家族をあとに残してアメリカへの帰国を準備しながら、クリスタルは将来を見据えてもいた。山間地を走っていたとき、彼女は、ミシガンにいるジミーという名の弁護士と婚約したばかりなのだと打ち明けた。だが、長い年月たった一人で不安定な暮らしを送ってきた彼女は、自分が正しいことをしているのかどうか自信がなく、自分がどこに属しているのもわからなくなっていた。

　クリスタルは一度結婚していたことがある。中国北東のハルビン市で看護師として働いていたとき、同市出身の警備員と結婚したのだ。農村の娘だった彼女にとってハルビンは衝撃的だったという。だが、夫の親類との関係はストレスに満ちたものだった。彼の家族は彼女が農村の出身だということで見下し、彼女にはどうしようもできないことについて責任をかぶせた。彼女は一例を話した。彼女たちの結婚式の翌日、夫の友人の一人が行方不明になり、その後、頭に傷を負って死んでいるのが見つかった。迷信に基づいて、その男性の親類はクリスタルを非難した。彼が行方不明になった一日前に彼女が結婚式を挙げたから、というのだ。クリスタルは不幸の使者、掃帚星（ほうき星）と呼ばれ、賠償として五〇〇ドルを払えと迫られた。

　夫の家族は、彼女を疫病神として扱っただけでなく、女中のように扱った。夫の家族と暮らす義理の娘として、彼女は週に五日働いているにもかかわらず、料理と洗濯の大部分をこなすのが当然と思われていた。

「もっといい待遇を受けるべきだったのかどうか、わかりません」とクリスタルは言った。「六年経って、気が狂いそうでした。わたしは反抗的になったんです」

彼女は家を出て自分のアパートを買った。その後、突然母親が死んだあと、クリスタルは、中国の東北地方にとらわれたまま人生を終わらせるようなことはすまいと決断した。彼女はチュニジアの東にある英語圏の群島、マルタへ飛ぶ。中国人にとって、ヨーロッパのなかでも学生ビザがいちばん取りやすい国だった。クリスタルは地中海から数区画しか離れていないだだっ広い屋敷に落ち着き、二九人の中国人学生や移民たちと共同生活をした。午前中英語を学び、午後はレストランで働き、最終的に手術室担当看護師の仕事を見つけた。

二、三週間に一度、彼女はバスに乗って何百艘ものヨットが係留されたマリーナを通り過ぎ、ヴァレッタへ行った。狭い小路と、青や緑や赤に塗られた木造の突き出しバルコニーを持つ石造建築がある、バロック様式の要塞都市。クリスタルは公園のベンチに座って、港の反対側の、黄金色をした石灰岩で築かれた十六世紀の城壁を見つめた。その眺めは目を奪う美しさで、心も落ち着いた。冷気と氷のハルビンとはまるで異なる世界だった。

三年間を過ごしてからクリスタルは中国へ帰り、その後韓国へ引っ越し、最終的にミシガンに落ち着き、そこでボーイフレンドのジミーとインターネットを通して知り合った。彼女は二つ目の学士号を取ろうと、情報技術の学士課程に登録したばかりだった。彼女は自分のオンライン・プロファイルに、修士号かそれ以上を取得した男性を探している、と書いた。

「手が届きそうもないところにねらいを定めたんです」と彼女は言った。

最初の夫と別れ、世界を飛び回って働いてきたクリスタルは、次第に自信を増し、妹ウィニーが転落した原因だったと彼女が見なす性格的特性の一つ——自尊心の低さ——を克服していた。

ジミーは彼女より八歳年上ののんびりとした弁護士で、キャンプやカヌー漕ぎが好きだった。離婚歴があり、デートをしてもいつも失敗するので、クリスタルと会う夜も、うまくいかなかったときを見越して、彼女のアパートの近くの酒場で会うことにしておいた。ジミーは黄色いポロシャツとカーゴパンツで現れた。彼は、花柄の小麦色のサマードレスを着たクリスタルが近づいてくる姿を、車のバックミラーで眺めていた。

「あれか、すごい！」と彼は心中つぶやいた。

クリスタルが近づいてきて彼を見る。

「あら！」と彼女は思う。「プロファイルとは違う顔」

それでも二人は二時間会話をし、ジミーはクリスタルの出自、人生の目的、そしてなぜ四十にもなって学校へ戻ろうとしているのか、など彼女を質問攻めにした。

「付き合い始めてから二週間で恋に落ちた、と彼女に伝えました」とジミーは言う。

ウィニー探索の旅から戻るなり、クリスタルはジミーと町の郡庁舎で結婚した。ある年の夏、わたしは二人がどうしているかと彼らの町へ飛んだ。わたしが泊まっていたコンフォート・インに夫婦のスバル・フォレスターが停まり、クリスタルが飛び降りて、わたしを深々と抱き締めて迎えてくれた。朝食後、わたしたちは私有地の長い道を走り、横切るシカを待ってときどき停車し、半島の先端の湖を見下ろす位置に建つモダンコロニアル風の家の前に着いた。家の敷地面積は四七〇平米で、サンデッキが付いている。ジミーとクリスタルの主寝室の天井は教会のように高く、湖を見晴らすことができる。クリスタルが育った中国東北部の泥れんがの家や、数年前にウィニーの夫を詰問した雲南省のコンクリート・ブロックの家とは何光年もの差があった。

夫婦は互いに支え合っているように見えた。ある日、ジミーとわたしがカヌーで沼地に漕ぎ出したとき、クリスタルと一緒になって以来、彼の暮らしがずっと規律のあるものになった、と彼は言った。二人の関係を良好に保ちたいなら、ウイスキーも飲めないし、大麻も吸えないし、汚れた皿を流しに放りっぱなしにすることもできないと承知していた。

「彼女がいなかったら今のわたしはないよ」とジミーは言った。

ジミーは、中年に達してようやく落ち着きどころを得たクリスタルの心を穏やかにする役目を果たしているようだ。ある日の午後、ジミーが平底ボートで湖をひと回りしてみないかと提案した。彼は灰色のフーディを桟橋まで持ってきて、それを彼女に渡したとき、片手を彼女の肩にそっと乗せた。ジミーが湖岸に沿ってボートを進めていけば、白鳥の群れ、モーターボートに引かせたタイヤチューブに乗った子ども、浜の隣の浮き桟橋の上でバレーボールのネットを張って遊ぶ少年たちに出会う。クリスタルは破れジーンズをはいて座席に座り、両手をフーディのポケットに入れ、太陽の光に目を細めてほほ笑んでいた。湖を一周したあと、わたしたちは断崖の上、木立に囲まれた彼らの家に戻った。わたしは、大連の海を見渡せる、木々に覆われた、別荘が点在する丘の中腹で撮ったウィニーの写真を思い出した。クリスタルは今、ウィニーが夢に見ていた暮らしを手に入れた。善良で頼りになる男性と水面《みなも》を望む家。桟橋に腰を下ろしたクリスタルは、さざ波と湖岸の青々とした芝生を眺めていた。

「こんなふうな暮らしになるなんて思ってもいなかった」と彼女は言った。「これまでの人生でいちばん幸せ」


老人に無料散髪を提供するマックスに最初に付き添った日以降、彼のヘアサロンの有料会員の数は、上海の中流・上流階級の消費の波に乗って一六〇人から一三〇〇人に増えていた。昨年、彼は市の中心に移り、人民公園の北側数ブロック先にある高層ビルの二九階に新しいサロンを開店すべく準備をしていた。そのサロンは多目的クラブとなるように設計されていて、二階にまたがって五六〇平米の面積を有し、バルコニーが二つ、台所、バー、会議とパワーポイントでプレゼンテーションができるエリアもある。マックスは、ワイン・ディーラーや仕立屋など、ほかの商人が活用できるスペースを提供して追加収入を確保しようと計画していた。マックスは同じフロアのガラス張りシャワールーム付き寝室で暮らすことになる。一〇年前、上海で迎えた最初の日、川沿いに建つ高層ビル群に感嘆しながらバンドの木製ベンチの上で居眠りをした、あの夜に比べたら劇的な変貌だった。

　マックスを取り巻く環境がまったくの様変わりだとしたら、マックス本人についてもそれは言える。彼は黒い上着と真っ赤なベルト、素足履きの靴といういでたちを、良家の青年といったネイビーブルーのカーディガン、ボタンダウンの白いオクスフォードシャツに変えたが、まるでブルックス・ブラザーズのカタログに出てくるモデルみたいになった。マックスは自分のぼさぼさ髪を、少なくとも五歳若く見えるこざっぱりした短髪に変えた。その効果たるやすさまじく、彼の写真をウィーチャットで見たとき、別人だと思ったくらいだ。彼の顧客の何人かは起業家で、パーティーに出席するときなど、彼らと同じようにドレスアップしなければならないのだ、とマックスは説明した。ウィーチャット上の彼の写真のなかに、どこかの公園で紺のピンストライプのスーツにネクタイ姿の彼が、バラの花束を持つ花嫁衣装の女性の手を取っているのが数枚あった。それは彼の婚約者であると判明する。安徽省出身の女性で、写真の授業で出会ったのだった。さかのぼること二年前、マックスに最後に会ったときも、彼は母親に、ガールドフレンドがいるふりをして嘘をついていた。

　今やマックスも、田舎の貧困から都会風の装いをまとった富へ一足飛びの変貌を遂げ、ギャツビーのようだった。マックスのペントハウス・アパートメントを眺め回しながら、わたしは、懐中電灯をつけて裸足で学校へ通ったり、ビールの空き瓶を集めて回収金を得ていたという彼の子どもの頃の回想を思い出していた。たった二〇年間でここまで変わってしまったことをどう思うか、と彼に尋ねた。

「実家を離れてからずいぶん長くなりますからね」と言うマックスは、三十八という歳以上に老けた口調で、絵に描いたような成功に動ずることもない。「このビジネスがもっともっと大きくなることを祈るばかりです。もっとたくさんのお客に仕えたいんです。わたしが温めていた元の計画どおりですよ」

わたしはマックスについて気にかかることがあった。彼は高校の教育を受けていなかったし、ビジネスや経済の勉強をしたことは一切ない。

「マネジメントについての本は読みました」と彼は言った。「でもファイナンスは難しすぎる」

二〇一八年の末頃、わたしたちが最後に会話をしたとき、マックスは悲惨な知らせを持ってきた。彼は自分の貯金、顧客の会費、投資家から集めた資金をまとめ、その全部をパートナーに管理してもらおうと預けておいた。その男は高利貸しで、マックスには二〇パーセントの利回りをもたらした。マックスは短期間で財資を増やしたかった。自分のように人びとが故郷から離れなくてもいいように、地元の雲南省で雇用を創出するため、事業投資を始めたかったのだ。だが、そのパートナーはマックスへの金利支払いを止めた。とうとう彼と金は——四三万ドル以上——跡形もなく消えた。マックスは破滅した。鬱に陥り婚約者は去った、と彼はわたしに話した。彼は、欲深だった自分を責めた。マックスは投資家たちに金を返すために髪を切り続け、仏教徒になった。仏教への帰依は喪失と向き合うにあたっての救いとなった。今はその日暮らしだという。経済的苦境もなんのその、マックスは毎月杏梅苑で年老いた人たちの髪を切り続ける。そのなかには、自分の息子はホワイトハウスで働いていると力説する彼の友だちもいる。今日に至るまで、誰も彼の息子を見た人はいないんです、とマックスは言う。

マックスのように、レイも社会に貢献し社会をよくする方途を探っていた。貧しい農家で育った彼も、今ではすてきなアパートを保有し、法律事務所で高収入の仕事に就き、ヨーロッパ旅行を楽しんでいる。レイは、彼とロッキーと同じ湖北省の村の出身者二人と仕事をしていた。彼らは村の成功者で、サッカー場がいくつも入ってしまうほどの公共空間を造ろうとしていた。そこで農村共同体の人びとが集い、彼の母親のクオとその友だちもいつもの踊りを練習し、披露することができる。地方税のほとんどは中央政府に召し上げられるので、村としてはそんな贅沢はできない。そこでレイと例の同村出身者は、そのプロジェクトのために自分たちで金を拠出しようと考えた。コストは七万五〇〇〇ドルから一五万ドルくらいになりそうだ。村はそのプロジェクトに賛成票を投じたが、住民の一部が、広場を造るためには自分たちの納屋を壊さなければならないと知って二の足を踏んだ。現在プロジェクトは保留にされているが、レイは諦めてはいない。

　ある日の午後、わたしはレイとロッキーと一緒に、上海環球金融センターの足元にあるパティオで昼食をとった。一〇一階の高層ビルで——わたしたちが座っていたところから見上げると——空を突き刺すナイフの刃のようだった。チーズバーガーとステーキを食べながら、レイはどれほど仕事に疲弊しうんざりしているかをわたしに語った。

「週末でも自由な時間がないんですから」と言うレイの口調は、アメリカの大都市で働く無数の弁護士の語り口に似ていた。「顧客がすごく忙しくしてるから。みんなのテンポに合わせないと。この社会で生きたいなら努力しないと。でも、子どもたちと過ごすべき時間を犠牲にしているのかもしれない。ひょっとすると環境も犠牲にしているのかも」と、灰色の空を指して彼は言った。レイの通勤時間は往復で二時間以上もかかり、家に帰ってからも遅くまで仕事をすることがある。「こんなこと、いつまでも続かない」と彼は言う。「中国人は疲れ切っています」

　わたしもそう感じていたし、どうやって彼らがこのペースを保ち続けることができるのか謎だった。わたしが初めて北京に来た頃に比べて、変化が出てきたことは感じる。朝になると人びとが露天市に殺到し、あともう一元でも稼ごうとしていた頃。ところが最近では、人びとがはるかに裕福になってくると――そして疲れてくると――激しい生存競争にせき立てられる必要性は薄れてきた。中国はその後も精力的ではあるけれど、わたしが二〇年前に直面した熱狂的なペースで自らを駆り立てるということはもうない。仕事で満足感を得られないレイは、物書きか教育に興味があるという。自分を表現して何らかのかたちで社会にお返しをする。数十年のうちに、彼は農家の少年から上海の弁護士になり、そして今、民主的であることがますます難しくなっている国で、より民主的な社会を建設するために力を出そうとする人物になった。四十歳になったばかりのレイの話に耳を傾け、急速な変化がこの国の人びとにもたらした犠牲を考え、わたしは中国がこれから数年後に自分自身の中年の危機《ミドルエイジ・クライシス》に襲われるのだろうかと思案した。

人権派の弁護士ジョハンナに出会ったのは五年ほど前、とある上海のタクシーのなかで、そこで彼女が運転手と交わす民主主義についての議論にわたしは聞き耳を立てていた。その後数年のあいだに、習近平の政府は法的権利を求める運動を撲滅しようとして、ジョハンナの同志二〇〇人以上を拘留した。今振り返ってみると、クリスマスの翌日のあの民主主義論争はまだ希望があった時代の遺宝のように思える。

わたしは上海から立ち去る前に、自宅にいるジョハンナに会うために、中国中央部へ飛んだ。地方当局の圧力を受けて、法律事務所はジョハンナを解雇しようとしたが、彼女を守ろうと、仲間の弁護士三〇〇人が異議申し立てのサインをした。ジョハンナには最近息子が生まれたので、ほとんどの親がそうであるように、母親になったことで彼女ももっと慎重になり、リスクを避けるようになるだろうとわたしは思っていた。国民の政治的権利を守るという、報われず、危険の多い仕事ではなく、もっと安全で実入りのいい分野、たとえばレイやロッキーがやっている商法とか知的財産法に移ったほうがよかろうと思ったのだ。

息子が生まれてすぐ、ジョハンナは衛生委員会の職員から勧められ、彼に一連のワクチンを打ってもらった。数日後、期限切れや杜撰な管理状態にあったワクチンが国中で子どもたちに接種されていたことが報じられる。最終的にその数は約二〇〇万件と推定された。警察の公的発表まで一年近くが経過し、次々に起きていた政府隠蔽の最新の事件で、子どもの健康と安全を巻き添えにしたものだった。ジョハンナはこのワクチン・スキャンダルを新たな活動のきっかけとして歓迎した。不法拘留との戦いに比べて政治的な色合いは希薄だが、緊急を要す。彼女と十数人の弁護士たちは、政府による全国調査をすべきだと要請書を書いた。誰が不正ワクチンを打たれた可能性があるのか、ワクチン再接種の費用負担は誰がするのか、政府高官は究明せよと求めた。ジョハンナは慎重になるどころか、母性は彼女をいっそう大胆にした。

「自分の子を守る能力がないように感じるんです」と、ジョハンナはソファに座り、水玉模様の毛布にくるまった息子をあやしながら言った。「きれいな水と良質の食べ物を与える、それだけ。いったん外に出たらもう、安全な環境も安全なワクチンもきれいな空気も約束してやれません。そのどれもわたしは保証できないんです。そんなわけで、本当に本当に無力さを感じるんです」

ジョハンナは華奢《きゃしゃ》だ。細い手首をしていて、身体が藍色のドレスのなかで泳いでいるような印象を受ける。

「とても勇敢に思えるけど」とわたしは言った。

「それ以外の選択があるでしょうか？」と彼女は答えた。「あるとは思いません。わたしたちはみな、ある種の問題は子の世代に残しても構わないと思っています。ときどき、父親やその上の世代に文句を言いたくなる。どうして戦わなかったの？　あなたたちの世代が戦っていてくれたなら、ひょっとするとわたしはもっと気楽に生きることができ、こんなふうに悪戦苦闘する必要もなかったかもしれない」

彼女のキャリアにとってはリスクかもしれないが——深圳市にある彼女の法律事務所は、彼女との契約を失効させるつもりでいた——ジョハンナは、彼女自身や息子のような普通の人びとの権利と健康を守ることを心に決めていた。

「この問題を誰かに任せるつもりはありません」と彼女は言った。

アシュリーが二〇一六年にアメリカへ留学するために中国を去ったとき、彼女はアメリカと自由な暮らしをめざした片道切符の旅だと信じていた。彼女はアメリカのビジネススクールを卒業したあと、ロールバッグ二つに荷物を詰めて飛行機に乗った。行き先は二度と戻ってこないつもりだった国、中国である。アシュリーの帰還——完全に一巡して振り出しに戻る旅——にはいくつかの理由があった。ドナルド・トランプのリーダーシップと彼の多くの支援者たちの振る舞いを目撃し、彼女がアメリカの民主主義とアメリカが標榜してきた価値に対して抱いていた信仰が破壊された。経済的な活動力と活気はもはやアメリカにはなく、それは大中華圏にあると考えるようになった。彼女は、中規模の中国企業の株式公開に協力する香港の新興企業に就職する。初任給は年間一二万ドルを超え、そこにボーナスが付く。中国の法律によってアシュリーが香港で働くためにはビザがいるので、許可が出るまで彼女は中国本土との国境のすぐ向こう、深圳で暮らしていた。パリで会話をした八カ月前、アシュリーはほかに選択の余地がないという状況以外、絶対に本土には戻らないとわたしに言っていた。

「お帰りなさい、中国に」わたしは彼女の二十九歳の誕生日に連絡をとった。土曜日の午後、彼女は深圳のオフィスでただ一人、蛍光灯の明かりの下で働いていた。

「ええ」と彼女は言った。「思っていたよりいいですね」

実際、期待していたよりも段違いによかったので、アシュリーは深圳に住んで香港へ通勤することに決めていた。新しい高速鉄道が走っているのでずっと通いやすくなっている。わたしが追いかけてきた人たちのたくさんの紆余曲折の例にもれず、この件も二年前だったら考えられなかった。香港の自由は減りつつあるが、それでもまだ開かれたインターネットと比較的自由な報道があり、政治的デモも許されている――これらすべてが中国本土では禁止だ。アシュリーが、アメリカのたしかに欠点のある民主主義のなかで二年間暮らしたあと、日ごとに抑圧的になっているような国へ帰ることを考えたという点に、わたしはショックを受けた。彼女の判断はとどのつまり、コストと利便性に尽きた。香港の住宅費は依然として高い、その一方で深圳の生活レベルは劇的に改善されている。ほんの数十年前、深圳は漁村だった。わたしが初めて訪れた一九九〇年代には、出稼ぎ労働者で埋め尽くされた巨大工場都市になっていた。そして今同市は、知的職業階級《プロフェッショナルクラス》に溢れ、すばらしいレストランに恵まれ、そしてウィーチャットを保有するテンセントやテレコム巨人で物議を醸しているファーウェイなどのハイテク基幹企業を擁す活気に満ちた大都市として、「三度目の顕現」のさなかにある。アシュリーのオフィスの近くには、電子商取引の複合企業アリババが保有する大型食料品店があり、生きたままのカニ、エビ、クルマエビ、そしてホタテ貝、ロブスター、さまざまな魚が並べられている。

「『ホールフーズ・マーケット』〔米加英に展開する米国高級食料品スーパーマーケット〕と海鮮市場が合体したようなところです」とアシュリーは言った。「絶対行ってみるべき。びっくりしますよ！」

そして深圳はアシュリーのような人材を必要としていた。北京や上海が家屋を取り壊し、「下流層」出稼ぎ労働者たちを追い出してはいたが、両市もほかの主要都市も海外の大学の修士号を持つ人びとに対し一時金を出して――アシュリーは助成金四〇〇〇ドルのオファーを受けた――取り込もうとしていた。アシュリーのようなホワイトカラー専門職たちにとって、ほんの二年前と比較しても、中国はさらに便利で金になる、快適な場所になっていた。アシュリーは深圳で心地よい驚きを味わったけれども、自分が留守のあいだ中国本土に恐怖と抑圧が広がっていたことを感じた。二〇一八年には、中国各地の大学で一連のセクシャルハラスメント・スキャンダルが明るみに出、これがたいへんに中国的な様相を帯びた＃ＭｅＴｏｏ運動を引き起こすことになる。四月には北京大学の学生たちが、一九九〇年代に起きた事件にかかわる調査資料の公開を大学側に求めた。事件というのは、当時の教授が前途有望な文学部の女子学生に性的暴行を働き、のちに彼女は自殺したというものだ。大学の役員たちは学生活動家の一人をつかまえ、彼女の卒業を不可能にしてやると脅したり、彼女が集めたその事件に関する書類を削除するよう強制したり、威圧しようと試みた。アシュリーはウィーチャット上に彼女の北京大学時代の何人かのクラスメートと設定したプライベート・グループチャットで、この女性の弁護のために立ち上がった。そのグループのメンバーの一部には、政府で働いている人たちもいて、その女性を非難し大学の肩を持つ者がいた。ほどなくして、アシュリーはメンバーの一人から私信を受け取った。

「わかっているだろうけど、人前で彼女を擁護するべきではない」と、アメリカに住んでいるクラスメートが警告してきた。今政府で働いているメンバーが「あなたの投稿のスクリーンショットを撮って何かするかもしれない」

「むかつくような人たちだわ」とアシュリーは、政府に就職し、その抑圧的政策を支援し続けているかつてのクラスメートについて語った。「同じクラスで授業を受けたなんて信じられないときがあります。あの頃はいい人たちだったのに」

だが、中国は変わりつつあるのだ。ウィーチャット・グループは習近平の新時代にはプライベートではなくなり、大学時代の仲良しは必ずしも信頼できる人間とは限らない。わたしは、アシュリーが今後も母校のあの学生活動家のような人たちを擁護していくのか、興味がわいた。

「自制するでしょうね」とアシュリーは言った。「リスクを冒すわけにはいかないから。わたしの信念のありかは自分がよく知ってるし、わたしがウィーチャット・グループの愚かな連中に通報されるに値するとは思いませんから。間尺に合いませんよ」

職業的観点からすれば、機会と可能性の国中国に戻ってアシュリーは胸を高鳴らせていたが、経済全般について心配していた。経済成長に陰りが見えるなか、中国はトランプ大統領から仕掛けられた貿易戦争を戦いながら不良債権を削減しようとしていた。アシュリーは審判の日は間近だと考えていた。

「金融危機が来る、それは間違いありません」と彼女は言った。「どれくらいの規模でどれくらい続くか？　それはわかりません」


上司を告発し、彼の当時の勤務先に恥をかかせたあとのチャールズが、西側報道機関に職を得るチャンスは限りなくゼロに近いだろうとわたしは思っていた。不安に苦しめられ、ことの最初から息子が表沙汰にすることに反対していた母親から絶え間なく小言を言われていたチャールズ自身も、そう思っていた。数カ月後、チャールズはある外国放送局の面接を受けることになった。面接で、なぜ告発を表沙汰にする前に、オランダの新聞社に調査する時間を与えなかったのかと訊かれたらどう答えるか、とわたしは彼に尋ねた。

「ここ上海で働いていたぼくは、［オランダの］本社などまったく気にかけないだろうと思っていたんです。それにぼくは本社と直接連絡をとることなどありませんでしたから」とチャールズは言った。

「あそこまでひどい作り話だったから、編集委員会全体に誠実さがないのではと疑っていたんです。それで、ぼくは彼らに数時間与えましたが返事はなし。口封じされるんじゃないかと、そればかり恐れていました」

不信感で特徴づけられた社会で育ったチャールズは、オランダの新聞社のリーダーたち——彼は一度も接したことがなかった——が正しく動いてくれるかどうか疑っていた。父親がサッカージャージを買ってくれるという話を信じなかったように、中国政府が天安門事件や大躍進についての真実を語るとは思わなかったように。チャールズは新しい仕事を求めてインタビューを受け、結果が出るまで数週間待った。編集者たちはまだオスカー事件に関して彼がとった行動を気にかけていると聞かされた。チャールズの母親はいまだに彼の就職の見通しについて小うるさく言うのだった。ある朝、彼女は息子をウィーチャットに呼び出した。

「仕事はどうなってるの？」と彼女は尋ねる。「こんなに長く待った挙げ句にどうするつもり？」

「訊かないでくれ」とチャールズは返事をした。

彼はコンピュータに戻って求職サイトを探し回り、そのかたわら、日本のロジスティクス会社の販売部門の仕事はどうかと言うヘッドハンターからの電話に対応したりする。

「もう投げ出そうかと思いました」と彼はわたしに言った。

その日の午後、チャールズが上海の自分の部屋に座っているところへ放送局から電話があった。その直後、彼はわたしにメッセージを送ってきた。

「採用決定です」

わたしは驚いたが、ありがたく思い、ほっとした。西側報道機関にしてみたら、チャールズを不採用にするのは簡単なことで、そうしたところで選考経緯が問われることなど一切なかったろう。けれども、海外特派員のなかには正しいことをしたチャールズが罰せられるべきではなく、報道界に貢献するチャンスを与えるべきだと考える者がいることも知っていた。チャールズの家族はこの知らせに大喜びで、母親は息子が職を得るなり自分の所説を変えた。わたしが最後におしゃべりをしたとき、彼女は勇気ある息子をいつだって応援していた、と言い張るのだった。

息子が新しい仕事に就けたと知ったとき、チャールズの母親はこう返事をした。「好好做《ハオハオツオ》」（うまくやりなさい）。これをチャールズは「一生懸命働いて、この機会を大事にするんだよ」と理解した。

チャールズはこう答えた。「もう内部通報はしないよ」

上海で客の送り届けを終了し、ロンドンへ引っ越す前に、上海フリータクシーを処分していかなければならなかった。そこでわたしが知っているただ一人の中古車セールスマン、ビアーに頼ることにした。前の別れ際は友好的とは言えなかったが、その後どう変わったか知りたい気持ちもあった。販売代理店に着くとビアーが担当してくれ、具合を見るために転がしてみるから車の鍵を貸せと言う。彼に会ってから一年以上が経っていたが、彼は人当たりがよくなり、自信もつけたように見えた。肩のフケは消え、頭髪は中央をオールバックにして両脇を短く刈り込み、ずいぶんとしゃれたスタイルになっていた。しかしほかの面において、彼は相変わらずのビアーだった。彼が付けていた名札には別人の名前が記してあり、肩書きも「研修生」などと身分を偽ったものになっている。ヤンは、研修生を装うことによって、潜在的買い手の心の琴線に触れようという作戦なのではないか、と推測した。別人の名前を書いたのは、その作戦に支障が生じたときに、ビアー本人が言い逃れできるようにという深慮ではないか、とわたしは勘ぐった。

「控えめでいるのが好きなんで」と事情を解説するビアーだった。

代理店経由で買い手を見つけるという手順は時間がかかるとビアーは言い、ついては――と職場の同僚に聞かれないように――彼が個人的に買い取って誰かに売ることもできる、と提案した。非常にビアーらしく、非常に悪質なアイデアのように感じられた。翌週出直したわたしは、代理店に直接車を売った。ビアーは失望し、わたしにキャラメルを数粒くれ、裏取引をすればいい値段になったのにとしつこく言った。

数年前ビアーに初めて会ったとき、彼はそのうち一緒に飲みに行こうと提案し、一度に七本から八本くらいは空にすると豪語した。イギリスへ向かう飛行機に乗る数日前、ヤンとわたしは彼をバーに誘ってプール〔ポケットビリヤード〕をし、最後の別れを告げた。屋外に設置された玉突き台が珍しくない中国の田舎で育ったのに、ビアーはプールをやったことがなく、最初ブレークショットを二回試したが、いずれもラックに玉を当てることができなかった。わたしの眼前で初めて彼は多少もろさを見せ、張り切りぶりは鳴りを潜めた。何回かゲームを繰り返すなかで、わたしは彼に玉を進めるべき方向を指で示し、玉の突き方を教えてやるうちに、彼も上達してきた。名前負けすることなく彼はタイガー四本、アサヒ一本、ブルックリン一本を空けたあと、くし切りのレモンを添えたテキーラを飲み干した。最初に車を売りつけようとしたとき、どうしてあんなにわたしの身体にべたべた触ったのか訊いてみた。あれは自分なりのスタイルで——若い中国人はどんどん個性が強くなっている——それに、アメリカ人はああいうのが好きだと思っていた。

去年、ビアーのウィーチャットの本人ページを見ると、彼は中国南部に引っ越して長年の恋人と結婚し、女の子を授かっていた。彼はまだ中古車を売っていたが、実際に話してみると別人のようだった。ウィーチャット上の会話で、彼は四〇分にわたって、彼が以前働いていた製造業都市の経済分析をしたり、これからの中国の自動車産業でなぜリース事業がビッグになると思うかを教えてくれた。その主張の正しさを判断する知識がわたしにはなかったが、彼が山ほど勉強したことは明らかで、わたしは感服した。彼の夢は自分でリース会社を興すことだと言っていた。会話の最後にわたしは彼の成功を祈った。わたしが誰にも見せないと約束するなら彼のビジネスプランのコピーを送ろう、と彼は言った。わたしとビアーのあいだに初めて何かが生まれた。信頼である。

わたしが上海にやってきた二〇一一年、中国は過去一〇年間の政府の無為、汚職、堕落のあとの転換点に立っていた。共産党がどのような道を進んでいくのか模糊としていたが、それを習近平がすぐに変えた。わたしがフリータクシーに客を乗せて市内を走り回り始めた頃、習主席は国家統治の手綱を引き締め、汚職官僚の投獄を続け、敵を打ち負かし、ついには過去数十年間見たことのないやり方で権力の集中を図った。よりリベラルな方向へ舵を切るのではなく、彼は中国が達成した偉大なる業績の一つ――ますます裕福になり洗練されてきた人口の増加――が、共産党にとって最大の脅威であると認識した。とくに、西側の政治的価値を是とする中国人の数がますます増えていく場合には。習近平は、洞察力と適応力のある政治家がするであろうことをした。彼は民衆の懸念を検討し、自信を鼓吹し、国家威信を高揚させ、党にとってイデオロギー上最大の挑戦である民主主義の信用を失墜させようとした。これまでのところ、順調に成果を挙げている。

わたしは習近平の新時代に置かれた中国に、矛盾した意見を抱いていた。フリータクシーの客を乗せて走り回り、彼らのその後の人生を、国内だけでなく外国にまで追いかけていた数年間、中国の人びとについてあれほど喜ばしく思い、楽観的になれた時期はない。乗客たちは賢く、やる気に満ち、有能で、その多くが自分たちの両親の想像を超えた生活を築くために奮闘していた。彼らはアメリカン・ドリームを生きていたのだ――中国という国のなかで。だが同時に、中国がたどりつつある政治の軌道にこれほど不安を感じたこともなかった。アメリカは、外部世界との貿易と交流の増加が結局はもっと自由で開かれたシステムをもたらすだろうという期待をかけて、過去数十年、中国に関与してきた。実際にはその反対のことが起きてしまった。貿易によって中国は豊かになり、党はますます力強くなり、外向きの自信をつけてきた。習近平は国民の暮らしを豊かにする政策をつくり上げる一方で、ジョハンナの同僚のような人権派弁護士を投獄するなど、弾圧という賭けに出た。報道メディアを去勢し、チャールズのような人たちを幻滅させた。ナショナリズムを鼓舞し、レイのような人たちをある程度共鳴させた。党は、中国人の教育程度が向上し、旅行の機会が増え、より裕福になれば、ある日彼らは権利と保護をより強く求め、体制に疑問を投じるようになると察していた。短期戦略は、彼らを国外の批判的見解から可能な限り切り離し、党の政策や規則に歯向かいそうな者を恐怖に陥れるというやり方だった。

習近平の国内弾圧と対外的自己主張は、前任者たちとは比べものにならぬほど中国との正面対決を望むアメリカ大統領の選出と、偶然時を同じくした。将来の基幹産業を支配しようとする中国政府を警戒したトランプ大統領は、貿易戦争を仕掛けてきた。二〇一八年の秋までに、世界の上位一位と二位の経済大国が三六〇〇億ドル以上の物品に対し新たな関税を課すことになり、二国間の関係は過去数十年のなかでも最悪となった。中国政府はトランプ大統領の強気のアプローチに準備ができておらず、アメリカの政治家、ビジネスリーダー、そして中国学学者たちの好意をどれほど失うことになるかという点も過小評価していたようだ。昨年秋〔二〇一八年十月〕の演説で、ペンス副大統領は、アメリカ技術の窃盗や忠実な信徒に対する宗教的弾圧から、アメリカの大学や映画スタジオに対する影響力行使、南シナ海論争に対する軍事化による対応までを糾弾するという、習政府に対する広範囲にわたる告発を表明した。

「アメリカは、中国が経済自由化を通してわれわれと世界にとってさらにすばらしいパートナーになることを期待していた」とペンスは述べた。「しかしながら、中国は経済的侵略を選び、それによって強大化する中国軍を大胆にさせている」

中国共産党は彼らを疑う者たち――アメリカの外交政策当局の大半を含む――に昂然と挑み、驚異的な経済的成果を生み出すことになる抑圧的な形態の国家資本主義を構築した。習近平が打ち出したいくつかの権威主義的な政策にもかかわらず、中国人の多くは主席に満足していて、ロッキーやセイラのように将来に関して楽観的だ。中国人は実利的で辛抱強い。そして、これを覚えておくことが非常に重要なのだが、彼らははるかに悪い状況をくぐり抜けてきている。もし習近平が、国営企業の改革に成功し、国の巨額な債務を削減でき、より高付加価値の仕事を創出できる二十一世紀型経済を構築することができれば、圧倒的多数の中国人は――わたしがフリータクシーに乗せた人たちのうち数人を含め――おそらく彼を支持し続けるだろう。

しかしそれは難しい注文であり、党の行く手にはいくつもの挑戦が控えている。そのなかには経済成長の鈍化、公害による健康被害、人口高齢化、労働人口の減少、そしてアメリカとのねじ曲がった関係などがある。任期制限を撤廃したことで、党と習近平は大きな賭けに出た。習近平の抑圧的政策は激しい反発を招くことにもなった。香港市民を中国本土へ引き渡し裁判にかけることを可能にする法案が、かつての英国植民地で集団抗議行動を呼び起こし、それは暴力沙汰となって香港市の統治をほとんど不可能にしてしまった。武漢のある医師が仲間の医者たちに新型コロナウイルスについて警告しようとすると、警察は彼に対し、違法な風説の流布であるからその警告を取り消せと迫った。その医師が死亡するに至った時点では、すでにウイルスは世界中に広まってしまっていた。彼の死はオンラインで激しい怒りを呼び、多くの中国人が言論の自由の殉教者として彼を称賛した。もし習近平が負けたら、国内には非をかぶせる相手がいない。非難の矛先を日本かアメリカに向けようとするかもしれないが、その戦略は裏目に出る可能性がある。ナショナリストが政府に楯突き、なぜ外敵から国を守れないのかと迫る事態を迎えかねない。

今この日々は、中国における自由にとって、また大半の西側世界におけるリベラルな価値観にとって暗黒時代であり、それは今後何年にもわたって続くかもしれない。中国人がいつの時代もそうだったように、わたしの乗客だった人たちもそれを耐え抜くであろうことを、わたしは確信している。中国の将来を予測することは骨折り損だし、みすみす間違いの宣告を待つようなものだ。しかしわたしはいつの日か、彼らが彼らにふさわしい政府、もっと多くの自由と保護と、被支配形態について多くの発言権を与えてくれる政府を持てるようになることを期待している。長い目で見れば、大多数の中国人が望んでいるのはそういうことであり、それを今後何十年も無視したままでいるというのは計りがたいリスクを冒すことになる。そしてまた何年か前、ロッキーの結婚式のあと、湖北省の泥だらけの丘の上でレイが言ったことを、わたしは思い出す。

「考えてもみてください」とレイは言った。「もし一四億人の創造性が動員されたら、みなやりたいことをやり、尊厳のある暮らしを送ることでしょう。それが実現したらこの国にとって天恵です。それは世界全体にとってもすばらしい出来事なのです」

謝辞

わたしの中国への旅は四半世紀以上前、『ボルティモア・サン』紙の若手記者だったわたしが海外特派員を夢見ていた頃、ニュージャージー南部の浜辺で父とおしゃべりをしていたときに始まった。経歴を積むのに格好な場所へ行きたかったが、それがどこなのか見当がつかなかった。わたしの父親は医者として、また大学の管理者として働いたことがあり、当時は資産管理会社に勤めていた賢明な人物だ。そこでわたしは彼に、冗談半分、「どこに行くべきかな？」と尋ねた。

「中国」と父はよどみなく答えた。確固たる即答だ。わたしは座を正して傾聴した。

「中国の人口は世界最大、経済成長は世界最速、そして外貨準備高は五億ドルになる」と父は言った。誰も知らないような事実に精通していたのは、彼が濫読家だったからだ。

「中国には未来がある。今後世界を変えるだろう」

その数年後、『ボルティモア・サン』紙が突然北京事務所を開くとなったとき、わたしは獣医の妻のジュリーに、応募すべきだろうかと相談した。

「中国？」と彼女は聞き返した。「中国、行きましょう」

一九九七年四月、わたしは西も東もわからぬ町、北京行きのフライトに搭乗した。わたしは父の先見の明と妻の並ぶものなき冒険心に一生感謝したい。中国を取材し中国人と知り合いになったことは、わたしの職歴のうえで最大の特権だ。

未試用の特派員を世界一やりがいのあるポストの一角に据えてくれたサン紙の編集者たちには、大いに感謝したい。そのなかにはわたしの師、当時サン紙の編集長Bill Marimow〔一九七八年と八五年にピュリツァー賞受賞〕が含まれる。彼はタクシー運転手をやっていたわたしを『フィラデルフィア・インクワイアラー』紙で雇ってくれた〔彼はインクワイアラー紙を一九九三年に去ってサン紙に移籍し、二〇〇六年に再度インクワイアラー紙へ戻った〕。サン紙の編集者John Carrollは、ほかの編集者たちと違い、奇特にもわたしを信頼してくれた。サン紙の外信部員Jeff PriceとRobert Rubyは、わたしが海外特派員になるための必須事項の教育と支援を授けてくれた。

本書に息吹を吹き込んでくれた中国人の乗客、友人たちにも多大な恩義を負っている。彼らは何年にもわたって、その自宅や人生へわたしを誘ってくれ、何十時間もの歓談とインタビューに付き合ってくれた。彼らに危険をもたらしかねない問答への躊躇を除き、どんな質問にも答えてくれた。ビアーも含め、彼ら全員をわたしは友だちだと思っている。

わたしが北京と上海を本拠にしていた一〇年間、その知恵と友情でわたしを助けてくれた仲間は次のとおり。Adam Brookes, Adam Minter, Andrea Koppel-Pollack, Andrew Browne, Anthony Kuhn, Ian Johnson, Jennifer Lin, Mary Kay Magistad, Steve Mufson, Rone Tempest, Erik Eckholm, Elisabeth Rosenthal, Michael Forsythe, Leta Hong Fincher, Stephanie Ho, Dele Olojede, Chris Buckley, John Pomfret, George Wehrfritz, Michael Laris, Peter Hessler, Scott Savitt, David Murphy, Richard McGregor, Mark Leong, Matt Forney, Bay Fang, Charles Hutzler, Melinda Liu, Michael Lev, Rob Schmitz, Robin Brant, John Sudworth, David Barboza, Brook Larmer, Hannah Beech, John Ruwitch, Russell Flannery, Lenora Chu, Margaret Conley, Bill Savadove, Tom Phillips, Paul Eckert, Chris Billing,

Jaime FlorCruz, Paul Mooney, James Palmer, Christina Larson, Paul French, Sue Anne Tay, David Bandurski, David McKenzie, Edward Gargan, Duncan Hewitt, Henry Chu, James Fallows, James Mann, Li Yuan, Mara Hvistendahl, Miro Cernetig, Peter Ford, Wang Feng, Luna Lin, Rob Gifford, Rupert Wingfield-Hayes, Susan Lawrence, Ted Anthony, Tiff Roberts, Victoria Wei, Wen Haijing, Vincent Ni, David Wertime, Fan Wenxin, Joy Ma, Mike Chinoy, David Rennie, Barbara Demick, Michael Meyer, Louisa Lim, Phil Pan, Richard Burger, Bill Bishop, Andy Xie, Qiu Xiaolong, Patrick Chovanec, Michael Pettis, Vijay Vaitheeswaran, Curtis Rodda.

そしてまた、多くの賢明なる中国の専門家ならびに著作家から助言をいただいた。それは、Winston Lord大使、David Shambaugh, Orville Schell, Bert Keidel, 故Richard Baum, 故James Lilley大使、Andrew Nathan, Robert Griffiths, Joseph Fewsmith, Merle Goldman, 故Roderick MacFarquhar, Elizabeth Perry, Barry Naughton, Yasheng Huang, Dali Yang, Cheng Li, Susan Naquin, Jeffrey Wasserstrom, Arthur Kroeber, Andrew Field, James Farrer, Anne Stevenson-Yang, David Zweig, Andy Rothman, Robin Bordie, Minxin Pei, Bill Dodson, Bob Kapp, Kent Kedl, Ezra Vogel, Anthony Saich, Jerome Cohen, Kenneth Jarrett,James Sasser大使、Joseph Prueher大使、Micah Truman, Shen Dingli, Yan Xuetong, Yanmei Xie, Zhang Xuezhong, Huang Jing, John Kamm, Suzanne Payne, Kaiser Kuo, Jeremy Goldkorn, Eric Weiner, Louis Bayardの方々である。

上海の中欧国際工商学院（China Europe International Business School）では、中国経済を理解するために、Charmaine Clark, Ding Yuan, Oliver Rui, Gary Liu, David Yu, June Zhuのお世話になった。中国語能力取得にあたり、最初の先生Chuan Ouyangそして、台北語文學院の北京分校と上海分校の多くの先生方の忍耐と援助には永遠に感謝したい。

わたしたち家族が北京と上海で暮らした年月は、Chen Yali, Eric Hagt, Chen Yawei, Bei Ye, Linda Zhang, Frank Wang, Christine Ching, our pastors Elyn and Peter MacInnis and Timothy Merrill, Jeanie Merrill, Ken and Brenda Erickson, Richard and Lucy Young, John and Meg Ideker, Stephen and York-Chi Harder, Stefan and Devon Whitney, Diana Mathias など、すばらしい友人グループのおかげで豊かなものとなった。

ナショナル・パブリック・ラジオ（ＮＰＲ）の番組としてフリータクシーの企画を売り込んだとき、当時の国際部長 Edith Chapin が「本になるわね」と言った。本プロジェクト開始早々から示してくれた彼女の、そして彼女の後任となった中国専門家 Will Dobson の揺るぎなき支援と、寛大なる執筆休暇の許可に深謝したい。二人は業務上の任務を超えて、わたしの最終段階原稿の編集に際し有益な協力の手を差し伸べてくれた。ＮＰＲアジア担当編集者の Nishant Dahiya は本書の元となるラジオ番組の具体化というすばらしい仕事をしてくれ、原稿の最終段階できわめて重要な観点を示してくれた。また、わたしを東アフリカ、のちに上海へ派遣してくれた元外信部長の Loren Jenkins、そしてアフリカ部長 Didi Schanche と欧州アジア部長 Kevin Beesley、元ＮＰＲ編集長 Madhulika Sikka にも感謝を捧げたい。わたしがロンドン事務所を留守にしていたあいだ、支援してくれた Lauren Frayer, Joanna Kakissis, Daniella Cheslow, Debbie Elliott, Alice Fordham、そしてわたしの不在中に事務所をまとめ平然と運営してくれたＮＰＲ／ＢＢＣのプロデューサー、Sam Alwyine-Mosely に感謝したい。本書執筆に入ったばかりの頃、Soham Saxena には何時間にもわたるインタビュー録音の書き起こしをしてもらい、Evan Osnos からはソフトウェアの使い方から文章構造に至るまで、本を書く際の適格な助言を授かった。

中国に関する本を書くにあたり、二〇一一年に最初の相談をしたのがわたしのエージェント Howard Yoon で、彼のサポート、忍耐、提案内容を具体化する際の手助けに対し、そしてまた彼のビジネスパートナー、ロス・ユーン・エイジェンシーのGail Rossに感謝したい。パブリック・アフェアーズ社でわたしの担当編集者となったBen Adamsは、前例ない本の組み立てをどのようにしたらよいか直感的に理解し、熱中してはいるが不安いっぱいの出版未経験作家をどう指導していけばいいかよく心得ていた。また、パブリック・アフェアーズ社のPeter Osnos, Clive Priddle, Jaime Leifer, Lindsay Fradkoff, Miguel Cervantes III, Brynn Warriner各氏にお世話になったほか、Peter Garceauにはカバーデザインで、Elizabeth Danaには彼女の慎重で思慮深く忍耐強い原稿整理でお世話になった。Kuan Yangには雨降る夜の上海ですばらしいカバー用写真を撮ってもらい、James McGregorにはきちんとした靴を貸してくれた礼を言いたい。

　家族と友人たちの多大な協力なくして本が生まれることはない。いとこのDan Langfitt、兄弟のDavid Langfitt、おじのJohn Payne、おばのJane Payne、ＮＰＲの同僚Anthony Kuhr, Steve Inskeep, PJ Juliano、そしてＢＢＣの仲間Vincent NiとFeifei Feng、上海の友人Patrick CranleyとTina Kanagaratnam、そしてJeffrey Wasserstrom教授の全員が原稿全体ないしはその一部を読み、有益な編集上の助言と訂正すべき点の指摘をしてくれ、執筆内容と構成の改善に役立った。間違いが残っているとすれば、それはわたしの責任である。本書執筆を強く勧めてくれたおじのJohn Payne、そして個人的かつ職業上のアドバイスを与えてくれた兄弟DavidとJohnにはとくに感謝している。そしてまた、いとこの米海軍少将（退役）Tilghman Payneからは南シナ海の地政学について啓蒙されることが多かった。わたしが大学生だったとき、母のCarolynから、ノンフィクション執筆講座であり、かの有名なJohn McPheeが教える「事実の文学」を取れとせかされた。母の激励とジョンの手本がなかったら、わたしはジャーナリストになっていなかったかもしれないし、とても海外特派員になるとか本を書くなどという可能性は思いつきもしなかっただろう。

上海で五年間お互い支え合って仕事をしてきたすばらしいジャーナリスト、Yang Zhuo は本書の取材、編集、事実検証を常に共にし、中国の中部や南部、またそのほかの地へ共に旅した忠実な友人だ。彼はフリータクシーというコンセプトの発案と実行を可能にしてくれた助手である。彼がいなかったら本書は誕生しなかった。彼とともになしたいくつもの冒険は、わたしがジャーナリストとして中国で過ごした時間の最高の時であった。

最後に、すべてを可能にしてくれた妻のジュリーに礼を述べたい。本プロジェクトに対する彼女の揺るぎなき支援、具体的に言えば長期間にわたるわたしの不在、深夜の仕事、休暇の欠如、心安まらぬ議論、各章の延々と続く書き直しに対する彼女の忍耐に深謝する。わたしの子どもたち、キャサリンとクリスの励ましには特別に感謝したい。二人は一家の海外暮らしを、好奇心とユーモアと強い冒険心をもって受け止めてくれた。わたしたちが一緒に暮らすこと以外、わたしは何も望まない。本書は彼らに捧げるものである。

二〇一九年二月四日　ロンドンにて

フランク・ラングフィット

訳者あとがき

本書はFrank Langfitt, *The Shanghai Free Taxi: Journeys with the Hustlers and Rebels of the New China*（PublicAffairs, 2019）の全訳である。なお、著者の依頼に基づき、ないしは諒解を得て加減訂正した箇所がある。

新聞記者のあいだにはタクシーの運転手から聞いた話は文字にしてはならない、という鉄則があるらしい。面白すぎて出所不明だからだ。

だが、本書の著者フランク・ラングフィットは自らタクシーの運転手に化け、面白い話をこちらから積極的に取りに行った。発想の転換とはこのことである。そしてジャーナリストにとっては毒饅頭かも知れぬうさんくさい一期一会を、息の長い付き合いに変えて信頼に足る命のこもった話へとまとめていった。その手法はあけすけに言えば生け捕りであり、穏やかに言えばオーディションと言えよう。こうして、点でしかなかった出会いを、それぞれ個人の過去へ遡及し未来を追求して一本の線に変えた。結果としてできあがった十数本の束は、ときには中国本土から北米や欧州へはみ出しつつ、中国社会の近時約二〇年の歴史と、その結果でもあれば立役者でもある市民各層の活写になった。

牧歌的な農家の結婚式で始まった本書も終盤になると、情報統制の強化、国家主席の終身制導入など、中国の重苦しい面に光が当てられてゆく。著者としては当初政治的な話題にはあまり触れないでおくつもりだったらしい。だが、トランプ大統領の出現と習近平の強権掌握という太平洋の東と西での大事件以降は、どうしてもトーンが変わってきたと彼は言う。上海人の内面を聞き出すという当初の目的は不変であったけれども、彼らの内面が国内外の政治状況によって波立ってきた。

それが明→暗のグラデーションだとしたら、登場人物の大半はそれ以前に暗→明の転換体験をしてきていた。他国ならば少なくとも二、三世代はかかる金銭・物質面での階級的跳躍をやってのけた。自転車に乗ったブルーカラーの波が外車に乗るホワイトカラーに変化した、いわば青波から白波への変幻である。彼はこの点をいろいろな折りに強調し、中国における一年はアメリカの三年に相当するなどという言い方もしている。だが、彼の言葉の端に潜むのは、その異常値の裏に隠されたひずみと、社会経済の進行速度にマッチした倫理的指針の不在に対する懸念である。北京と上海に通算一〇年暮らし、中国語も流暢な著者の、エピローグにおける総括は決して明るいものではない。

どこから見ても外国人ジャーナリストに上海市民がここまで胸襟を開いたことは驚きだった。持ち前のエネルギーと好奇心が役に立ったであろうことは明らかだが、それに加えて、アメリカ人であるがゆえに心を開いた（中国人に言わせると中国人より信頼できる！）という逆説的な中国人の態度、そして何よりも習近平の鉄のグリップがきつくなる前の相対的に自由な空気があった時期、という二つの要素に大いに助けられたと彼は言う。しかし今後は同じようにはいくまい、という彼の予言は、本稿執筆中に飛び込んできた『ニューヨーク・タイムズ』『ワシントン・ポスト』『ウォールストリート・ジャーナル』各紙に属するアメリカ人記者の活動は今後許可せずという中国外務省の発表によって早くも成就した。上海フリータクシーとは、二度と繰り返すことができない、期間限定の恵まれた企画だったのかもしれない。

著者の現在の勤務地はロンドン。二〇一六年に上海勤務を終えたあとの新任地だ。所属は引き続き同じＮＰＲ（ナショナル・パブリック・ラジオ）である。同社は、英国で言えばＢＢＣ、日本ならばＮＨＫに相当する米国の公共放送局だ。公共放送局同士のよしみで、彼のオフィスはロンドンのＢＢＣ本社の一角にあり、アシスタントの手助けを得つつ、そこから米国向けの放送を行っている。

本書『上海フリータクシー』も、二〇一四年末に彼がＮＰＲの上海オフィスから発信したラジオ番組が元になっている。当時は「ストリート・オブ・シャンハイ」というシリーズ名で、今でもＮＰＲのウェブサイトにはまだその放送が何本か残っていて、チェンの思慮深そうな声（第1章）、クオのやや粗いけれどもはねるような元気な声（第3章）、タクシーの中で始まった民主主義論争（第5章）などの切片を中国語で聴くことができる。本書をもっと生々しく感じたい方には一聴をお勧めしたい。

白水社編集部の阿部唯史さんからは本書の紹介と翻訳の機会をいただきました。また同社編集部の轟木玲子さんには、中国語の発音表記などの御指導をいただきました。お二人にはこの場を借りて御礼申し上げます。

二〇二〇年三月　ロンドン西郊にて

園部哲

Ian Johnson, "Who Killed More: Hitler, Stalin, or Mao?" *New York Review of Books*, February 2, 2018.

中国の現代政治について

Evan Osnos, *The Age of Ambition, Chasing Fortune, Truth and Faith in the New China*,（New York: Farrar, Straus and Giroux, 2014）（エヴァン・オズノス『ネオ・チャイナ』笠井亮平訳、白水社、2015年）

新疆ウイグル自治区の再教育収容所について

James Millward, "Reeducating' Xinjiang's Muslims" *New York Review of Books*, February 7, 2019.

中米関係と中国現代史について

John Pomfret, *The Beautiful Country and the Middle Kingdom: America and China, 1776 to the Present*（New York: Henry Holt and Company, 2016）.

Graham Hutchings, *Modern China: A Guide to a Century of Change*（Cambridge, Massachusetts: Harvard University Press, 2001）.

エピローグ

北京大学におけるセクシャルハラスメント・スキャンダルについて

Jiayun Feng, "Peking University Student To School: Stop Trying To Gag Me On Rape Case!" *Supchina*, April 23, 2018.

Yue Xin, "Translation: Open Letter on PKU #MeToo Case," *China Digital Times*, April 23, 2018.

2015.

第12章●西洋再考

パリについて

Kim Willsher, "Paris 1900 Exhibition Shows City of Light at Its Brightest," *Guardian*, April 3, 2014.

"Churchill Returns to Paris," BBC, November 11, 1998.

Tina Isaac-Goize, "A New Exhibition from Hermes Salutes the Artist Behind Those Iconic Windows," *Vogue*, November 7, 2017.

"French GDP Growth Rate," *Trading Economics*.

北京市における立ち退き命令について

Stephen McDonell, "Mass Evictions as Beijing Is Spruced Up," BBC, December 1, 2017.

Chris Buckley, "Why Parts of Beijing Look Like a Devastated War Zone," *New York Times*, November 30, 2017.

Zheping Huang, "What you need to know about Beijing's crackdown on its low-end population," *Quartz*, November 27, 2017.

在ベオグラード中国大使館爆撃に対する抗議行動について

Stephen Shaver, "Photo of Anti-Nato protests in Bejiing," *AFP*, May 9, 1999.

第13章●アシュリーのジレンマ

天安門蜂起について

The Gate of Heavenly Peace, directed by Richard Gordon and Carma Hinton（Boston: Long Bow Group, 1995）.

Louisa Lim, *People's Republic of Amnesia: Tiananmen Revisited*（New York: Oxford University Press, 2014）.

Eric X. Li, "Why China's Political Model is Superior," *New York Times*, February 16, 2012.

VPN の利用とそのブロックについて

Jon Russell, "Apple Removes VPN Apps from the App Store in China," *Tech-Crunch*, July 29, 2017.

"About Those 674 Apps That Apple Censored in China," Greatfire.org, November 30, 2017.

Yuyu Chen and David Y. Yang, "The Impact of Media Censorship: 1984 or Brave New World?"（Forthcoming, American Economic Review）.

Jon Russell, "Apple removes VPN apps from the App Store in China," *Tech-Crunch*, July 29, 2017.

"About Those 674 Apps That Apple Censored in China," Greatfire.org, November 30, 2017.

Jiang Feng, "Western elites find new 'China threat' theory," *Global Times*, November 19, 2017.

Curtis Stone, "FAKE NEWS! Here is another example, Trump," *People's Daily Online*, March 6, 2017.

魯迅について

Lu Xun, *The True Story of Ah Q*, 1921.（魯迅『阿 Q 正伝・狂人日記　他十二篇』所収、竹内好訳、岩波書店、1955 年）

Manya Koetse, "Xi Jinping Can Now Stay in Office After Second Term—Weibo Responds," What's On Weibo, February 25, 2018.

第14章●生涯国家主席?

国家主席任期制限の変更について

Richard McGregor et al., "Xi Won't Go," *ChinaFile*, February 25, 2018.

Laurent Thomet, "China Drowns Out Critics of Lifetime Xi Presidency," AFP, February 27, 2018.

"Reef Madness," Australian Broadcasting Corporation, May 21, 2014.
Manuel Mogato, "Philippines Reinforcing Rusting Ship on Spratly Reef Outpost," Reuters, July 14, 2015.
Asia Maritime Transparency Initiative, CSIS.
Zheng Wang, "The Nine-Dashed Line: 'Engraved in Our Hearts,'" *Diplomat*, August 25, 2014.
"China's Position Paper on South China Sea," Xinhua, July 12, 2014.
Michael Green, Bonnie Glaser, and Zack Cooper, "Seeing the Forest Through the SAMs on Woody Island," Asia Maritime Transparency Initiative, CSIS, February 18, 2016.
Frank Langfitt, "China Deploys Surface-to-Air Missiles on Disputed Island in South China Sea," NPR, February 17, 2016.
Zheng Wang, "The Perception Gap Between China and Its Neighbors," *Diplomat*, August 6, 2014.
"Confrontation Will Be Huge Mistake for Japan," *Global Times*, September 13, 2012.
Jane Perlez, "China Accuses Japan of Stealing After Purchase of Group of Disputed Islands," *New York Times*, September 11, 2012.
James Arredy, "Amid Protests, Shanghai Protects Japanese Consulate It Paid to Fix," *Wall Street Journal*, September 19, 2012.
Ian Johnson and Thom Shanker, "Beijing Mixes Messages over Anti-Japan Protests," *New York Times*, September 16, 2012.
Brian Spegele and Takashi Nakamichi, "Anti-Japan Protests Mount in China," *Wall Street Journal*, September 16, 2012.
Amy Qin and Edward Wong, "Smashed Skull Serves as Grim Symbol of Seething Patriotism," *New York Times*, October 11, 2012.

第10章◉大統領ドナルド・J・トランプ

米中貿易摩擦と産業スパイについて

Paul Mozur, "Inside a Heist of American Chip Designs, as China Bids for Tech Power," *New York Times*, June 22, 2018.
Frank Langfitt, "U.S. Security Company Tracks Hacking to Chinese Army Unit," NPR, February 19, 2013.
"U.S. and China Reach Historic Agreement on Economic Espionage," Xinhua, September 25, 2015.
Rob Schmitz, "American Business Leaders in China Concerned About Trump's Trade Actions," NPR, March 21, 2018.
Donald J. Trump, "Statement by the President Regarding Trade with China," White House, June 15, 2018.

第11章◉心を失う

『NRC』紙の剽窃問題について

Fan Liya and Kevin Schoenmakers, "China Correspondent for Dutch Newspaper Accused of Fabrications," *Sixth Tone*, September 4, 2017.
Manya Koetse, "Dutch Newspaper Responds to Controversy over China Correspondent," *What's on Weibo*, September 5, 2017.
Peter Vandermeersch, "NRC Correspondent Oscar Garschagen Leaves Newspaper After Journalistic Errors," *NRC*, September 20, 2017 (Dutch).
Liu Caiyu and Shan Jie, "Shanghai-Based Dutch Journalist Leaves as Newspaper Concedes Fabrications," *Global Times*, September 20, 2017.
Frank Langfitt, "A 'Sense of Crisis' Now in a Chinese Boomtown Gone Bust," NPR, September 16, 2015.
Frank Langfitt, "China's White Elephants: Ghost Cities, Lonely Airports, Desolate Factories," NPR, October 15,

Frank Langfitt, "China's Rich Consider Leaving Growing Nation," NPR, January 17, 2012.
Shi Jing and Yu Ran, "Chinese Rich Are Keen to Emigrate," *China Daily*, November 3, 2011.
Robert Frank, "Chinese Millionaires Plan to Leave in Droves: Report," CNBC, September 15, 2014.

中国人ニューリッチの度を超した態度について

Xu Chi, "Sanya Probes Sex Party Rumors," *Shanghai Daily*, April 7, 2013.
F. Scott Fitzgerald, *The Great Gatsby* (New York: Simon & Schuster, 1925)(スコット・フィッツジェラルド『グレート・ギャツビー』野崎孝訳、新潮社、1989年)
The Great Gatsby, directed by Jack Clayton, screenplay by Francis Ford Coppola (Hollywood, CA: Paramount Pictures, 1974).
Evan Osnos, "Reading 'Gatsby' in Beijing," *New Yorker*, May 2, 2013.

都市部における持ち家について

Steven Mufson, "Happy Homeowners Living the New 'Chinese Dream,'" *Washington Post*, June 2, 1998.

収入格差について

Yu Xie and Xiang Zhou, "Income Inequality in Today's China," *Proceedings of the National Academy of Sciences*, May 13, 2014.
"Income Inequality Now Greater in China Than in US," press release, University of Michigan, April 28, 2014.
Shannon Tiezzi, "Report: China's 1 Percent Owns 1/3 of Wealth," *Diplomat*, January 15, 2016.
"China's 2011 Average Salaries Revealed," *China Daily*, June 6, 2012.
Anna Lu, "Owning a Car in China Is Getting Harder and Harder," *Shanghai Daily*, June 27, 2016.

劉暁波について

Shen Jian, "Charter 08 Was More Than a Document for Liu Xiaobo, It Was His Whole Life," *South China Morning Post*, July 14, 2017.
"China's Charter 08," trans. Perry Link, *New York Review of Books*, January 15, 2009.

鄧小平が言わなかったことについて

Evelyn Iritani, "Great Idea but Don't Quote Him," *Los Angeles Times*, September 9, 2004.

変態唐辛子について

Frank Langfitt, "Provocative Chinese Cartoonists Find an Outlet Online," NPR, March 16, 2012.
Isaac Stone Fish, "Rebel Without a Country," *Foreign Policy*, August 31, 2015.

第9章●メイキング・チャイナ・グレート・アゲイン

狼牙山の戦いについて

"Five Heroes on Langya Mountain," China.org.cn, July 29, 2011.
Kiki Zhao, "Chinese Court Orders Apology over Challenge to Tale of Wartime Heroes," *New York Times*, June 28, 2016.
Zhang Yu, "Leftists and Rightists Battle over How to Interpret Stories of China's Revolutionary Past," *Global Times*, January 13, 2016.

南シナ海と東シナ海で係争中の島々について

路上の人を助けたがらない態度について

Huang Haifeng, “What a Tragic Accident Says About Chinese Social Ethics,” *Sixth Tone*, June 16, 2017.

Alex Linder, “Woman Gets Hit by Car, Dozens Pass By Without a Care Before She Gets Run Over Again,” *Shanghaiist*, June 7, 2017.

Michael Wines, “Bystanders’ Neglect of Injured Toddler Sets Off Soul-Searching on Web Sites in China,” *New York Times*, October 18, 2011.

“‘Good Samaritan’ Admits He Pushed Woman,” *Shanghai Daily*, January 17, 2012.

Yunxiang Yan, “The Good Samaritan’s New Trouble: A Study of the Changing Moral Landscape in Contemporary China,” *Social Anthropology* 17, no. 1 (February 2009).

Interview with Yunxiang Yan, 2012.

宗教の自由について

Steven Lee Myers, “China Insists on Control of Religion, Dimming Hope of Imminent Vatican Deal,” New York Times, April 3, 2018.

第5章●「善循環もどこからか始めなければ」

愛他主義について

Caroline Reeves, “Bill and Warren’s Excellent (Chinese) Adventure,” *China Beat*, September 27, 2010.

“The Unkindness of Strangers,” *Economist*, July 27, 2013.

William R. Jankowiak, “The Collapse of the Market and the Transformation of Moral Involvement in Urban China,” *International Journal of Chinese Culture and Management* 1, no.4 (2008): 362–374.

Jeremiah Jenne, “Charitable Past: Examples of Goodwill Throughout the Chinese Ages,” *Beijinger*, February 21, 2018.

Yunxiang Yan, “The Moral Implications of Immorality: The Chinese Case for a New Anthropology of Morality,” *Journal of Religious Ethics* 42, no. 3 (September 2014).

第6章●山で行方不明になった女性

情婦ビジネスについて

James Palmer, “Kept Women,” Aeon, October 10, 2013.

Richard Burger, *Behind the Red Door: Sex in China* (Hong Kong: Earnshaw Books, 2012).

Christina Larson, “The Mistress-Industrial Complex. Is adultery the key to solving China’s corruption problem?” *Foreign Policy*, December 4, 2012.

Clifford Coonan, “Portrait of a femme fatale who brought down China’s elite,” *The Independent*, February 19, 2011.

He Qinglian, “A Chinese Story for Our Time, Li Wei,” *Articles by He Qinglian* (personal blog), March 1, 2011.

第7章●新しい中国に失望する

政府によるキリスト教教会攻撃について

Ian Johnson, “Decapitated Churches in China’s Christian Heartland,” *New York Times*, May 21, 2016.

Frank Langfitt, “Faith, Power Collide in a Changing China,” *Baltimore Sun*, August 27, 2000.

Anne Applebaum, “How the Pope ‘Defeated Communism,” *Washington Post*, April 6, 2005.

中国人富裕層の移民志向について

Tess Johnston and Deke Erh, *A Last Look: Western Architecture in Old Shanghai* (Shanghai: Old China Hand Press, 2014).

Jeffrey N. Wasserstrom, *Global Shanghai, 1850–2010* (New York: Routledge, 2009).

第2章●中国の正月旅行

習近平が唱える「中国の夢」について

"Potential of the Chinese Dream," *China Daily USA*, March 26, 2014.

Ian Johnson, "At China's New Museum, History Toes Party Line," *New York Times*, April 3, 2011.

「大躍進」について

Yang Jisheng, "China's Great Shame," *New York Times*, November 13, 2012.

Yang Jisheng, *Tombstone: The Great Chinese Famine, 1958–1962* (New York: Farrar, Straus and Giroux, 2008)(抄訳　楊継縄『毛沢東 大躍進秘録』伊藤正・田口佐紀子・多田麻美訳、文藝春秋、2012年)

第3章●二つの田舎の結婚式

習近平の思想とイメージについて

Elizabeth Economy, *The Third Revolution: Xi Jinping and the New Chinese State* (New York: Oxford University Press, 2018).

Austin Ramzy, "Musical Ode to Xi Jinping and His Wife Goes Viral," *New York Times*, November 25, 2014.

Joyce Lee, "Expressing the Chinese Dream," *Diplomat*, March 28, 2014.

Ian Johnson, "Old Dreams for a New China," *New York Review of Books*, October 15, 2013.

Javier C. Hernandez and Audrey Carlsen, "Why Xi Jinping's (Airbrushed) Face Is Plastered All Over China," *New York Times*, November 9, 2017.

Kirk A. Denton, "China Dreams and the 'Road to Revival,'" *Origins* 8, no. 3 (December 2014).

"Xi Jinping: A Cult of Personality?" *ChinaFile*, March 4, 2016.

Andrew G. Walder and Yang Su, "The Cultural Revolution in the Countryside: Scope, Timing and Human Impact," *China Quarterly*, no. 173 (March 2003).

"Xi Jinping Outlines His Vision of 'Dream and Renaissance,'" *South China Morning Post*, March 18, 2013.

第4章●「道徳は相対的なもの」

共産党について

"Without the Communist Party, There Would Be No New China," China Radio International English, August 22, 2008.

Richard McGregor, *The Party: The Secret World of China's Communist Rulers* (New York: HarperCollins, 2010)(リチャード・マクレガー『中国共産党 支配者たちの秘密の世界』小谷まさ代訳、草思社、2011年)

居民委員会について

Dan Levin and Sue-Lin Wong, "Beijing's Retirees Keep Eye Out for Trouble During Party Congress," *New York Times*, March 15, 2013.

James L. Tyson, "The Party Patrols Neighborhoods," *Christian Science Monitor*, September 22, 1989.

中国式ぺてんについて

"Police Raid Scam-Artist Teahouse," *Shanghaiist*, July 13, 2007.

Rob Schmitz, "A Chinese Woman Does a Really Bad Job Pretending to Be Hit by a Car," NPR, December 12, 2016.

情報源

本書は主に2011年から2016年にかけて上海ならびに中国各地で取材した内容と、2016年以降の二年間にわたり本書登場人物にインタビューする目的で行った湖南省、パリ、シカゴ、カラマズー、ロサンジェルスへの取材旅行に基づくノンフィクション作品である。場合によって、1997年から2002年まで『ボルティモア・サン』紙から派遣されたわたしの最初の中国勤務時の記事および体験から引用した部分もある。日増しに抑圧的になっている中国の政治環境を考慮し、登場人物のほぼ全員から、本心を語ったことで政府から報復される事態に備え、匿名性確保のために英語名ないしは中国名の名字のみを使うように要請された。ある人物だけが偽名に変えることを希望した。アシュリーである。調査の大部分は200時間を超えるインタビューを通してなされた。また、書物、海外および中国の新聞、分析的論評を掲載したウェブサイトなど、書面による情報源も参考にした。

第1章◉始まり

マグレブについて

"Shanghai Maglev Gets Official Approval," *China Daily*, April 4, 2006.

"Maglev Trains Stay at Front of Debate," *China Daily*, November 28, 2016.

Daniel Ren, "Shanghai's Maglev Passenger Traffic Lower Than Expected," *South China Morning Post*, December 22, 2012.

Shanghai Maglev official website, http://www.smtdc.com/en/.

習近平について

Chris Buckley and Didi Kirsten Tatlow, "Cultural Revolution Shaped Xi Jinping, from Schoolboy to Survivor," *New York Times*, September 24, 2013.

Nicholas Kristof, "Looking for a Jump-Start in China," *New York Times*, January 5, 2013.

John Ruwitch, "Timeline—The Rise of Chinese Leader Xi Jinping," Reuters, March 16, 2018.

Simon Denyer, "Move Over, America. China Now Presents Itself as the Model 'Blazing a New Trail' for the World," *Washington Post*, October 19, 2017.

"Xi Jinping: 'Time for China to Take Centre Stage,'" BBC, October 18, 2017.

上海について

Rob Schmitz, *The Street of Eternal Happiness: Big City Dreams Along a Shanghai Road* (New York: Crown, 2016).

Marie-Claire Bergere, *Shanghai: China's Gateway to Modernity*, trans. Janet Lloyd (Palo Alto, CA: Stanford University Press, 2009).

Anne Warr, *Shanghai Architecture* (Sydney: Watermark Press, 2017).

James Farrer and Andrew David Field, *Shanghai Nightscapes: A Nocturnal Biography of a Global City* (Chicago: University of Chicago Press, 2015).